La collection
ROMANICHELS
est dirigée par
André Vanasse

Du même auteur

Le pavillon des miroirs,
Montréal, XYZ éditeur, 1994
- Prix de l'Académie des lettres du Québec, 1994
- Grand Prix du livre de Montréal, 1994
- Prix Québec-Paris, 1994
- Prix Desjardins du Salon du livre de Québec, 1995

Negão et Doralice,
Montréal, XYZ éditeur, 1995

Errances,
Montréal, XYZ éditeur, 1996

Les langages de la création,
Québec, Nuit blanche éditeur, 1996

L'art du maquillage,
Montréal, XYZ éditeur, 1997
- Grand Prix des lectrices de *Elle Québec*, 1998

Un sourire blindé,
Montréal, XYZ éditeur, 1998

La danse macabre du Québec,
Montréal, XYZ éditeur, 1999

Le maître de jeu,
Montréal, XYZ éditeur, 1999

Saltimbanques,
Montréal, XYZ éditeur, 2000

Kaléidoscope brisé,
Montréal, XYZ éditeur, 2001

Le magicien,
Montréal, XYZ éditeur, 2002
- Prix Québec-Mexique, 2003

Les amants de l'Alfama,
Montréal, XYZ éditeur, 2003

L'amour du lointain

La publication de cet ouvrage a été rendue possible grâce à l'aide financière du ministère du Patrimoine canadien par l'entremise du Programme d'aide au développement de l'industrie de l'édition (PADIÉ), du Conseil des Arts du Canada (CAC), du ministère de la Culture et des Communications du Québec (MCCQ) et de la Société de développement des entreprises culturelles (SODEC).

XYZ éditeur
1781, rue Saint-Hubert
Montréal (Québec)
H2L 3Z1
Téléphone : 514.525.21.70
Télécopieur : 514.525.75.37
Courriel : info@xyzedit.qc.ca
Site Internet : www.xyzedit.qc.ca

et

Sergio Kokis

Dépôt légal : 3e trimestre 2004
Bibliothèque nationale du Canada
Bibliothèque nationale du Québec
ISBN 2-89261-401-5

Distribution en librairie :

Au Canada :
Dimedia inc.
539, boulevard Lebeau
Ville Saint-Laurent (Québec)
H4N 1S2
Téléphone : 514.336.39.41
Télécopieur : 514.331.39.16
Courriel : general@dimedia.qc.ca

En Europe :
D.E.Q.
30, rue Gay-Lussac
75005 Paris, France
Téléphone : 1.43.54.49.02
Télécopieur : 1.43.54.39.15
Courriel : liquebec@noos.fr

Droits internationaux : André Vanasse, 514.525.21.70 poste 25
andre.vanasse@xyzedit.qc.ca

Conception typographique et montage : Édiscript enr.
Maquette de la couverture : Zirval Design
Photographie de l'auteur : Nicolas Kokis
Illustration de la couverture : *Autoportrait en saint Antoine*, huile sur toile, 1993
Illustrations des pages de garde : Sergio Kokis, *Autoportrait en clown (à la cigarette)*, huile sur masonite, 1997, et *Autoportrait à la pipe*, huile sur toile, 2003

Sergio Kokis

L'amour du lointain

récit en marge des textes

Romanichels

À la petite Mathilde Kokis

Mes frères, ce n'est pas l'amour du prochain que je vous conseille ;
je vous conseille l'amour du lointain.

FRIEDRICH NIETZSCHE

C'est à travers la mémoire que notre passé joue son avenir.

MIGUEL TORGA

Écrire n'est pas mon ambition, mais vivre. J'ai vécu. Maintenant j'écris.

BLAISE CENDRARS

« Marche » et « marge » ont les mêmes origines étymologiques, les deux mots se rapportant à l'idée de chemin. La langue anglaise a gardé du latin le joli mot « *marginalia* », pour désigner l'ensemble des notes en marge d'un texte, ce cheminement du véritable lecteur, celui qui lit avec un crayon et qui s'approprie de la sorte le livre d'un auteur. C'est ce que je compte faire ici : cheminer en marge de mes propres textes et des paroles sur ma propre vie, dans l'espoir sinon de me les approprier, du moins d'y trouver une sorte de panorama me donnant l'illusion d'une totalité.

Il s'agit donc d'un livre très personnel. Il pourrait à la rigueur intéresser un peu les lecteurs de mon œuvre, ceux qui sont préoccupés par la démarche créatrice ou par la phénoménologie de la construction d'une identité. Mais j'invite aussi le lecteur oisif, s'il se divertit avec l'absurdité de sa propre existence, à m'accompagner dans cette *donquichotterie* en quête de mes fictives sources chevaleresques. Je l'avertis cependant que s'il n'a pas l'attitude d'un Pinocchio délaissant l'école pour suivre le cirque, il ne trouvera pas grand profit dans les pages qui suivent.

1

Accroché à ma pipe qui distille des souvenirs en volutes, le regard en parallèle dirigé vers un horizon postulé, je ne vois pas le temps passer et je me laisse couler dans les mondes vagues que j'appelle mes gouffres. Ils n'ont rien à voir avec la vie concrète. En descendant ainsi dans mes précipices, je peux faire de magnifiques voyages ou participer à d'excitantes aventures. Le temps historique et le comportement des personnages ne dépendent alors que de moi, et il m'arrive même de transformer à ma guise la trame de certains romans pour les relire selon mes goûts personnels. Ce sont des envolées imaginaires que je développe de manière très réaliste, certes, mais dont je suis le narrateur omniscient. Ce monde interne que j'enrichis depuis longtemps est d'une certaine manière mon laboratoire privé pour l'exploration de l'existence humaine. Pour paraphraser Kant, j'y étudie non pas l'être humain en soi mais l'être humain selon mes propres catégories, et j'abandonne comme étant absurde l'idée d'atteindre cet objet en soi qu'est l'autre pour lui-même. Par ailleurs, ces scènes et ces narrations qui peuvent se dérouler durant des semaines me permettent surtout d'explorer ma propre existence dans toutes ses possibilités réelles ou fictives. Je peux y essayer les métamorphoses qui me plaisent, tous les mensonges, ou visiter les coins sombres du monde qui me sont demeurés secrets par manque d'information. J'ai aussi découvert que la variété de rôles possibles ou vraisemblables à l'intérieur d'une même vie est extrêmement riche pour celui qui est capable d'oser se penser sans trop de pudeur. Je m'y perds de plus en plus souvent avec l'âge, non pas par dégoût de la vie réelle mais plutôt par fascination pour l'opulence que j'y ai ramassée au long des ans. Il devient d'ailleurs de plus en plus rare qu'un nouveau roman soit capable de me captiver suffisamment pour que sa lecture arrive à me détourner de mes abîmes. Quant au cinéma, au théâtre ou aux vrais rapports personnels, il y a bien longtemps déjà que je les ai délaissés par simple ennui devant la fadeur et la trivialité de ce qu'ils peuvent m'apporter. Qu'importe ? La vie concrète, quotidienne, la vie des habitudes et des accidents a toujours peu compté pour cet autre moi en moi qui voyage aussitôt que je m'abandonne au repos. Impossible de lui résister, et nous partons alors bien loin, en amont des existences révolues ou simplement rêvées, mélangeant réel et irréel dans une sorte de tourbillon ralenti qui ressemble à la fumée du tabac dans une pièce fermée. Je me perds en lui, dans son monde de fantaisies aux images fortes, où je n'arrive plus à distinguer le vrai du faux, le factuel de l'imaginé, le mensonge du simple déguisement. Qui plus est, l'habitude de ces fréquentations oniriques au long de ma vie m'a convaincu que les catégories dichotomiques de cet ordre ne sont pas adéquates pour décrire ces univers intérieurs, ceux que j'appelle aussi mes multiples réalités. Tout s'y confond, s'interpénètre et se moque du réalisme pour donner à voir des scènes d'une complexité presque absurde et pourtant actuelle. Je suis même arrivé à la curieuse conclusion que ces mondes parallèles ont souvent — pour moi, en tout cas — un degré d'existence plus intense que ce qu'on appelle communément la réalité palpable. Non pas une existence matérielle, bien sûr, mais une existence spirituellement plus forte, plus significative et lumineuse, davantage humaine que celle de la dureté des choses sensibles ou du jour le jour des vies singulières. En conséquence, je crois que ces mondes touchent le sublime et ils me sont plus essentiels que la plupart des autres besoins.

J'ignore comment les autres personnes s'orientent dans leurs propres mondes spirituels, ou même si elles arrivent à rêver au point de s'y perdre. Ma vanité de comprendre mes semblables s'est depuis longtemps estompée ; cela s'est fait au fur et à mesure que je plongeais dans ma propre solitude, dans ces univers qui dépendent exclusivement de moi. Je suis ainsi arrivé à une sorte de solipsisme dans lequel la possibilité de contacts interpersonnels authentiques n'existe que rarement et de manière tangentielle. Malgré cela, et très paradoxalement, ces mondes intérieurs auxquels j'accède en décrochant de la vie ordinaire sont peuplés de foules immenses, d'un bavardage incessant, d'actions, de sensations, de villes, de paysages, d'aventures et de sensations sans fin. Sauf qu'ils sont entièrement à moi, et que nous deux, mon démon et moi, nous les partageons comme si nous étions des créatures siamoises attachées par l'âme.

Tout ceci n'a cependant rien à voir avec ce que les gens appellent les personnalités multiples ou les dédoublements de personnalité. Hélas ! je n'ai pas atteint de tels sommets. Non, nous deux, nous sommes en parfaite symbiose et très consentants. Mon démon conduit les rêves, tandis que j'assure notre survie physique et m'occupe d'avoir toujours du tabac, de l'alcool et du silence à portée de main. J'essaie aussi, dans la mesure du possible, de contourner les petites misères quotidiennes — les pires ! — qui nous éloignent de notre vice commun. Je dis « vice » pour me faire mieux comprendre, car la rêverie est généralement perçue presque comme un défaut moral dans le monde d'aujourd'hui, tout entier tourné vers l'immédiateté du ici et du maintenant. Mais je ne vois pas cela comme un vice. Ces mondes parallèles me semblent, au contraire, des lieux complexes où s'unissent étrangement l'immanence et la transcendance les plus raffinées de l'être humain.

Par ailleurs, même s'il est devenu à la mode dans certains cercles sélects de clamer à tout propos que « le "je" est un autre », cette formule ne s'applique pas dans mon — ou dans notre — cas. Mon démon et moi, nous sommes une sorte de créature multiple, en telle syntonie que nous constituons une unité, à la façon d'un masque avec son côté concave et son côté convexe. Quant aux mondes oniriques, ils ne sauraient être l'autre dont on parle, et duquel, mon démon et moi, nous serions le « je » ; ces mondes-là sont à la fois innombrables, tout en étant des lieux ou des scènes où je suis soit l'acteur, soit le spectateur, et desquels l'autre en tant qu'autre est exclu. Ce sont pour ainsi dire des espaces imaginaires de divertissement ou d'exercice de passions. En fait, il n'y a pas d'autre mais seulement un « je » qui se métamorphose à sa guise, protéiforme et omniscient comme le personnage éponyme dans l'*Odyssée* — le vieil homme de la mer —, sans cesser d'être lui-même. Ou moi-même et mon démon, si vous voulez. Donc, pour mieux rendre justice à ce qui m'arrive, il faudrait dire plutôt que le « je » est une sorte de confusion sans angoisse, une foule d'acteurs sous la direction d'un metteur en scène fantaisiste, dans un théâtre solitaire ou un chapiteau personnel.

À l'opposé de ce qui se passe chez les fous ou les désaxés passifs, cette vie délirante aux connotations presque hallucinatoires est très bien compartimentée et distincte de la vie ordinaire, de la matérialité de tous les jours. Elle ne me cause ainsi pas de souci ni de peine. Je cherche même volontiers toute occasion de m'y plonger, d'y revenir, comme si ces mondes parallèles étaient mon habitat naturel, mes lieux de repos ou les grottes où je peux lécher mes blessures. D'ailleurs, aussi loin que je me souvienne, j'ai toujours eu cette nature introvertie (au sens précis que donne Jung à ce terme) en dépit d'une façade de sociabilité assez hypocrite. Je m'explique. Le solitaire se suffisant à lui-même, l'égocentrique, est souvent perçu comme égoïste, comme méprisant envers ses semblables, avare ou insensible à l'affectivité. Il n'en est rien, je le sais trop. La nature de l'être pensif paraît revêche uniquement parce qu'il est d'habitude trop absorbé pour s'occuper de frivolités. Au contraire, quand il décide d'épouser une idée ou une action extérieure, il s'avère dans beaucoup de cas être un passionné et un bon bagarreur. Maintenant, arrivé à l'âge de soixante ans, après une vie à apprendre à me défendre des assauts extérieurs et à tenter de dissimuler mon peu d'appétit pour les mondanités, je peux l'avouer sans trop de difficulté. Mais, depuis ma prime enfance, il m'a fallu construire de multiples masques mondains et carapaces pour ne pas être envahi, pour protéger ces lieux intimes où je célèbre mes messes et mes mythes les plus chers. En effet, les sollicitations amoureuses, sociales ou la simple curiosité malsaine sont des obstacles très fréquents dans la vie des solitaires repus. Beaucoup de gens croient à tort que leur propre monde gagnerait en éclat avec l'ajout d'un rêveur, que la rêverie est une denrée que l'on peut emprunter à défaut de pouvoir l'acheter dans les magasins de luxe. Ces vautours se détrompent vite, certes, et ils accusent alors leur proie de mauvaise volonté, d'ingratitude ou d'égoïsme ; dans les pires cas, leur sollicitude n'a aucun scrupule devant ce qu'ils perçoivent comme étant de la dépression chez le solitaire. Quand on est un jeune enfant, cela peut être assez inconfortable, d'où le besoin d'apprendre de bonne heure l'hypocrisie des sourires, des silences ou de la politesse pour qu'on nous laisse en paix. Vouloir passer inaperçu, voilà la raison de toutes les hypocrisies qui nous rendent souvent, bien malgré nous, apparemment très sympathiques. Il y a aussi dans cette attitude, je le reconnais, un peu de condescendance du solitaire envers les gens dépourvus d'imagination, même s'il nous arrive de payer cher l'attention vague dispensée par pur souci de bienséance.

Voilà pour le monde imaginaire, ce havre de paix. Malheureusement, il ne suffit pas pour remplir la durée d'une vie, et même les rêveurs les plus impénitents finissent par remonter à la surface de leurs gouffres et par s'extérioriser. Commencent alors les questions difficilement compatibles avec la vision cristalline et très harmonieuse d'une vie pour soi. Sortant de ses mondes moelleux, le solitaire se trouve souvent désemparé, et il subit à la fois les attaques, les assiduités ou la curiosité de ceux pour qui la solitude est synonyme d'enfer. Et c'est la crise. J'ai beau ne pas croire que le « je » est un autre, je dois reconnaître que l'autre fait problème pour le « je ». Ceci me paraît d'ailleurs une évidence ; il suffit de penser aux combats amoureux, car il est bien rare qu'on trouve l'âme sœur, il est presque impossible de trouver l'âme jumelle, et il est impensable de trouver l'âme siamoise en dehors de notre propre esprit. Ainsi, l'autre est une source continuelle d'emmerdements pour le « je », et les conflits s'aggravent dans une proportion géométrique en fonction du déséquilibre de la richesse spirituelle entre le « je » et l'autre. L'origine du problème réside dans le fait paradoxal que le solitaire est parfois bavard, non pas par besoin de communiquer mais par pur émerveillement devant ses propres visions imaginaires. Tout à fait comme un enfant — enfant qu'il n'a d'ailleurs jamais cessé d'être —, il s'exclame ou il parle tout seul en sortant de ses abîmes, et il attire alors bien malgré lui l'attention des autres sur sa personne et ses trésors. Mais il est difficile de se comporter différemment lorsqu'on est très captivé par quelque chose qui nous dépasse. Il suffit d'observer les gens qui regardent un feu d'artifice, une partie de football excitante ou les adorables grimaces d'un tout petit bébé. L'expression se manifeste spontanément, au risque de nous faire paraître ridicules si les gens alentour ne se laissent pas aller à l'extase avec la même intensité. Ainsi, plus renfermé sur lui-même, moins attentif aux mouches de la place publique, le pensif commet parfois des bévues qui l'obligent ensuite à se refermer presque agressivement, honteux, à la façon d'une huître qui, fascinée par sa propre perle, se serait exposée de manière impudique sous le regard réprobateur des autres créatures marines. Est-ce que la perle est vraiment aussi belle que le pense l'huître exhibitionniste ? Est-ce que les mondes imaginaires du solitaire ont suffisamment de valeur pour mériter d'être exposés avec un sourire béat ? Cela n'a aucune importance ; seul compte le fait qu'il ressent un émerveillement actuel, authentique. Ce qu'en diront les autres n'est plus de son ressort même si c'est lui seul qui devra subir les conséquences de son bavardage ou de son impudicité.

Cette curieuse idiosyncrasie qui pousse des êtres aussi renfermés dans leurs propres mondes spirituels à s'exprimer parfois de manière éclatante reste un des grands mystères de l'âme humaine. Nietzsche a d'ailleurs de belles paroles à ce sujet, ainsi que des avertissements bien à propos adressés aux solitaires. Il est en effet rare de trouver des artistes très sociables en dehors des rangs des arts de la scène. Pourtant, l'écriture d'un livre, l'exposition publique d'œuvres plastiques, une séance de danse et même l'interprétation d'un personnage au théâtre sont des manifestations extrêmes d'une extériorisation du soi le plus intime, sans commune mesure avec la plus frivole des mondanités. On y trouve, certes, des éléments relevant d'un narcissisme essentiel plus proche du texte du mythe que des élucubrations réductionnistes de Freud. Si l'on se souvient bien, le jeune Narcisse était fasciné par la beauté de cet autre qu'il percevait sous la surface de l'eau et non pas par lui-même ; il ignorait qu'il s'agissait de sa propre image, et cette bourde causa sa perte. Outre cette fascination de base, l'expression du solitaire comporte aussi, sans aucun doute, des éléments de rancune devant le peu de place que le monde extérieur accorde aux choses spirituelles, ou encore devant le succès de ceux qui s'occupent surtout des choses matérielles. Même s'il vit dans son monde intime, et peut-être justement parce qu'il vit plongé dans ces univers où règne la démesure, sa propre convoitise est parfois très peu réaliste. Il ne l'avouera pas facilement, et tentera même de le dissimuler, mais un observateur attentif aux avatars de l'âme humaine percevra que la fable du renard et des raisins le tarabuste souvent lorsqu'il sort de sa tour d'ivoire. Rancune et orgueil, envie aussi, sans compter cette ancienne *acedia* latine, si mal traduite par le concept de paresse : voilà quelques vices propres au mélancolique quand il lève le nez sur les vices charnus de la luxure, de la gourmandise, de la colère et du pouvoir. Tous ces ingrédients jouent à différentes doses dans l'existence de chaque rêveur, de chaque solitaire ou de chaque mélancolique. Ceci reste vrai aussi pour le cas du simple rêveur rancunier ou de celui qui fuit activement dans la solitude pour ne pas faire face à la vie. Ce sont les timides, les timorés, les simplement frustrés ou amers devant une existence qui les dépasse. Mais il y a les autres, plus rares, qui s'extasient de leurs propres créations imaginaires, au point de chercher activement à les fixer publiquement sur des supports au détriment de toute modestie, de toute bienséance, et souvent même de toute sagesse. Je veux parler des artistes, et en particulier des plus impudiques d'entre eux, les écrivains. Dans leur cas, le mystère demeure presque entier, car le décompte de péchés de tantôt ne suffit pas pour expliquer d'où vient l'énergie contenue dans tant d'expressions artistiques, toute l'abnégation et la force de travail nécessaires à la production de tant d'œuvres sortant des mondes intimes de ces rêveurs. Il est déplorable que la passion de l'expression personnelle n'ait jamais suscité le même enthousiasme que celui que la littérature a consacré à la passion amoureuse, par exemple, ou à la passion du pouvoir. L'avarice, toute mesquine, a été davantage étudiée que le désir de créer, ce qui pourrait en dire long sur la petitesse des êtres humains. La cruauté — ce péché des puissants qui a été intentionnellement omis de la liste des péchés capitaux par Évagre le Pontique — et la sexualité, ces deux activités humaines bien moins complexes et si liées à notre animalité, ont pourtant une bien meilleure place dans la littérature ou le cinéma que la créativité. Beaucoup de choses ont été écrites sur la vie et les déboires des créateurs, mais on s'interroge peu sur la libido spécifique à l'acte créateur, qu'il soit artistique ou scientifique, et ce, en dépit du fait que cette forme de passion ne connaisse pas le repos ni l'abandon fades de la cruauté ou de la sexualité assouvies. Est-ce parce que la créativité concerne uniquement un cercle très restreint d'individus, ou est-ce parce qu'il s'agit d'une passion qu'on ne peut pas exercer en dilettante ? Ou encore, parce que le vice de créer, cet orgueil et cette démesure de l'œuvre personnelle, constitue un affront au créateur suprême ? Plusieurs textes théologiques l'affirment, en tout cas, et certaines religions condamnent l'acte créateur ou l'expression individuelle qui ne tire pas son origine d'une simple variation de la parole sacrée. Le fait demeure que l'investigation de la créativité reste peu développée en dehors des vaines tentatives psychanalytiques de la réduire à des sources névrotiques ou à des anomalies de l'existence.

L'acte même de l'expression publique des imaginaires individuels reste ainsi assez mystérieux en dehors des cadres religieux d'où émergent les premières manifestations artistiques. Pourquoi donc le solitaire cherche-t-il à sortir de sa carapace et produit-il des œuvres si les rétributions pour ses efforts sont si minces, si les honneurs qu'il risque de recevoir sont si abstraits, sans commune mesure avec la masse de travail et de discipline qu'il doit déployer ? L'admiration des gens ordinaires peut, sans doute, stimuler au début les jeunes créateurs, mais elle n'est pas suffisante à long terme pour leur permettre de garder l'enthousiasme dans une voie aussi exigeante et souvent ingrate. Serait-ce alors parce que certains individus ne peuvent pas faire autrement que s'exprimer, au risque de s'étouffer s'ils gardent le silence ?

Voici posées les bases de cette promenade que je compte faire dans la marge de mes propres textes : pourquoi donc le solitaire s'exprime-t-il à travers des œuvres concrètes, si son monde intérieur est tellement captivant, et si ses créations y sont beaucoup plus sublimes que n'importe laquelle de ses extériorisations publiques ? D'où vient cet appétit de transcendance si le créateur se sent confortable dans la pure immanence de soi ? D'autant plus qu'il sait — ou il l'apprend très vite — que les possibilités d'une véritable communication sont infiniment minces. Il est d'abord évident que le créateur ne s'évertue pas à créer par altruisme envers ses semblables, même s'il écoute avec un sourire magnanime la jeune lectrice qui loue sa générosité d'artiste avec des soupirs admiratifs. L'altruisme est, à mon avis, une de ces catégories syncrétiques vides de sens et utilisées par des moralistes ou des politiciens pour éviter d'approfondir l'investigation des réelles motivations des actions humaines. D'ailleurs, après leur mort, il arrive que l'orgueil opiniâtre ou le désir de pouvoir des saints et des bienheureux soit enfin révélé au grand jour, un peu comme la puanteur du starets Zozima dans le roman de Dostoïevski. Et l'artiste sait pertinemment qu'il n'est pas généreux ; au contraire, le plus souvent il se retient pour ne pas montrer sa frustration face aux gratifications qu'il obtient pour son labeur. Les reconnaissances sont soit trop minces, soit trop tardives ; ou elles sont le fait des gens du commun qui ne saisissent pas grand-chose des défis que l'artiste s'est proposé de relever. Par ailleurs, quand le public prend connaissance de l'œuvre, l'artiste est déjà plus loin sur sa propre voie personnelle, et il s'étonne simplement de voir les gens louer des œuvres qu'il a déjà dépassées depuis un bon moment. Ou encore, des œuvres qu'il considère comme des échecs, tant elles s'éloignent du projet initial dans son esprit. En effet, une autre caractéristique de la démarche créatrice — peut-être la plus étrange et sans doute la plus perverse — est le fait que chaque œuvre annule en quelque sorte toutes les précédentes, et que chaque œuvre achevée perd de son éclat et de son pouvoir de dédommagement du simple fait qu'elle est achevée. Je ne crois pas me tromper en disant qu'il est bien rare d'ailleurs qu'une œuvre soit achevée ; la plupart du temps elle est simplement abandonnée en cours de route à cause de l'impossibilité qu'elle recèle d'atteindre son achèvement imaginaire. En ce sens, l'artiste a quelque chose du tragique d'un Don Juan, ce paradigme par excellence, par son incapacité de jouir de la possession de l'objet convoité dès qu'il atteint cette même possession. Son insatisfaction et la conscience de sa propre inadéquation le poussent compulsivement à chercher d'autres conquêtes et d'autres conquêtes encore, dans l'espoir de pouvoir s'abandonner un jour aux contemplations imaginaires de son monde spirituel. Cette absence de repos et d'abandon est l'expression de ce que j'ai mentionné tantôt pour distinguer l'élan créateur du simple exercice de la sexualité ou de la cruauté.

❑

Il y a un peu plus de dix ans, dans un texte qui est devenu par la suite mon premier roman, *Le pavillon des miroirs*, encore très naïf quant au pouvoir du langage, j'ai eu la démesure de vouloir répondre à ce genre de questions concernant l'artiste. Après plus d'un quart de siècle de pratique des arts visuels, je tentais alors de comprendre quelles étaient les origines de mon activité de peintre. Le livre a eu un succès inespéré et il m'a ouvert les portes de la littérature, mais je sais qu'il a échoué tant dans son effort d'étudier adéquatement la question que dans sa prétention d'y apporter une esquisse de réponse. Je reviendrai plus tard sur ce roman bâtard qui a été une sorte de point tournant dans ma carrière d'artiste. Il suffit de dire pour le moment que cet échec et la transformation de l'investigation initiale en roman étaient la conséquence de la difficulté propre de penser le travail de création, et surtout les rapports de celle-ci avec la personnalité particulière d'un créateur singulier. Pourtant, je le sais aujourd'hui, la question de la peinture est beaucoup plus facile à aborder que celle de l'écriture. En effet, les gratifications immédiates que l'on retire de l'acte de peindre, de dessiner ou de graver sont infiniment plus nombreuses, plus sensuelles et plus concrètes que celles pouvant provenir de l'acte d'écrire. Le jeu plastique est absorbant du simple fait qu'il s'agit d'un pur jeu, et l'apparition de l'image sur le support relève chaque fois de l'acte magique, lequel rejoint le petit enfant émerveillé dormant toujours dans mon sein. Sans compter la richesse tactile, visuelle et olfactive des outils de travail nécessaires à la production des images. Il s'agit aussi d'une activité beaucoup plus physique, qui mobilise tout le corps, et qui se déroule en syntonie à la fois avec le corps des modèles dont on se sert et avec l'anatomie et les gestes des corps représentés. Dans mon atelier, je possède des miroirs qui me servent à étudier les poses et les rictus du visage indispensables à mon travail de peintre, et cette interaction entre mon propre corps et les corps esquissés est à elle seule une source de plaisirs sensuels et intellectuels immédiats. Je ne parle naturellement pas de la jeunesse ou de la beauté standard des corps en question, car cette beauté-là n'a rien à voir avec ce qui peut émouvoir un artiste peintre. Au contraire, des corps trop jeunes, sans formes définies, simplement gracieux, sans les muscles usés ou les configurations osseuses apparentes de la vie réelle, sont des corps sans attrait pour le regard scrutateur qui cherche à les transcender vers des expressions de l'existence. Voilà d'ailleurs pourquoi les plus beaux portraits sont ceux d'hommes ou de femmes mûrs ou âgés. Le désir sexuel lui-même se trouve davantage mobilisé par des corps qui évoquent la vraie vie des corps, car il est surtout désir de l'autre dans son altérité actuelle d'être vivant et non pas un simple désir de corps, fussent-ils les plus sains, les plus lisses ou les plus proches des canons de la modernité.

Un autre élément à considérer à propos de la différence de jouissance esthétique entre les arts visuels et l'écriture est celui de la durée du spectacle. Un tableau se donne à voir d'un seul coup d'œil ; on a beau le fréquenter ou l'étudier de quelque manière que ce soit, à chaque présence devant lui sa présence à nous est totale et immédiate. Il mobilise ainsi instantanément des sympathies ou des antipathies affectives, avant même que les aspects intellectuels reliés au langage puissent être mis en branle dans notre esprit. Je fais référence ici à la présence authentique du spectateur devant une œuvre d'art et non pas à la promenade pervertie du badaud ou du touriste qui s'intéresse davantage à ce que dit la brochure entre ses mains ou les étiquettes identifiant les œuvres exposées. S'il s'extasie surtout parce qu'il est écrit Van Gogh ou Picasso, sans rapport personnel à l'expérience esthétique immédiate, nous ne sommes déjà plus dans le domaine de la jouissance visuelle mais bien dans celui du langage, et en particulier dans ses aspects les plus trompeurs de consommation et de snobisme. Celui qui ne se fie pas à ses propres réactions émotives devant l'œuvre, mais se laisse guider par les paroles du critique ou de l'arbitre de la mode ressemble davantage au client des agences de rencontres, car il est incapable de se laisser emporter par les risques ou les aventures dans sa quête.

Le plaisir procuré par un livre est par contre infiniment plus médiatisé, ne serait-ce que par le temps nécessaire à la lecture du texte pour qu'une idée d'ensemble arrive à se dégager. L'application du même terme de jouissance aux deux activités me semble déjà un abus, tant la jouissance devant un tableau et celle que procure la lecture d'un livre sont distinctes. Chacune fait appel à des registres intellectuels et affectifs très éloignés, au point de mobiliser des amateurs et même des aires cérébrales totalement différents. Ensuite, le degré de participation personnelle du lecteur — de réelle recréation, pourrait-on dire — est bien plus important dans l'acte de lire que dans celui de regarder un tableau. Même les tableaux les plus flous, les moins définis s'imposent à l'observateur avec une exigence de passivité sans aucune commune mesure avec l'acte de la lecture. En outre, le plus souvent, la contribution personnelle du spectateur dans l'acte de perception d'un tableau est plutôt d'ordre linguistique que d'ordre plastique, même quand l'œuvre évoque en lui des souvenirs visuels. Tout ce qu'il dira ou pensera à propos du tableau est de l'ordre du langage. Le tableau est pour ainsi dire un absolu qui s'impose et qui reste à l'extérieur du spectateur. Un roman, au contraire, doit mobiliser justement le monde imaginaire du lecteur pour que la narration puisse s'incarner, c'est-à-dire sortir de l'abstraction des concepts pour accéder au registre de l'universel concret propre à la conscience de celui qui lit.

Le livre comme produit achevé est ainsi quelque chose de bien plus éloigné de l'acte créateur immédiat de l'artiste qu'un tableau ou même une gravure. Ses rapports avec l'auteur se distancient et se dissolvent quelque peu au long de toutes les médiations entre le moment de l'écriture et l'acte de la lecture par un lecteur anonyme dans son intimité. Pour avoir une petite idée de ces médiations, pensons ne serait-ce qu'à la distance qui sépare une lettre manuscrite d'une lettre dactylographiée ! Or, si ma tentative d'autrefois d'aborder le sens de mon travail de peintre a échoué malgré tous les éléments palpables de l'acte plastique, imaginez ma perplexité devant mon propre travail d'écrivain.

Dans le texte du *Pavillon des miroirs*, il était justement question d'identités floues, et je partais dans la parole écrite à la recherche d'une unité qui se dérobait. Non pas une identité ou une cohérence relative aux images plastiques que je créais, mais bien une identité personnelle au long de ma propre vie, car les tableaux et les souvenirs constituaient bel et bien l'unique axe auquel j'arrivais à m'accrocher. En dépit de cet axe uniforme au long de ma vie de peintre, la question de l'identité personnelle restait dans le vague, ou même dans la plus grande confusion. Il y avait une naissance nébuleuse, une bâtardise essentielle aggravée par un déracinement réel, par un désir obsédant du large et par une sorte de flou de penchants qui me poussaient vers des directions parfois contradictoires. Il y avait aussi l'exil, l'immigration, les langues étrangères et une recherche d'universalité si vaste qu'elle frôlait souvent le vide comme il arrive avec les classes logiques d'extension maximale et de compréhension nulle. Pourtant, les tableaux étaient là, comme une sorte de langue maternelle pour m'ancrer dans l'unique réel palpable à ma disposition, la mémoire. Et ce curieux ancrage tenait tant bien que mal lieu de patrie, d'identité personnelle et même de famille.

L'expérience de l'écriture de ce premier texte et de sa transformation subséquente en roman n'a pas été sans risques, je l'ai vite constaté. Bien plus, c'était la plongée sans filet de sécurité dans une sorte de vide existentiel de dimensions jusqu'alors insoupçonnées, et qui m'a obligé à faire un travail déraisonnable de réflexion et de remises en question pour la suite de ma vie. Au contraire de la peinture qui me permet toujours d'habiter le monde ludique des bulles de savon et des images d'un kaléidoscope intime, l'accès à l'écriture a produit une sorte de fin de l'âge d'or, de rupture des mythes et de confrontation personnelle avec la matérialité la plus obtuse qui soit. Impossible de continuer alors dans l'innocence d'autrefois, car la parole conduite par la logique de la syntaxe dévoile de façon plus radicale l'essence des êtres, ou leur confusion d'essences. La mise en ordre issue de la parole est en outre beaucoup plus complexe et inclusive que la mise en ordre plastique d'une surface, et le sujet qui s'y soumet doit être préparé à des confrontations autrement plus menaçantes, à des interpellations autrement plus insidieuses et exigeantes.

Je me suis laissé emporter par le paroxysme de l'écriture et du monde de la littérature, en tentant de protéger mon intégrité du mieux que je pouvais, même si j'étais depuis longtemps un artiste du camouflage. Contrairement à ce qui se passe dans le monde silencieux de la peinture, je faisais face à un tourbillon jusqu'alors inconnu de trésors de la mémoire, avec des possibilités immenses de prises de conscience de soi entremêlées avec les charmes du mensonge et de la fabulation. Et voilà qu'après toutes ces années passées d'intense réflexion — où j'ai dû déployer des efforts de discipline la plus rigoureuse pour protéger aussi l'intégrité de ma peinture —, je me retrouve peut-être plus confondu encore que lors de l'écriture de mon premier livre. J'ai progressé énormément sur le chemin pris autrefois, naturellement ; j'ai enrichi ma collection de souvenirs dans ces voyages à dos de langage et j'ai compris combien étaient schématiques mes conclusions d'alors. Je crois même pouvoir mieux répondre à mes premières interrogations au sujet de la peinture et des images qui m'obsèdent. Le travail d'écriture et de narration a ce bon côté que constituent la mise en ordre téléologique et la construction de cohérences même dans la plus incohérente des existences. Mais ce travail ouvre aussi un nombre infini de possibilités imaginaires pour une même histoire, et du coup notre propre vie nous apparaît dans toute sa fadeur. Le personnage que nous croyions être se trouve soudainement confronté à tant et tant de nouveaux passés possibles, qu'il est presque dommage de s'obstiner à se souvenir uniquement de celui que nous avions l'habitude de croire que nous avons été. Ma vie antérieure, elle-même, s'est mise imperceptiblement à se transformer dans ce mouvement de souvenirs fictifs, au point de vouloir se mélanger avec mes romans pour tisser de nouvelles possibilités au passé, de nouvelles cohérences jusqu'alors insoupçonnées. Et je finis par ne plus trop savoir ce qui appartient à la mémoire et ce qui appartient à la fiction. C'est ce que Sartre a appelé dans *Les mots* l'illusion rétrospective, cette sorte de conte de fées à l'envers qui lui permet, à l'âge de cinquante-huit ans, de réécrire son enfance comme si elle était l'origine parfaite de la trajectoire téléologique aboutissant à l'homme qu'il était devenu. Voilà donc un des écueils majeurs de la pratique discursive : on devient platonicien sans s'en rendre compte, quitte à mentir comme Pinocchio ou à fabuler comme Don Quichotte par simple souci d'harmonie.

Quand j'ai écrit *Le pavillon des miroirs*, je possédais quelques centaines de tableaux et de gravures, ainsi que des milliers de dessins auxquels je voulais donner un sens global, quelque chose comme un petit statut ontologique pour me rassurer. Le long exil en pays étranger commençait un peu à me faire sentir trop dépourvu de substance. J'entrais à peine dans la vieillesse, un peu comme le Jean-Paul de tout à l'heure ; et comme dans son cas, mes mythes fondateurs commençaient à trop montrer leurs fissures et leur moisissure. Un peu de certitude s'imposait alors, ne serait-ce que pour le confort moral du jour le jour, de manière à pouvoir continuer dans la même voie tout en me disant que c'était l'aboutissement nécessaire de mes efforts depuis l'enfance. Ça rassure quand on peut se dire que notre situation est le fruit de nos choix plutôt que le résultat d'une série d'accidents ridicules. La téléologie a toujours servi de bâton de vieillesse quand les lendemains ne chantent pas ou quand tout s'en va au diable. Le concept de progrès historique, cette chimère hégélienne qui cache mal son origine dans la téléologie du mythe chrétien, ne sert-il pas même à justifier l'état pitoyable des arts plastiques actuels ? Demandez à n'importe quel critique ou professeur universitaire, et il vous justifiera n'importe quelle sottise ou aberration à l'aide de cette même idée d'évolution historique inéluctable. Alors, pourquoi cela devrait-il être immoral lorsque appliqué aux vies singulières ?

Je cherchais ainsi une petite théorie de moi-même sous la forme de roman, rien de très emphatique et pour mon seul usage personnel, en m'inspirant sans trop y penser de la bonne vieille illusion rétrospective. Mais j'étais peintre et non pas homme de lettres, et je gardais intactes mes incohérences les plus chères pour ne pas trop m'enfermer dans l'en-soi de ma destinée romancée. Je voulais sauver l'errance ou le vagabondage qui m'étaient précieux mais qui commençaient à pâlir avec l'âge, et non pas jeter les fondements d'une carrière d'intellectuel achevée derrière moi.

C'était méconnaître le pouvoir de fascination du langage narratif. À force de m'obstiner à tenter de répondre aux questions laissées en suspens de livre en livre, je me retrouve dix ans plus tard avec douze livres alignés dans ma bibliothèque et qui m'interpellent chaque fois que je les regarde. Qui en moi les a-t-il écrits, je me demande, le peintre, l'écrivain, l'étranger, l'ancien psychologue, l'amateur de philosophie, le fabulateur impénitent ou le vagabond fatigué de voyager dans l'espace réel? Je n'en sais rien. Voici donc l'ironie de la chose: en tentant non pas de résoudre mais simplement de mieux meubler une identité légèrement incohérente, je suis arrivé à créer un véritable chaos qui me laisse hilare, perplexe et complètement désabusé. Le peintre inconnu doublé d'un rêveur anonyme et d'un vagabond dans l'âme s'est réveillé du jour au lendemain dans la peau d'un écrivain prolifique comblé d'éloges et de prix, à qui l'on pose toutes sortes de questions gênantes et qui répond avec un sans-gêne à faire pâlir le pantin de Collodi. Comme si cela n'était pas suffisant, ce grand écrivain est souvent interpellé sur sa terre d'accueil parce qu'il écrit en français, et que cette facétie fait de lui le paradigme de l'immigrant idéal: celui qui a choisi la langue que les habitants de souche vénèrent en esprit et méprisent dans la vie de tous les jours. C'est qu'il aurait pu faire comme la majorité des autres étrangers, et choisir la langue de l'argent et du pouvoir. Cet écrivain immigré a poussé la farce jusqu'à donner des cours de littérature et de création littéraire, et il doit faire attention à ne pas être envahi à cause des nombreuses sollicitations de conférences, de lectures et même pour représenter la culture du Canada français à l'étranger. Sans compter les thèses savantes et la myriade d'articles écrits sur son œuvre, sur sa personne et sur les fables qu'il a tissées dans le but de ne pas trop dévoiler le fond de sa personne.

Est-ce que j'avais vraiment besoin de tout cela après la cinquantième année de ma vie? Je ne cesse de me le demander, comme je ne cesse de m'interroger sur l'endroit où se cachaient dans mon esprit toutes les histoires qui peuplent mes romans. Et pour compliquer davantage cette petite identité instable d'autrefois, devenue entre-temps carnaval, on a tant et tant écrit de choses bizarres sur moi que souvent les gens s'étonnent de ne pas se trouver devant un maniaque lorsqu'ils me rencontrent pour la première fois. Pourtant, avant mon premier roman, le Dr Kokis était un homme très respectable, du moins en apparence.

Il m'arrive de me divertir en imaginant une nouvelle petite fiction qui engloberait tous ces éléments farfelus. La voici. L'écrivain Sergio Kokis est soudain victime d'une embolie cérébrale, de laquelle il se remet miraculeusement au bout de quelques mois. L'unique séquelle est l'effacement total de sa mémoire personnelle. Il garde intacte la langue française, mais il a aussi perdu les autres langues, celles qu'il parlait comme celles qu'il prétendait parler. Or, soucieuse de lui redonner un semblant de passé, sa chère épouse tente de créer une cohérence dans son esprit en lui faisant la lecture de ses romans et de tous les textes portant sur lui et sur son œuvre. N'a-t-on pas dit qu'il se dévoilait dans ses livres et ses entrevues ? Les professeurs n'ont-ils pas prétendu le connaître à fond ? Des scribouillards impudiques — de sexe féminin la plupart du temps ! — se sont même laissés aller à des interprétations de psychologie sauvage à son sujet, dans l'espoir de retrouver la source de son « machisme essentiel » dans divers complexes, traumas ou autres accidents psychiques. Une critique littéraire de son pays d'origine a en outre suggéré dans un article universitaire qu'il était un traître à sa patrie et à sa langue maternelle... Malheureusement, le résultat de ces exercices de mémoire est une telle confusion dans l'esprit du pauvre Kokis que celui-ci se réjouit d'être désormais uniquement amnésique. Oui, amnésique et non plus le schizophrène paranoïaque d'autrefois, le vagabond qui a commis tant de crimes, l'être à la fois insensible et d'une sensibilité maladive, un mélange de génie et d'idiot savant, gauchiste et fasciste aux penchants morbides et attendrissants, ingrat et d'une gratitude absolue envers tout, tous, et même le bon Dieu déguisé en démon.

Je n'exagère en rien. Je me demande même si les avatars du travail à la pige pour les pages littéraires des journaux n'ont pas d'effets toxiques sur certaines natures simples, comme certaines fillettes mal sorties de vagues études du genre communications ou création littéraire. Mais quelle verve ! Elles viennent pourtant armées de leur enregistreuse ; il suffirait ensuite de transcrire l'entrevue pour avoir un petit texte fiable. Mais non, elles y vont aussitôt de leurs interprétations projectives les plus mirobolantes, guidées par leurs besoins intimes inavoués, sans doute comme elles se souviennent d'avoir vu faire les psychiatres dans les feuilletons américains de la télé. Le souci de se tenir le plus près possible des propos de l'interlocuteur semble être devenu anachronique dans ce métier. Et gare aux opinions tranchées sur les livres des autres, aux jugements péremptoires du haut de leurs trois pommes d'érudition. Ensuite, et de manière surprenante, elles peuvent finir par des éloges, par des conseils, par des citations hors contexte et par des phrases énigmatiques qui témoignent de leur intense postmodernité. Lorsqu'il s'agit de simples recensions, l'effet de fabulation peut être encore plus saisissant, car le texte du livre examiné sert uniquement de prétexte à l'exposition des états d'âme ou des prétentions littéraires de celui qui écrit le compte rendu. Parmi ces arbitres du goût littéraire local, il y en a même un dont les opinions sont si indispensables qu'il s'est fait élire à l'académie provinciale des lettres sans jamais avoir écrit un seul livre de toute son amère existence.

Mais détrompez-vous, lecteur qui tentez de me suivre, je ne m'en plains pas. Au contraire, dans ces dix années de vie littéraire, j'ai été l'un des auteurs les plus choyés et vantés par les critiques ; même lorsque le texte de l'article sur un de mes livres était incompréhensible, j'arrivais malgré tout à déceler des éloges dans les propos de l'auteur, ou tout au moins de l'admiration. Si quelques-uns d'entre eux me détestent, cela ne transparaît pas souvent dans leurs œuvres journalistiques. Non, je signale ces absurdités dans l'unique but d'attirer l'attention sur l'accroissement de ma propre confusion après m'être lancé la tête la première dans le monde de la littérature.

J'ai maintenant compris : le monde entourant les activités littéraires est un monde plongé dans la pure fiction, dans la fabulation et le faux-semblant, tout à fait comme l'est celui du show-business. Il n'a certes pas l'éclat des paillettes, les dollars, le champagne ou les poulettes de luxe de ce dernier ; c'est un monde plus pauvre, plus fermé aussi, où les ressentiments et les sympathies sont véhiculés à voix basse en dépit de leur intensité. Mais c'est quand même un monde du spectacle, des apparences, sans aucune commune mesure avec l'activité silencieuse de l'écriture. Dans ce contexte, toute tentative d'y puiser des outils pour une recherche d'identité personnelle est vouée non seulement à l'échec, mais aussi à la plus folle des confusions. Au début, sans me méfier, je voulais tellement faire plaisir aux éditeurs qui avaient voulu de mon livre que j'étais incapable de refuser les invitations qu'on m'adressait ; je me suis alors retrouvé souvent comme une véritable marionnette de spectacle burlesque devant des foules avides de potins littéraires. J'ai même donné une conférence dans un asile de vieillards, devant un public constitué majoritairement de gens séniles ou grabataires ! Et que dire des *poufiasses littéromanes*, comme les appelle Léo Ferré ! J'ai alors été aussi confronté au sérieux des écrivains eux-mêmes. Je me sentais un réel tricheur en leur compagnie, car j'écris dans le but de m'amuser, et l'écriture ne me cause aucune souffrance. Sans compter que les écrivains de la place voyaient d'un très mauvais œil l'arrivée intempestive de cet autre immigrant dans leurs lettres vénérables. Ils étaient bien d'accord pour accepter un peu d'exotisme de la part d'un vieil étranger gentil qui avait choisi leur langue. Mais de là à le voir publier un roman par année, tout en prétendant qu'il écrivait pour se désennuyer, il y avait des limites ! Ma façon quelque peu iconoclaste de parler de la littérature comme un terrain de jeux d'adolescent aggravait mon cas et me faisait gagner des ennemis ; mes propos avaient l'air de blesser les bonzes des lettres, pour qui l'acte d'écriture relève à la fois du sacré et de la survie de la race.

❑

Ces livres qui portent mon nom sur l'étagère de ma bibliothèque posent toujours des questions, et bien plus de questions que les centaines de tableaux et les milliers de dessins accumulés dans mon entrepôt. Mais si ces exercices littéraires ont eu pour effet d'augmenter les incohérences apparentes de mon identité en mosaïque, la pratique de l'écriture m'a sans doute fourni des outils plus subtils d'investigation dont je ne disposais pas autrefois. Le texte même de mes romans est là, à ma disposition comme autant de pans de mémoire et d'imagination que je peux étudier à loisir. Mes fabulations et mes mensonges pour me protéger de l'invasion du vulgaire sont aussi de nouvelles sources précieuses pour avoir accès à ce moi-même silencieux du temps où il n'était que peintre et rêveur. Et puis, je me sens aussi en verve aventureuse, curieux de plonger avec ces nouveaux éléments à la recherche des sources de cette étrange confusion. Je dis « étrange », car elle ne s'accompagne jamais d'angoisse ni de souffrance mais uniquement d'un sourire narquois, comme celui de quelqu'un qui a fait une bonne blague à la fatalité.

Je reprends donc ici la même entreprise entamée avec *Le pavillon des miroirs*, sans prétentions littéraires cette fois et avec un souci davantage archéologique. Oui, réellement archéologique, car je suis convaincu que la mémoire d'un homme est aussi palpable que n'importe quel objet de la nature. Il s'agit d'un objet plus subtil, sans doute, fuyant et mouvant à la fois, envahi de significations personnelles, de beaucoup d'exclusions et de choix qui frôlent la fabulation. Sa complexité même exige une approche et une fréquentation semblables à celles d'une œuvre d'art. Tout comme l'artiste, celui qui se souvient prend ou abandonne des choses réelles pour en faire son œuvre, et il les charge ainsi de ses significations propres. La conscience qui s'attelle à la tâche d'étudier sa propre mémoire se demandera donc sans cesse pourquoi les choses du passé ont été archivées ainsi et pas autrement, et pourquoi ces choses en particulier ont été conservées plutôt que la masse infinie des autres événements qui nous arrivent chaque jour. Je pourrais me demander, par exemple, pourquoi seuls quelques-uns de mes cauchemars deviennent tableaux, tandis que beaucoup d'autres s'envolent à chaque réveil ou sont simplement oubliés. Par ailleurs, de strate du passé en strate du passé, nous nous transformons, nous nous enrichissons ou nous appauvrissons, et ces modifications effectuent un tri continuel, des choix significatifs dans la collection des souvenirs qui nous paraissent importants. Le « je » qui se souvient agit plutôt comme un faisceau de lumière se promenant dans un grenier rempli de vieilleries : il choisit activement d'illuminer tel ou tel objet et d'en garder d'autres dans l'obscurité, sans trop se demander pourquoi. Au moment de se questionner, ce sujet devra aussi se demander quelle est la part de fabulation *a posteriori* qu'il est en train d'introduire dans ses souvenirs en guise d'événements réels du passé. Ces fabulations peuvent parfois être très bien dissimulées, sous la forme de simples restructurations affectives ou d'une meilleure compréhension des faits qu'on attribue à l'expérience ou à la maturité. D'autres fois, la simple présentation des souvenirs selon des récits nouveaux a pour effet de changer radicalement la signification des faits pourtant laissés tels quels, un peu comme le font les avocats dans les cours de justice. Le sujet devra donc se demander dans quelle mesure l'homme qu'il est devenu n'est pas en train de tout manipuler du passé, pour que ce passé ainsi dépassé devienne conforme à sa propre vision actuelle ou idéale de lui-même. Autrement dit, mes souvenirs sont-ils réellement des reliques d'un passé ou constituent-ils déjà un texte de la narration que je développe de moi dès le début ?

Ces fouilles que je m'apprête à entreprendre seront donc nécessairement morcelées, datées et biaisées, car elles seront différentes de toutes les autres investigations que j'ai faites ou aurais pu faire il y a dix, vingt ou trente années. En effet, ces romans sur l'étagère me renvoient en tant qu'auteur et en tant que lecteur à un moi-même nouveau, qui n'existait pas avant eux. Et malgré tout ce que j'ai pu dire, cette sérénité n'était peut-être pas là avant la littérature. Il sera ainsi assez difficile de retracer les origines de ce sujet parmi l'agglomérat de vestiges et de sédimentations successives tant de fois remué. Qu'importe ? Je tenterai autant que possible de revenir en arrière par simple goût de patauger dans les excavations à la recherche d'artefacts que je ne possède pas encore. Dans ce sens, plusieurs points vont devoir rester en suspens, sans interprétation ni signification parce que, dans beaucoup de cas, seules quelques bribes de souvenirs émergeront de la poussière du passé. Et je chercherai aussi à éviter les pièges de l'illusion rétrospective, cette sorte de pétition de principe de soi-même et de son enfance. Si elle permet d'écrire de beaux textes harmonieux, elle ne redonne jamais la véritable saveur de ce qui a été. Mon désir ici n'est pas de fonder quoi que ce soit ni d'obtenir des cohérences ; je n'ai plus besoin de belles constructions ordonnées depuis que j'ai appris à écrire des romans. L'idée est plutôt de me divertir comme n'ont pas pu le faire ceux qui ont écrit des thèses sur moi, les pauvres. Je vais simplement, comme quelqu'un qui s'en va visiter les lieux de son enfance, par pure tendresse et par pure curiosité d'examiner le travail du temps sur les choses d'autrefois. Ce sera peut-être un échec en tant qu'œuvre littéraire, mais mes éditeurs m'ont assuré qu'ils me feront le cadeau de la publier pour célébrer mon soixantième anniversaire. C'est déjà un objectif plus valable que celui d'écrire un roman de plus sans savoir pourquoi. Mais attention, lecteur oisif ou critique rancunier : rappelez-vous que ceci n'est pas une autobiographie ni une confession, mais seulement une tentative d'autoportrait. C'est moi, l'artiste, et je parlerai uniquement de ce qui m'aidera à me comprendre. Beaucoup de choses intimes, de choses précieuses ou de choses que j'ai encore de la difficulté à accepter resteront voilées parce qu'elles ne concernent que moi. Ne vous encombrez donc pas trop de la vérité et amusez-vous plutôt avec la vraisemblance.

2

Rio de Janeiro, les années quarante. La maison était assez semblable à celle décrite dans *Le pavillon des miroirs* : un appartement minuscule au troisième étage d'un vieil immeuble de la rue Andradas, dont les fenêtres donnaient sur l'avenue Presidente Vargas. Le quartier était pauvre et destiné à disparaître comme quartier résidentiel avec l'accroissement du centre commercial de la ville. Les gens qui y demeuraient encore étaient ceux qui n'avaient pas eu la chance de sortir de là, et ils vivotaient en attendant un miracle quelconque. C'étaient des vies en suspens, des gens amers, rancuniers qui vivaient dans une épaisse atmosphère de ressentiment s'exprimant par une médisance omniprésente. En effet, le seul barème de comparaison paraissait être la vie des autres familles, puisque ces gens étaient coupés de toute information ou source symbolique en dehors des croyances syncrétiques. Il n'y avait aucun livre dans la maison. À part le journal du dimanche sur lequel mon père se penchait des heures durant, les seuls imprimés étaient les revues de mode où ma mère copiait les robes qu'elle cousait pour ses clientes et les romans-photos que les femmes se passaient entre elles. La radio était encore primitive — il fallait coller l'oreille contre le haut-parleur pour entendre quelque chose —, et envahie uniquement par des musiques populaires et par des feuilletons peu sophistiqués. On n'allait jamais au cinéma ou au théâtre, car les maigres ressources de la famille étaient destinées à la survie quotidienne. Ce n'étaient pas la famine ni la grande misère qui détruisent irrémédiablement les consciences, mais bien l'ennui d'une vie sans issue et consciente de son renfermement. Dans ce contexte, les enfants étaient perçus comme un malheur, ou même comme la source de tous les malheurs. Les adultes ne se privaient d'ailleurs pas de le dire ouvertement, en répétant qu'ils se sacrifiaient pour les enfants, et que si ce n'était de la présence de ces derniers, ils arriveraient à se sortir de là pour refaire leur vie de façon plus intéressante. Ce n'était qu'une illusion, je le sais aujourd'hui, puisque, aussitôt qu'ils en avaient la possibilité, ils se mettaient de nouveau en ménage et faisaient d'autres enfants pour pouvoir continuer à se plaindre. Je crois plutôt qu'ils n'étaient pas capables d'imaginer une autre forme de destinée que celle de la famille en train de perpétuer la quasi-misère. J'ignore comment ils en étaient arrivés là, mais c'était ainsi aussi loin que je me souvienne.

Rarement, sans trop qu'on sache comment ni pourquoi, un peu plus d'argent arrivait et on avait droit à des repas hors de l'ordinaire. Des parents et des voisins étaient alors aussi invités, les adultes discutaient entre eux, se disputaient et pouvaient même en arriver aux poings, les femmes pleuraient, et l'ambiance devenait insupportable de tension, ce qui s'accompagnait naturellement de baffes ou d'insultes pour les enfants qui ne s'étaient pas écartés assez vite du chemin. Le lendemain, tout redevenait comme avant. Une autre fois, la fête était chez les voisins, et le même manège avait lieu dans les autres appartements, avec parfois l'arrivée de la police pour mettre fin au désordre. Ces célébrations ne duraient pas ; la vie fade reprenait son cours et l'attente continuait, morose et visqueuse, sans d'autre but que la survie au jour le jour.

Les enfants tentaient tant bien que mal de se faire une idée d'ensemble de la situation, mais par eux-mêmes uniquement, puisqu'on ne leur adressait pas la parole sinon sous la forme d'ordres et de reproches. Je crois que les adultes ne savaient tout simplement pas se conduire autrement, tout comme ils ne connaissaient pas d'histoires ni de fables en dehors des scènes de la vie d'autrui. Telle voisine fait la pute, tel voisin est cocu, celle-ci est dépensière, celui-là est ivrogne ou va mourir bientôt : c'était leur monde de fictions. Et encore, un monde de fictions sans trop de détails ni d'imagination, presque dans l'abstrait et encadré par les mêmes propos moralisants. Il va de soi que les enfants apprenaient vite à ne pas demander de détails. Quand la réaction aux questions n'était pas une taloche, c'était le silence, soit parce que ce n'étaient pas des histoires pour les oreilles des enfants, ou tout bonnement parce que les adultes n'arrivaient pas à mieux s'exprimer. Au lieu d'utiliser des adjectifs, on levait la voix pour mettre l'emphase, ou on gesticulait ; les femmes pleuraient ou elles pouffaient de rire sans beaucoup de variété dans leurs manifestations affectives. Du moins, c'est ce que les enfants percevaient.

— Tu verras que la vie est un calvaire quand tu seras grand. Maintenant, tais-toi ! Enfant de malheur ! Qu'est-ce que j'ai bien pu faire pour souffrir ainsi, bon Dieu !

La mère se plaignait fréquemment de n'avoir que des garçons comme fils et maudissait les cieux de ne pas avoir une seule fille pour lui tenir compagnie. Par ailleurs, elle ne cessait pas non plus de maudire la malchance d'être née femme, et affirmait à qui voulait l'entendre qu'une fille était mieux mort-née que de vivre une vie comme la sienne. Ce genre de paradoxes se retrouvait dans tous les discours, sans aucunement déranger qui que ce soit. Le langage ne semblait pas être un instrument de pensée ni d'imagination, mais un simple outil d'expression immédiate des émotions, surtout sous la forme d'interjections ou d'insultes. Le vocatif était la forme par excellence des phrases des locuteurs féminins, ce qu'avait d'ailleurs si bien signalé mon premier professeur de latin pour nous faire comprendre ce cas, les yeux et les mains levés vers le ciel comme pour apostropher directement Dieu. Déjà adulte, j'ai eu l'occasion de relever quelques-uns de ces paradoxes avec d'autres adultes de mon entourage, mais, curieusement, ils n'arrivaient pas à trouver quoi que ce soit d'anormal dans cette sorte de propos contradictoires. Cela semblait faire partie de toute vie de famille normale.

Les sensations les plus primordiales qui me sont restées en mémoire sont la chaleur visqueuse et l'odeur de moisissure durant les après-midi étouffants dans la chambre fermée, tout comme l'odeur forte aussi des culottes des femmes et celle de l'eau de Javel les jours de grande lessive. Le bleu pour l'azurage aussi, à mi-chemin entre le phtalocyanine et l'outremer, ma première passion de peintre ; il se présentait sous la forme de petits sacs et servait à bleuir l'eau de lessive pour contrer le jaunissement des tissus blancs vieillissants. Je me souviens encore d'avoir volé ce qui restait d'un de ces petits sacs pour le manger en cachette, mais j'ai tout oublié de la raclée qui s'est ensuivie. Je ne sais pas si cela a un quelconque rapport, mais encore aujourd'hui la gamme des bleus est la plus présente dans tous mes tableaux. Par ailleurs, au contraire d'autres gens qui se remémorent leur enfance, je ne me souviens pas de la saveur de ce qu'on me donnait à manger ou des gâteaux que faisait ma mère ; même la saveur des fruits semble être une transposition projective de ma connaissance actuelle vers le passé. Toutes les choses attendrissantes qu'on lit souvent chez plusieurs auteurs au sujet de leur passé ou de leur famille me sont entièrement inconnues, ou elles sont passées sans laisser de trace dans mon esprit. Ma première cigarette, déjà à l'âge de neuf ans, ma première gorgée de cachaça et ma première pute, à l'âge de treize ans, sont au contraire si vivantes dans ma mémoire que j'ai l'impression que c'était hier, et je les chéris d'autant plus que ce sont là les rares souvenirs possédant une vraie charge émotionnelle. Aussi, l'odeur de solvant d'encre de cordonnier — quelque chose entre l'éther et la térébenthine — avec lequel on cherchait à enlever de mon corps la peinture dorée utilisée pour les déguisements de carnaval, et dont mon frère m'avait convaincu de me badigeonner. J'adorais l'odeur des solvants en général, surtout de la térébenthine, et ce, bien avant d'avoir commencé à peindre.

Les autres souvenirs de la maison sont assez vagues, entourés d'une sorte de brume, y compris le souvenir du corps d'une jeune tante qui aimait se frotter contre moi avant de s'endormir. Je peux certes les évoquer, mais je sais bien que ce sont des artefacts ultérieurs dont je me sers pour récupérer des scènes perdues, des scènes rêvées ou simplement imaginées. Dans ma tête, cette période de la petite enfance est restée comme celle de la pure immédiateté des scènes éparses, sans lien transitif ni causal. Les choses se passaient par événements isolés selon des intentions qui m'échappaient, et j'avais alors l'impression d'être simplement ballotté comme un objet par les désirs d'autrui. C'était le moment de l'absurdité du monde purement actuel, dépourvu de sens ou de transcendance, le monde des événements ponctuels se succédant sans globalité, encore entièrement constitués de ce que les Grecs appelaient le *kairos*, sans sa contrepartie unificatrice nommée *chronos*. Je ne me souviens pas de jouets précis en dehors des boîtes de cigares et des capsules de bière que je ramassais dans les bars des environs. Le parfum de ces boîtes en bois rouge est encore pour moi, aujourd'hui, le plus délicieux de tous les parfums ; et à force de fumer comme je fume, ce sera bientôt aussi la seule odeur que j'arriverai à reconnaître. Mais je ne me plains pas, bien au contraire, et il sera encore souvent question de tabac dans les pages suivantes.

Le thème des origines de la conscience de soi m'a bien intéressé au long de ma carrière de psychologue, peut-être parce que je n'ai jamais réussi à récupérer les premières traces de ce sentiment dans ma mémoire. Aussi loin que j'ai été capable de remonter, j'avais déjà la conscience d'être une unité distincte des autres, en particulier dans les situations où l'on me punissait. Je n'arrive pas à remonter davantage, et peut-être même que ce sentiment d'être soi-même est déjà une condition préalable pour conserver quelque souvenir que ce soit. Je garde par ailleurs la mémoire nette d'une sorte d'angoisse sartrienne dans la contemplation du visage trop poudré et assez vulgaire d'une des amies de ma mère, même si cette scène me paraît trop claire pour être un vrai souvenir. Elle demeure, cependant, une des sources de ma fascination de peintre pour le visage grotesque des poufiasses maquillées, et même de mon obsession du grimage des clowns. Dans cette représentation mentale, elle semble être une folle de type maniaque, aux cheveux teints en roux, aux lèvres épaisses bariolées d'un rouge mauve et brillantes de salive, avec des dents en or parmi d'autres cariées, et au visage si poudré qu'il craquelait de partout comme de la boue séchant au soleil. Et cette bouche-là tente de m'attraper pour m'embrasser en m'appelant « mon petit Pierrot ». Mais j'ai tant et tant exécuté de portraits grotesques, qu'il se pourrait bien que cette scène soit simplement une image composite de souvenirs, de cauchemars, de mes propres tableaux et de caricatures glanées au hasard. Elle ressemble aussi au personnage d'une des murales du peintre Orozco que j'ai découverte il y a quelques années à peine. Pourtant, l'image de ses mains potelées et pleines de bagues, au vernis à ongles écaillé, ainsi que les sonals publicitaires de la marque de café Palheta qu'elle ne cessait de chanter en imitant une chanteuse d'opéra sont si précises qu'une folle de ce genre a dû, bel et bien, croiser mon chemin avant que j'aie acquis une pleine conscience de mon individualité.

Je me vois par ailleurs facilement en train d'observer les gens de mon entourage, déjà comme autres que moi. Mon regard n'était alors plus innocent. Je voulais vraiment voir ce qu'ils faisaient sans qu'ils m'aperçoivent, et je me souviens d'avoir été souvent puni à cause de cette attitude fouineuse. Il y avait peu à voir, naturellement, car les activités des femmes à la maison étaient assez stéréotypées, mais le visage des gens me fascinait déjà, surtout les mimiques grimaçantes qu'ils faisaient lorsqu'ils étaient concentrés sur une tâche quelconque. Par exemple, celles de ma mère tentant de déchiffrer les mots de l'horoscope en bougeant les lèvres pour les prononcer, celles de mon père lisant péniblement son journal du dimanche et balançant la tête de façon rythmée, peut-être pour donner une mesure aux phrases imprimées. Aussi, le visage agressif des femmes quand elles lavaient le comptoir de la cuisine avec une sorte de sable savonneux, ou leurs mines réjouies en prenant des airs de grandes coquettes lorsqu'elles essayaient une nouvelle robe. L'air penaud du voisin portugais, monsieur Francisco, quand sa femme a mis ses maigres possessions dehors, dans le couloir, et lui a fermé la porte au nez parce qu'il était encore ivre. Il était si pathétique, le pauvre homme, si humble comme toujours, qu'il m'a servi à diverses reprises à représenter des misérables ou des victimes du pouvoir capitaliste. Je garde aussi avec une nette précision les rictus de haine et de désespoir d'un voisin tentant de s'attaquer à mon colosse de père; j'ignore tout de la cause de la bagarre, tandis que les deux visages des lutteurs sont restés gravés dans mon esprit avec une étrange clarté, sans que je puisse y attacher une émotion précise. Dans une autre scène, c'est la figure de mon père assis à table, avec sa bouteille de cachaça, le sourire aux lèvres et me faisant des clins d'œil, pendant que ma mère, derrière la porte de l'appartement, frappait comme une possédée pour qu'il la laisse rentrer. De nouveau, en dépit de son caractère franchement conflictuel, cette scène non plus ne s'accompagne dans mon esprit d'aucune charge affective; seuls les détails de l'expression taquine de mon père, les reflets de lumière sur la bouteille givrée qu'il venait de sortir de la glacière, et la façon dont il s'est levé pour aller chercher un verre restent dans ma mémoire. J'ose croire qu'il était question à ce moment-là d'une autre dispute, où ma mère lui reprochait une fois de plus l'existence de ce qu'elle appelait ses putes, mais je n'en suis pas certain. Elle parlait de ça tout le temps même s'il s'agissait d'histoires d'avant ma naissance. Impossible d'en savoir plus. Mon père travaillait tellement à cette époque que je ne vois pas comment il aurait pu avoir encore du temps pour ses putes. De toute manière, il ne faisait que sourire quand elle commençait ses invectives.

Les images sont ainsi très pâles, comme de vieilles photos couleur sépia qui blêmissent au point de perdre leurs contours pour ne plus représenter que des spectres ou des ombres. Et en parlant justement de spectres, plusieurs souvenirs assez vivants se précipitent dans ma conscience pour me divertir. Mais me divertir uniquement aujourd'hui, car autrefois ces créatures de l'au-delà étaient une présence constante dans ma vie quotidienne. L'imaginaire des femmes en particulier était à cette époque un amalgame syncrétique de christianisme, de spiritisme et des divers cultes afro-brésiliens. Leur monde était ainsi profondément pénétré d'animisme, et comportait une multitude de signes, de présages et de dangers, où la présence réelle des morts dans les affaires des vivants ne faisait aucun doute. Le tonnerre, les souliers mal rangés, le mauvais œil, les rêves, les rencontres fortuites et un nombre infini d'autres choses apparemment anodines étaient des augures, des messages du monde des morts devant être décodés pour éviter les catastrophes et pouvoir continuer à vivre. Comme il s'agissait d'une vérité évidente, elles ne cherchaient pas à cacher ces côtés sinistres de la vie aux enfants. D'ailleurs, comme le père était athée et anticlérical, et comme il était préférable de ne pas sortir seules, les femmes se faisaient accompagner des enfants à chaque visite à l'église et aux centres de spiritisme ou de macumba. À la maison aussi, il y avait fréquemment des cérémonies divinatoires, en général reliées aux affaires du cœur, par exemple pour trouver un mari ou un amant pour les plus jeunes ou les veuves, pour s'enquérir de la vie amoureuse des trépassés, ou encore pour obtenir des formules ou des philtres destinés à apporter une meilleure entente sexuelle au sein des couples. On pouvait aussi, de cette façon, jeter des maléfices à la maîtresse de son mari ou amener ce dernier à se détourner des sorties galantes. La fidélité des époux constituait d'ailleurs, si je me souviens bien, un sujet de préoccupation presque plus important que la survie matérielle de chaque jour, et sans doute étroitement relié à cette dernière. En effet, dans notre milieu, une femme abandonnée avec ses enfants par un époux volage avait peu de possibilités de s'en sortir autrement que par la prostitution, d'où le souci quotidien pour les pouvoirs magiques de la sexualité et de la séduction. Et les divinités africaines semblent être des expertes en ces matières, particulièrement après avoir été amalgamées de façon officieuse avec les saints du catholicisme. Si l'on ajoute à cela ce qu'on croyait être le caractère indubitablement scientifique et moderne du spiritisme français, arrivé au Brésil au tournant du siècle (Allan Kardek, Mesmer, Mme Blavatsky, astrologie, tarots et tables tournantes), on peut se faire une bonne idée de l'ambiance mystique dans laquelle nous vivions alors. Le père se riait de tout cela, mais en bon politicien il laissait les femmes faire pour avoir la paix. Il est vrai que son attitude irrespectueuse poussait la gent femelle tant de la famille que du voisinage à se consacrer davantage aux exorcismes, justement pour détourner les mauvais fluides issus de ses blasphèmes.

Je vivais ainsi entouré de fantômes et de morts, de spectres se cachant dans les coins sombres, sous mon lit de camp et même me guettant lorsque je m'apprêtais à faire des mauvais coups. Évidemment, je n'ai jamais rencontré un de ces revenants et, à la longue, cela a sans doute contribué à mon scepticisme ultérieur. Mais l'ambiance des soirées était empoisonnée par ces histoires et par les précautions à prendre contre un nombre infini de situations jugées dangereuses. Il fallait en outre être à l'affût des signes d'une communication avec l'au-delà, ne pas rater les chances d'établir un contact, sous peine de subir de grandes pertes ou des malheurs. L'éternité ne semblait pas bénéfique à la patience des esprits, et au dire des femmes ceux-ci pouvaient s'avérer assez vindicatifs.

À ces trépassés s'ajoutaient les cadavres réels qu'on pouvait fréquemment voir dans les rues de cette ville qui grandissait sans services sanitaires ni soins de santé, et où le trafic automobile était totalement chaotique. Des gens renversés par des autos ou tombés du tramway en marche, d'autres qui décédaient de mort subite ou se faisaient tuer dans des bagarres au couteau, des vieillards ou des nourrissons abandonnés étaient laissés là, sur la chaussée ou sur le trottoir, des heures durant avant que ne vienne le fourgon de la morgue. Ils étaient en général à peine recouverts de journaux, mais toujours entourés des quatre chandelles réglementaires, allumées par des mains pieuses pour éviter que l'esprit du mort ne se décide à hanter les lieux de sa malchance. Ces présences morbides attiraient inéluctablement plusieurs spectateurs, en particulier des femmes. On restait à une distance respectueuse pour commenter l'accident, tout en priant un peu pour attirer l'attention de l'âme du mort, qui sans doute restait encore un peu confuse dans les parages. Ces premières prières entendues par l'esprit en pleine stupeur de la nouveauté de la mort avaient pour objet de gagner sa gratitude, sa sympathie et peut-être même sa collaboration pour des faveurs ultérieures. Cela était complété par de fréquentes visites aux cimetières, ces lieux privilégiés de supplications et de questionnements, par les messes funèbres desquelles ma mère était friande, et par les émissions radiophoniques quotidiennes consacrées aux apparitions de fantômes et aux phénomènes paranormaux, chrétiens et africains.

Cet animisme et ces croyances syncrétiques ont véritablement terrorisé mon enfance, et je me demande encore aujourd'hui par quel effet d'accoutumance j'ai réussi à devenir incroyant et totalement sceptique dès mon départ de la maison, à l'âge de neuf ans. Peut-être parce que ces croyances appartenaient uniquement au monde spirituel des femmes, et que ce monde-là m'avait écœuré à un point tel que je l'ai évacué de mon imaginaire aussitôt que je me suis retrouvé tout seul. Mais aussi parce que cet univers de superstitions était trop simpliste et immédiat, sans la transcendance ou la magie des contes de fées. Les gens qui partageaient ces croyances n'avaient d'ailleurs pas assez de culture ni de langage ou d'imagination plastique pour formuler leurs visions. En outre, ces rituels simplistes étaient un pur ramassis de formules glanées dans diverses religions, sans mythologie ni liturgies dépassant le ici et le maintenant de la divination la plus obtuse. Ce n'étaient pas de véritables visions du monde, et si elles pouvaient impressionner un très petit enfant, elles n'avaient rien pour émerveiller un garçon plus âgé et passablement autonome. C'est aussi sans doute pourquoi je ne retrouve pas de séquelle de toutes ces superstitions dans ma propre créativité ultérieure.

Je crois, aujourd'hui, que l'attitude de mon père, son sens de l'humour acide et son mépris pour toute idolâtrie ou fétichisme m'ont protégé des mauvaises influences de ce monde animiste des femmes. De sa formation luthérienne, il avait gardé avant tout un sens moral assez rigide doublé d'un anticléricalisme féroce. D'ailleurs, en sa présence, les femmes renonçaient à leurs pratiques et elles n'osaient pas parler de choses mystiques. Cette autorité qu'il détenait devant le monde des morts a certes contribué à me libérer de mes craintes. Quand il était là, les spectres paraissaient perdre de leur lustre et de leurs pouvoirs, pour redevenir uniquement des disparus. Durant nos promenades du dimanche, quand on rencontrait en chemin de vrais cadavres ou des offrandes rituelles de macumba, il montrait une simple curiosité objective et ses commentaires n'avaient rien de mystique. Il lui arrivait même de lever le journal pour regarder le mort en face, ou encore de s'emparer des bouteilles de cachaça et des cigares des offrandes quand ceux-ci étaient d'une marque qu'il aimait. Il nous recommandait cependant de ne jamais toucher aux gâteaux qui accompagnaient ces paquets rituels laissés la nuit au coin des rues. Selon lui, les femmes — mot qu'il accompagnait toujours d'un adjectif relié à la stupidité ou à l'ignorance — étaient trop vicieuses, et elles incorporaient des immondices aux gâteaux et à la nourriture de ces offrandes de nègres.

Le chapitre de ces immondices est un autre de mes souvenirs d'enfance. De pair avec les croyances animistes, il y avait aussi la croyance primitive dans les esprits des forêts; celle-ci garantissait le pouvoir à la fois des herbes et de toute autre chose ayant un rapport dit sympathique avec les maladies et les fluides corporels. Par pure ignorance et carence totale de services médicaux, l'Amérique latine tout entière est encore aujourd'hui malheureusement plongée dans ces superstitions reliées à la magie de la pharmacopée primitive. Au cours d'un récent voyage au Mexique, j'ai pu enfin retrouver d'énormes marchés publics consacrés uniquement à l'herboristerie et à la sorcellerie tout à fait comme ceux de mon enfance. À l'instar de leurs amies, les femmes qui nous entouraient étaient littéralement effrayées par les maladies, quelles qu'elle soient, connues ou inconnues, mais surtout par la tuberculose qui était encore endémique dans tout le pays. Il fallait aussi, naturellement, ne pas oublier de s'occuper du foie, de la vésicule biliaire, du pancréas, de l'utérus, du placenta, des vers, des pustules d'allure syphilitique et des nombreux autres organes ou affections dont elles ne connaissaient que les noms et les dangers qu'ils recelaient. Les enfants de la maison étaient ainsi soumis régulièrement à toutes sortes de potions, d'infusions, de poudres, de pommades et de sirops achetés dans ces marchés ouverts ou dans les boutiques d'articles pour la macumba. C'étaient aussi des choses vendues parfois sous le manteau par certaines femmes, de vieilles Noires pour la plupart, et dont on croyait qu'elles détenaient des pouvoirs mystiques venant de tribus indiennes ancestrales ou d'esclaves africains.

Je me souviens en particulier de l'ambiance sinistre de ces boutiques de macumba, avec leurs nombreuses images de divinités africaines aux couleurs vives, leurs statuettes du démon à moitié bouc et aux formidables attributs virils, leur amoncellement d'herbes séchées, leurs serpents conservés dans de la cachaça, ainsi que leurs jolis colliers faits de perles multicolores et de graines bariolées. Il y avait toujours l'une ou l'autre herbe qui brûlait lentement dans des casseroles en terre cuite, dont l'odeur âcre et la fumée bleuâtre se mariaient parfaitement avec l'obscurité des lieux et la peau couperosée des vieilles boutiquières. Pendant que ma mère se faisait conseiller sur les nouveautés pharmacologiques qui ne cessaient d'arriver dans les échoppes déjà encombrées, je pouvais me promener à ma guise, tout observer et toucher sans jamais être capable de me faire une idée d'ensemble devant un tel capharnaüm. C'est qu'on y vendait aussi des images de saints en plâtre peint, tout à fait semblables à celles des églises, des vierges dénudées dans des poses lascives, et même des portraits encadrés de l'ancien dictateur Getulio Vargas qui s'apprêtait à être réélu président de la république. Après de longues palabres et quelques bénédictions, ma mère revenait chargée de petits paquets enveloppés dans du papier journal, l'air contente, décidée, surtout quand il s'agissait de nouvelles trouvailles infaillibles contre les maladies et leurs causes spirituelles. Et c'était vraiment n'importe quoi, y compris des excréments de chiens soumis à des sacrifices, des placentas que les sages-femmes monnayaient après les accouchements ou d'autres saloperies bénies dans des rituels de macumba. Comme les breuvages faits à partir de ces choses avaient un goût affreux — ce qui prouvait bien leur valeur intrinsèque —, la mère venait déjà armée de son fouet, tôt le matin, pour nous obliger à avaler ces remèdes qui nous protégeraient de la tuberculose, du mauvais œil, des affections hépatiques ou de toute autre maladie pouvant être découverte ou inventée. Et gare au gaspillage ! Pas question de les recracher ou de vomir, car il s'agissait en outre de choses sacrées, comme l'hostie de la messe. Je l'ai d'ailleurs raconté dans mon premier livre : je crois fermement que ma condition robuste tout au long de ma vie, à l'épreuve de n'importe quelle affection, vient de l'entraînement précoce de mon système immunitaire par l'exposition hebdomadaire à tant d'immondices en très bas âge. En effet, ceux qui ne mouraient pas aussitôt acquéraient une formidable résistance, comme c'est le cas des habitants de tous les quartiers misérables du tiers monde. J'ai du mal à imaginer aujourd'hui ce que tous les pauvres maris devaient ingurgiter à leur tour, en toute innocence, car si les enfants étaient censés avoir leurs maladies, les hommes aussi devaient avoir leurs besoins spécifiques, particulièrement en ce qui a trait à la sexualité et à la fidélité conjugale. Comme les femmes avaient le contrôle total de la cuisine et de la nourriture, il ne fait aucun doute que d'autres remèdes étaient servis à table à l'intention des mâles adultes, pour le plus grand bien de leur système ou pour les achever à petit feu. Mon père se méfiait, certes, et il nous mettait aussi souvent en garde contre le fait de manger des gâteaux ou toute autre nourriture chez les voisines ; il vantait la nourriture des restaurants, surtout des restaurants tenus par des Portugais, car il disait que leurs femmes n'étaient pas encore dépravées comme les sorcières brésiliennes.

Dans ce monde de l'ennui et de la crainte, seule la fenêtre donnant sur la grande avenue Vargas apportait un peu d'air du large. Nous pouvions passer des heures et des heures, chaque jour, à contempler le trafic sur les huit voies vers le nord et vers le sud de la ville. La vie entière y passait, plus animée que dans ces villages isolés où les gens regardent le train passer, mais sans aucun doute avec le même sens d'attente vide et de renoncement. Je me divertissais en particulier avec les piétons qui tentaient de traverser la large chaussée sans se faire renverser, et avec le zigzag acrobatique des véhicules et des autobus. Peut-être que les accidents et les morts sont restés mieux fixés dans mon esprit même s'ils étaient plus rares, mais ma mémoire semble avoir gardé un nombre très élevé de ces faits divers, dont beaucoup étaient assez spectaculaires et affreux pour me donner des cauchemars. On ne perdait aucun détail, car la vue était magnifique du haut de notre troisième étage, tant pour les accidents que pour le carnaval et le défilé militaire du 7 septembre, fête nationale du Brésil.

Je me suis longuement attardé sur ces événements dans mon premier roman, et je n'ai rien de plus à ajouter en ce qui les concerne. Mais le sens de la fenêtre comme seule ouverture vers le monde me paraît quelque chose de fondamental dans la formation de mon identité, de mon être pour l'ailleurs, de mon amour du lointain. En effet, je ne garde presque pas de souvenirs intéressants ou attendrissants reliés à la vie de la famille, et je ne suis aucunement étonné d'être parti de là le cœur léger et l'esprit en fête. Tout ce qui paraissait avoir une quelconque valeur nous venait de l'extérieur, du spectacle qu'on pouvait voir par la fenêtre, des rares promenades du dimanche avec mon père ou de son vague travail d'électricien dans des chantiers en ville. Par contraste, la vie à la maison était entachée d'une sorte de malédiction, tant par la médiocrité des moyens matériels que par la mesquinerie des rapports interpersonnels. Sans compter la menace de la maladie, de la mort réelle, et de la mort symbolique représentée par les spectres et les incantations. Cette mort en vie profondément ancrée dans la mentalité de la gent femelle était suffocante pour moi ; le monde extérieur gagnait ainsi non seulement les aspects d'un monde viril et aventureux, mais aussi ceux d'un monde où la vraie vie était possible et où je ne serais jamais malade. J'étais d'ailleurs le plus tuberculeux de tous aux yeux de ma mère, celui qui était destiné à une vie courte et passablement pénible, et j'avais alors droit à des potions personnalisées et à des visites fréquentes au dispensaire public, pour recevoir autant de BCG que les infirmières acceptaient de m'en donner. Curieusement, je ne me suis plus jamais senti malade et je n'ai plus toussé dès que je suis parti de là, la cigarette au bec et l'âme vagabonde. En écrivant ces lignes, avec ma pipe enfumant tout mon atelier, je me ris encore des prophéties de mort que faisait la mère à mon intention, lesquelles m'ont toujours semblé davantage des désirs que des craintes. Je me demande en vain quelle a pu être la partie jouée par la pute de mon père dans ces soins si assidus d'autrefois, et auxquels je dois paradoxalement ma santé d'aujourd'hui.

Cet appétit d'aventures et de nouveauté qui m'a poussé aux voyages, aux autres langues et aux cultures étrangères, qui m'a aussi souvent poussé à me révolter devant les situations répétitives, sans issue, vient certainement en bonne partie de cette première opposition entre le dedans oppresseur et le dehors perçu comme libérateur. J'ose même croire qu'une certaine claustrophobie, que je contrôle pourtant bien, tire sa source de cette atmosphère familiale imbibée du pouvoir souterrain de la gent femelle. Et sans aucunement exagérer, quand je sens mes poils se dresser comme les piquants d'un hérisson face à tout ce qui est *politically correct* — la démonisation du tabac et de l'alcool, le mépris des valeurs viriles, la peur compulsive de la maladie et de l'inconnu, l'obsession de la durée à tout prix pour avoir la vie la moins aventureuse et la plus passive possible —, je me demande si ce n'est pas une réaction semblable à celle que j'avais autrefois face à ma famille. Je ne crois d'ailleurs pas que la féminisation des rapports sociaux à laquelle on assiste aujourd'hui soit uniquement bonne ou inerte comme le prétendent les hommes roses. Mais ce n'est pas mon problème, car j'ai réussi à me vacciner de bonne heure contre les excès des mamans trop envahissantes.

❑

La rue, cet horizon de fuite et de liberté où il faisait bon respirer, c'étaient aussi les ruelles en arrière, la partie vieille de la ville encore existante après l'ouverture de la grande avenue Vargas. J'ignore comment ce vieux quartier s'est transformé depuis, mais à cette époque c'étaient des petites rues sales, encombrées d'échoppes, de camions et de livreurs avec leurs chariots. L'ambiance des maisons de chambres de style portugais était des plus animées quand les femmes allaient faire leurs emplettes. Je me souviens clairement comment ces mêmes épouses ou tantes moroses et sinistres devenaient coquettes, bavardes et pleines de vie dès qu'elles étaient en contact avec les marchands du coin, avec les garçonnets qui transportaient leurs paquets ou même avec les chauffeurs des camions de livraison qui stationnaient un peu partout. Elles étaient souvent méconnaissables. Il ne restait aucune trace de leur mauvaise humeur coutumière. La présence des enfants, agissant alors comme un bouclier protecteur, n'était plus du tout encombrante. Et si l'un ou l'autre des garçons de café se montrait plus galant, si un commis ou un chauffeur sifflait à leur passage sans trop leur manquer de respect, les enfants pouvaient même recevoir une barbe à papa ou une limonade, tant elles paraissaient en paix avec le monde.

Les épiceries attiraient le passant de loin avec leurs odeurs fortes de morue salée et de hareng dans la saumure, leurs tonneaux d'olives et leurs étals d'épices en plein air. Les vendeurs de fruits et de légumes empilaient leur marchandise en pyramides multicolores en devanture, et tout cela exhalait des parfums forts, sucrés et fermentés à la fois sous le soleil à pic des longs étés. Les couleurs continuaient au loin, de plus en plus variées chez le fleuriste et le marchand d'oiseaux, ou étincelantes de reflets métalliques chez le ferronnier. Les pharmacies aux ornements boisés, dignes comme des bureaux administratifs, où l'on pouvait voir au fond le laboratoire rempli de flacons de poudres, de balances, d'entonnoirs et de mortiers avec lesquels les pharmaciens cravatés fabriquaient les médicaments prescrits. C'était là aussi que les femmes allaient se faire donner une piqûre camphrée ou à l'huile d'eucalyptus quand elles avaient un mauvais rhume, ou bien quand elles trouvaient que le jeune pharmacien était beau comme un saint d'église, et que ce n'était pas un péché de lui montrer un petit bout de fesse. Dans les pharmacies, elles pouvaient aussi s'acheter des bouteilles d'un litre d'éther ou de laudanum pour calmer les nerfs ; quelques pharmaciens possédaient même, à l'intention de clients sélects, des restants de stocks de Heroin, cette merveille thérapeutique de la compagnie Bayer interdite en Europe, dont on avait pris soin avant la guerre de bien approvisionner les marchés sud-américains.

En poussant un peu plus la promenade le long de la rue Larga, on arrivait au cinéma Primor avec ses affiches de scènes romantiques aux couleurs crues. Ensuite venaient les nombreux hôtels de passe aux alentours de la gare centrale, les bars et les restaurants qui sentaient la bière, la friture et la sciure de bois recouvrant leur plancher. Ma jeune tante s'arrêtait souvent pour causer avec un homme qui vendait du tabac à l'entrée d'un immense bar rempli d'ivrognes tranquilles, et elle me laissait alors à moi-même. Nous rentrions contents à la maison, moi avec mon butin de boîtes de cigares vides et de capsules de bière, et elle avec les paquets de cigarettes qu'elle avait échangés contre des caresses fortuites derrière le comptoir.

Une autre caractéristique marquante de mes souvenirs est la diversité de visages et de types humains du temps de mon enfance. Au contraire de l'uniformité des gens d'ici, les pays du sud possèdent — ou possédaient, je n'en sais plus rien — une étrange variété dans l'apparence des personnes. Je me rappelle ce détail important quand je croise par hasard ces vieux parents ou ces grands-parents que les immigrés bien établis font venir de leur pays d'origine. Ceux-ci errent comme des spectres étourdis dans les allées des centres commerciaux, et semblent se demander si cet exil tardif pour mourir dans le pays de cocagne est une bonne chose ou s'il n'est qu'une ironique malédiction de la fatalité impitoyable. Ces corps et ces visages basanés apportent parfois avec eux la diversité qu'imprime la misère sous la forme de cicatrices de vieilles maladies inconnues ici, de dents pourries ou réparées avec des amalgames dorés, des yeux chassieux ou larmoyants, des mains façonnées par le travail de la terre sans machinerie moderne. Ils étaient ainsi, les gens des ruelles de mon enfance, du moins ceux qui attiraient mon regard scrutateur de petit garçon curieux. Il y avait des mendiants un peu partout, qui exposaient du mieux qu'ils pouvaient d'étranges plaies aux couleurs aussi vives et variées que celles des étals des marchands de fruits. Des déformations bizarres, des membres gonflés comme des outres, des becs de lièvre souriants, des bosses insolites et des bouches édentées aux rictus énigmatiques nous accompagnaient partout dans la ville, tout comme les aveugles conduits par de jeunes enfants et les nains se faufilant prestement entre les jambes des passants. Rien ne m'impressionnait davantage que les visages marqués par la vérole ou par l'âge, aux rides profondes comme des cicatrices, dans une sorte de vieillissement qui ne cherchait pas à se cacher. Aussi, une légion de clochards magnifiques, aux allures d'anachorètes des histoires saintes, au regard vitreux et souvent délirant, laissés à eux-mêmes dans cette ville sans asiles et où l'alcool bon marché coulait à flots. L'image des tuberculeux crachant discrètement leurs poumons dans des petits pots avec couvercle m'intéressait particulièrement à cause des prémonitions de ma mère au sujet de mon avenir de tubard.

Ces figures de la misère se fixaient dans ma conscience justement par leur force plastique, mais aussi par leur pouvoir évocateur des tragédies et de la déchéance appréhendées quotidiennement par les gens de mon entourage. Ces pauvres étaient l'incarnation de ce qui nous menaçait au moindre sursaut du destin, et contre quoi les herbes et les incantations ne semblaient pas avoir beaucoup d'effets. Il y avait aussi les prostituées si attirantes, accrochées en grappes aux entrées des bordels du Mangue ou des dancings de la place Tiradentes. On les voyait de loin parce que ce n'étaient pas des endroits que pouvaient fréquenter des gens bien comme nous, mais on les voyait d'autant plus distinctement qu'elles jouaient un rôle paradigmatique : elles incarnaient à la fois les plaisirs interdits et la réprobation sociale omniprésents tant dans la médisance que dans les sourires nerveux ou les soupirs des femmes.

Les rues apportaient par ailleurs la vision des corps humains aux formes bien nettes : les os, les tendons et les muscles à peine voilés par des tissus légers et que la transpiration accentuait agréablement ou impitoyablement, montrant les rondeurs des jeunes femmes et la dégringolade des chairs vieillissantes. Et puis, l'infinie variété des couleurs de peau brillant au soleil, toutes les sortes de cheveux, sans compter les maquillages extravagants et bricolés avec les moyens du moment. Cette richesse visuelle s'est fixée dans mon esprit en s'ajoutant à une sensibilité peut-être déjà exacerbée, pour se manifester ensuite sous la forme d'un insatiable appétit plastique, et pour s'extérioriser bien des années plus tard en dessins et en peintures tel le ressac d'une marée.

Les rares promenades en compagnie du père sont aussi restées bien marquées dans ma mémoire, à la fois parce qu'elles étaient plus rares et parce qu'elles étaient plus aventureuses. Alors que la compagnie des femmes créait un sentiment d'insécurité, la présence de ce colosse d'homme était très rassurante pour un enfant. Avec les femmes, je devais m'éloigner de toute nouveauté, en particulier des clochards, et elles menaçaient constamment de m'abandonner aux gitanes voleuses d'enfants si je ne me comportais pas comme un ange. Avec mon père, j'étais certain de ne rien perdre du spectacle des rues, que ce soit un cadavre trouvé en chemin, une offrande de macumba ou les crabes et les pieuvres des stands proches de l'embarcadère. Il était curieux de tout, et savait me transmettre son étonnement avec une simple grimace devant un tas d'ananas cuisant au soleil ou l'état lamentable d'une voiture rouillée et pétaradante. Je dis qu'il s'intéressait à tout et je ne crois pas me tromper, car je me rappelle comment il pouvait admirer longuement la légion de chats vagabonds qui chassaient les gros rats aux abords des bouches d'égout, pour ensuite s'extasier devant les avions stationnés sur la piste de l'aéroport ou passer de longs moments en silence à observer un pêcheur à la ligne sur les rochers du remblai. Je me demande encore ce qui se passait alors dans son esprit ; il ne parlait pas souvent, ses commentaires étaient laconiques, et il paraissait simplement heureux de nous montrer ainsi la ville ou les allées du jardin botanique, sans autre but que celui d'être témoin de scènes intéressantes. En outre, il était bien moins nerveux que les femmes, comme s'il avait un temps infini à sa disposition. Apaisé, j'arrivais à m'abandonner à mes propres rêveries sans risquer d'être blâmé parce que j'étais dans la lune ou parce que j'empêchais la bonne marche du monde.

Au bout de l'avenue Vargas, sur les terrains vagues au delà de la gare centrale, il y avait de temps à autre l'apparition magique des cirques. Plus que n'importe quelle vision, ces cirques sont une des sources indubitables de mes inspirations d'artiste. J'en ai parlé dans deux de mes romans, *Saltimbanques* et *Kaléidoscope brisé,* et il n'est pas exclu que je revienne encore un jour sur ce thème, tant il me fascine et m'apporte des symboles pour penser ma propre trajectoire existentielle. C'est sur ces terrains vagues que mouraient les cirques partis de l'Italie exsangue de l'après-guerre dans l'espoir absurde de gagner l'Amérique. Ils rêvaient sans doute de la vraie Amérique, celle des GI conquérants et des femmes aux longues jambes des affiches de cinéma. Mais c'était l'autre Amérique, celle du sud cette fois, qui s'ouvrait à ces immigrants sans lustre. L'Argentine et l'Uruguay, enrichis par leurs exportations et assoiffés de culture européenne après des années de blocus, acceptaient de recevoir comme lest dans leurs bateaux ces troupes de saltimbanques, ainsi que toute une faune d'artistes et de réfugiés pas toujours en règle avec les autorités d'occupation en Europe. Buenos Aires était à cette époque une des grandes métropoles du continent, et la main-d'œuvre italienne était très demandée pour l'industrialisation du pays. Les artistes des cirques fuyaient la famine, et ils étaient prêts à n'importe quelle épreuve pour survivre ; mais ils entretenaient avant tout le rêve de remonter jusqu'à New York après avoir traversé l'Atlantique. Les gens du voyage étaient habitués aux grandes tournées européennes qui allaient de Lisbonne à Moscou, de Stockholm à Athènes, et qui pouvaient durer des années. Le beau récit autobiographique d'Albert Fratellini*, que je conseille à tous les rêveurs et aux âmes vagabondes, retrace l'histoire de ces épopées. Alors, se disaient ces immigrants, pourquoi ne pas remonter de l'Argentine

* *Nous, les Fratellini,* Paris, Grasset, 1955.

jusqu'aux États-Unis ? Sauf qu'à cette époque, la route finissait à Rio de Janeiro...

Arnaqués et exploités par la corruption des autorités, les cirques réussissaient malgré tout à se remettre un peu de la pénible traversée durant leur séjour à Buenos Aires. La nouveauté aidant, même les troupes les plus modestes avaient du succès, et les artistes se promettaient alors mondes et merveilles dans ce pays où les gens mangeaient à leur faim. Naturellement, les plus belles filles et les plus beaux garçons trouvaient preneurs sur place aussitôt que la nouveauté de leur spectacle pâlissait. Pour pallier le manque d'argent, les cirques vendaient alors quelques beaux fauves et surtout les meilleurs de leurs chevaux ; ils engageaient des artistes locaux pour remplacer ceux qui s'en allaient, et ils repartaient vers d'autres villes. Rosario, Santa Fe, mais surtout Montevideo, sur l'autre rive de la Plata. Ensuite, Asunción, cette capitale d'un pays mythique en pleine jungle, dont on savait qu'il avait été un des alliés de l'Allemagne nazie durant la guerre et qu'il servait de refuge à la crème des criminels enfuis d'Europe. Les cirques poursuivaient ainsi leur longue route, se délestant en chemin d'autres artistes qui n'avaient pas trouvé preneurs en Argentine. D'autres animaux aussi disparaissaient, vendus ou simplement mangés quand le besoin se faisait trop pressant, au fur et à mesure que la route devenait chemin de brousse quelque part dans le Chaco, à la frontière avec le Brésil. Mais ils continuaient toujours vers le nord malgré leur désespoir qu'on parvient à peine à imaginer. Ils arrivaient alors à São Paulo, une grande ville où ils pouvaient refaire leurs forces, rapiécer les vêtements, les cordages et même la toile du chapiteau, rongés par l'humidité. Ils donnaient encore des spectacles et arrivaient ainsi à survivre, mais c'étaient déjà des spectacles infiniment plus pauvres que ceux donnés autrefois à Buenos Aires. Les troupes étaient décimées par les désertions et les maladies tropicales, par la fatigue et même la faim, et elles attiraient alors une clientèle aussi misérable qu'elles. Les roulottes gardaient malgré tout les traces de leurs couleurs de jadis, les images de fauves formidables, d'athlètes magnifiques et de filles à faire rêver dans leurs collants pailletés. Qu'importe si le spectacle sous le chapiteau n'avait presque plus rien à voir avec ces images peintes, ni avec les affiches qu'ils continuaient à faire imprimer à l'aide des mêmes bois gravés venus d'Europe ? Les artistes noirs ou mulâtres engagés en chemin apprenaient vite à imiter les accents étrangers pour garder l'ambiance magique des cirques venus d'ailleurs ; et si les nouvelles filles n'avaient pas les corps d'elfes des images défraîchies, elles compensaient le manque d'élégance et les paillettes noircies par un surplus de chair exposée et des gaillardises bien brésiliennes.

C'est ainsi que les cirques arrivaient au bout de la route, aux terrains vagues de mon enfance, d'où ils ne pouvaient plus repartir. Les artistes qui restaient donnaient encore des spectacles modestes pour les pauvres du coin. Mais un beau jour, les troupes se défaisaient pour aller rejoindre qui les music-halls les plus sordides, qui les bordels ou les bas-fonds de Rio de Janeiro. Et les cirques mouraient ainsi, littéralement, s'envolant avec les flammes du chapiteau brûlé par mesure de salubrité publique.

Les cirques de mon enfance étaient donc des cirques agonisants. Mais même dans leurs derniers soupirs, ils apportaient au petit garçon le curieux message qui allait fonder le noyau de sa conscience esthétique. D'une manière analogue à la contradiction entre la vie de la famille et la richesse du monde de la rue, ces cirques moribonds véhiculaient simultanément une double réalité : celle de la déchéance qui leur était propre et celle de la perfection inatteignable des affiches, des images peintes sur les roulottes et des paroles des annonceurs vantant des merveilles qui n'existaient plus. Je l'ai compris bien des années plus tard : cette contradiction, cette tension antagonique entre le réel et le désir est un des éléments essentiels pour la formation de toute conscience esthétique. En effet, le monde imaginaire se développe davantage dans une situation de carence réelle, et dans la mesure où cette pauvreté extérieure est accompagnée par des éléments idéalisés qui ouvriront l'espace du désir. C'est un peu comme la révolte, qui surgit sur un fond de misère et d'oppression, mais à condition que les espaces symboliques soient présents pour suggérer le monde tel qu'il devrait être aux consciences opprimées. Ainsi, la fréquentation de ces épaves artistiques au milieu d'un microcosme d'ennui et de suffocation existentielle suffisait pour ouvrir dans mon esprit la curieuse brèche libertaire qui allait me servir de chemin de fuite quelques années plus tard.

Je me souviens avec une tendresse infinie de ces clowns de mon enfance, ridicules et pathétiques à la fois, de ces acrobates presque maladroits tentant de faire oublier leur corps disgracieux par de la bravade ou par des poses exagérées. Je ressortais de ces spectacles littéralement assommé par les couleurs et par les lumières plus rêvées que réelles, éperdument amoureux de ces corps défraîchis mais dans des positions artificielles. Tout y était si différent de ce que je connaissais, que le monde du cirque me semblait être ce qu'il y avait de plus beau sur la terre, comparable uniquement au scintillement des feux de Bengale dans les nuits de la Saint-Jean.

J'ai développé ces considérations sur les tensions antagoniques propres à l'œuvre d'art et à la conscience esthétique dans un texte intitulé « Les figures de la mort* », et il n'est pas nécessaire de m'y attarder davantage ici. Je crois cependant à propos de signaler que ces expériences esthétiques primordiales, telles que les cirques minables ou le carnaval, sont plus fondamentales qu'une éducation artistique sophistiquée — comme la fréquentation de musées ou l'étude de l'histoire de l'art — pour la formation d'une conscience plastique véritablement indépendante. Ces expériences non encore formulées comme expériences artistiques en tant que telles préparent justement le sujet, dans son intimité, à cet état de déséquilibre imaginaire propice à la réception d'autres expériences artistiques. Aussi, elles le disposent à percevoir le monde dans sa totalité comme pouvant être un lieu de transcendance. J'irai même plus loin : la frustration d'ordre mélancolique générée par la perception précoce de ces antago-

* In *La danse macabre du Québec*.

nismes entre ce qui est et les possibilités ouvertes par cette carence de perfection, est sans doute le ferment original de toute conscience imaginative, qu'elle soit artistique ou scientifique.

Il va de soi que j'ignore pourquoi cette sorte d'expériences primordiales trouvent un terrain fertile chez certains individus et pas chez la majorité des autres. Toute tentative de répondre à cette question dans l'histoire de l'art ou celle de la psychologie se trouve irrémédiablement entachée de réductionnisme à outrance. Les diverses théories, psychanalytiques ou autres, à ce sujet semblent le fait d'esprits plus préoccupés par le pouvoir fantasmatique qu'ils croient exercer sur les créateurs que par la véritable curiosité à l'égard de l'âme humaine. Non seulement ces théories n'expliquent rien, mais elles tendent à confiner l'expérience de la création à des registres de déviance ou même de perversion. Je parle donc ici des origines de mes influences identitaires telles que je peux m'en souvenir, et je laisse entièrement en suspens le thème de ma propre sensibilité affective.

3

À mes côtés, il y avait mes deux frères : l'aîné, deux ans plus âgé que moi, et le petit, deux ans plus jeune. Tous les trois, nous étions là sans trop savoir pourquoi et sans rien connaître d'autre que cette ambiance familiale morose. Étrangement, je ne me souviens pas beaucoup de nos jeux en commun, et j'en suis venu à croire que nous jouions en parallèle, chacun dans son propre monde et sans plus d'intimité. Ce qui m'est resté d'eux se résume à quelques regards complices échangés en silence dans des situations difficiles, pour nous dire que nous avions tout compris et qu'il valait mieux se taire. Répondre aux adultes ou manifester des signes de révolte pouvait déclencher des fessées et pourrir encore plus le climat déjà tendu. Mais ils ne partageaient pas mon monde imaginaire, et je n'ai rien connu du leur, comme si chacun de nous s'était donné la consigne de vivre le plus discrètement possible, dissimulé dans l'ennui général. Je n'ai donc pas connu de ces amitiés fraternelles tendres, ni de ces haines ou jalousies corrosives décrites dans certains récits d'enfance. Ensuite, nos vies se sont séparées, et je pense qu'ils ont dû comme moi éprouver du soulagement de ne plus devoir supporter l'atmosphère familiale. Nos rencontres sporadiques à l'adolescence n'ont pas permis de rapprochement significatif, d'autant plus qu'ils ne partageaient ni mes engagements politiques ni mes goûts intellectuels. Lors de mon départ définitif du Brésil, nous étions pratiquement devenus des étrangers. Je n'arrive donc pas à me faire une idée de la manière dont ils ont pensé ce passé, ni à m'imaginer dans leur passé personnel.

Cette absence de liens émotifs avec ceux qui m'étaient proches reste une sorte de mystère pour moi. Non pas que j'en aie souffert, bien au contraire, car j'ai tôt appris à chérir ma liberté sans entraves et sans culpabilité, un peu comme si mon détachement était le corollaire naturel de leur absence d'attachement réel à mon égard. En tout cas, s'ils existaient, je n'ai pas ressenti les liens entre nous, puisque tous les comportements dont je me souviens paraissaient se réduire à des actions stéréotypées, fruits de la simple habitude concernant les rapports avec les enfants. La vie de famille évoquait les limbes, et j'ai toujours eu l'impression que plus tôt on se sauvait de là, mieux c'était. Mais je signale cette absence de tendresse, puisqu'on entend un peu partout que ces attachements en bas âge sont essentiels pour le développement d'une vie adulte heureuse. La littérature psychologique est assez abondante sur cette question — en particulier sur la relation mère-enfant — et sur l'importance de ces liens pour la formation des rapports affectifs subséquents. Qui plus est, on y apprend que la moindre faille ou le moindre faux pas en bas âge risquerait d'aboutir à des troubles graves du caractère, à des perversions, voire à des psychoses ou à d'autres fléaux scabreux. Aujourd'hui, je crois que ces balivernes sont de simples excroissances de l'idéologie générique dominante au XXe siècle, qu'on appelle le psychologisme. Ma propre vie heureuse et épanouie du point de vue émotionnel est bien la preuve que ce sont là de simples préjugés. Il est bien possible que ces augures sinistres ne valent que pour les familles bourgeoises de l'hémisphère Nord, où l'ambivalence des liens émotionnels garde prisonniers et bien dépendants les divers acteurs des drames familiaux. Mais ailleurs, aussi bien dans d'autres cultures que dans les couches sociales moins favorisées, les liens de famille en bas âge me semblent avoir une importance moindre que les liens que les jeunes gens établiront dès qu'ils quitteront la cellule familiale d'origine. Personnellement, j'ai été à diverses reprises confronté à l'étonnement de mes interlocuteurs qui se questionnaient sur mon peu de gratitude envers mes parents, ou même mon enthousiasme d'avoir été élevé par des étrangers et en institution. Cet étonnement m'a toujours paru artificiel, et je me suis souvent demandé si ces gens avaient correctement examiné la véritable nature de leurs rapports avec leurs parents, et si leur réaction n'était pas le résultat de la simple habitude qui consiste à honorer père et mère. J'ai rencontré, certes, des personnes issues de cellules familiales sinon réellement heureuses, du moins harmonieuses et pleines de sensibilité affective, mais je me demande si celles-ci ne sont pas l'exception. Se pourrait-il alors que les gens évitent de s'interroger sur leurs liens avec les membres de leur famille par pure paresse, pour ne pas réveiller de vieilles rancunes, ou par simple incapacité d'introspection ?

Un autre élément me revient de mon enfance — qui, je crois, était partagé par mes deux frères : le sentiment de vivre dans un silence honteux, comme si notre histoire familiale cachait des secrets inavouables ou des tragédies pouvant refaire surface à n'importe quel instant. On nous répétait continuellement qu'il fallait faire attention à ne pas trop parler en dehors de la maison, qu'il fallait qu'on se surveille pour ne pas donner une mauvaise impression de nous en public, pour ne pas prêter flanc ni aux médisances ni aux convoitises incarnées dans le mauvais œil. Il y avait comme une vague menace dans l'air, qui gâchait même les meilleurs moments. La menace réelle de tomber dans la misère était là, on le savait trop bien, et les jours où il y avait peu à manger nous le rappelaient de manière claire. Mais en dehors de ce danger factuel, il en subsistait un autre, plus subtil, qu'on n'arrivait pas à nommer. Plus tard, en m'en souvenant, je l'ai qualifié de menace métaphysique, à cause de ses implications ontologiques reliées à la signification même de l'existence dans cette mort en vie de tous les jours. Cette mort en vie était d'autant plus redoutable qu'elle était mystérieuse et envahissante à la fois, impalpable mais omniprésente. Si elle avait pour effet de contribuer au marasme des autres, elle provoquait chez moi de véritables secousses de suffocation ou d'hyperactivité. Les séquelles de ce sentiment gris et oppressant m'ont accompagné tout au long de ma vie sous la forme d'une angoisse diffuse de catastrophes appréhendées mais impossibles à identifier. Cela m'arrive en particulier quand je me sens heureux ou très satisfait d'une quelconque réalisation concrète. Un tableau réussi, par exemple, a le don de provoquer cette inquiétude, tandis qu'un tableau raté agit paradoxalement comme ferment d'un désir sain de reprendre le travail, accompagné de bonne humeur. J'ai beau me moquer de ce trait de caractère pessimiste qui fait passer des nuages sombres sur mon optimisme et mon assurance, il reste malgré tout dans mon sein, tapi quelque part dans mon âme comme les fantômes de mon enfance cachés sous mon lit.

J'ignore quels secrets honteux auraient pu exister au sein de ma famille, et je doute fort que le père ou la mère aient jamais eu assez d'esprit d'initiative ou d'aventure pour engendrer des situations qui auraient pu aboutir à de véritables impasses morales. Ils étaient un couple de petits-bourgeois à peine sortis de la condition ouvrière, et dont la perspective était des plus étroites. Mais je crois que le sentiment de menace était réel, même si la menace venait entièrement de la précarité de leur situation matérielle et de l'ignorance des moyens de s'en sortir.

Ce même équilibre instable entre la condition bourgeoise et la condition ouvrière s'exprimait par diverses tentatives de paraître autrement que ce qu'ils étaient. C'étaient des faux-semblants et des dissimulations destinés à exorciser les coups de la fatalité. La contradiction primordiale entre l'intérieur asphyxiant et l'extérieur exubérant se retrouvait ainsi dans le fait, par exemple, de devoir absolument avoir une bonne à tout faire à la maison, même si on n'avait pas assez d'argent pour la payer. La bonne était là pour le décor, et combien de fois n'ai-je pas surpris ma mère ou mes tantes en train de se donner en exemple de réussite sociale à la pauvre fille admirative et respectueuse. Les invectives contre les Noirs et les plus pauvres que nous, dont elles disaient qu'ils étaient paresseux ou trop gâtés, étaient chose courante, tout comme les proclamations du fait que notre famille se sentait à l'étroit parmi des voisins si peu reluisants. Le père, de son côté, se prétendait industriel, même s'il était un simple petit artisan électricien à son propre compte ; le fait qu'il était souvent incapable de travailler parce qu'il n'avait pas assez d'argent pour s'acheter des outils ou des matériaux n'était jamais mentionné. Il était Blanc, blond et d'origine nordique, ce qui aux yeux de tous devait suffire pour nous mettre dans une catégorie à part des autres habitants de l'immeuble. Si on ne s'en sortait pas mieux, c'était la faute du manque de sérieux au travail et de respect dans ce pays de merde où l'immigration l'avait fait échouer. La mère, pour sa part, n'était pas une simple couturière mais bien une modiste à son compte, même si ses clientes semblaient être des pauvres comme nous ou de simples prostituées des environs. N'empêche, nous étions tous très distingués. La preuve : nos photos de famille extrêmement théâtrales, pour lesquelles nous devions nous habiller spécialement et poser tous ensemble, longtemps et avec des sourires figés, au cours des promenades du dimanche. Ces photos faisaient la joie de mon père, photographe amateur fort exigeant, et elles étaient le pendant graphique des représentations forcées pour jouer la famille heureuse quand un parent était de passage. On m'a fait parvenir un de ces albums de photos après la mort de mes parents, et il m'a fait l'effet d'un spectacle de marionnettes sans aucun rapport avec mes souvenirs d'enfance. Il s'agissait uniquement d'autant de façades, de faux-semblants de cette vie pour les autres, de vaines tentatives pour créer un sens transcendant le marasme du jour le jour.

J'ignore par quel curieux hasard ce père et cette mère ont pu se rapprocher, ou même s'ils se sont jamais aimés. Leur vie me paraît si éloignée de la mienne que je trouve aussi difficile de les imaginer dans leur jeunesse ou leur enfance. En outre, ils parlaient si peu de leur passé que même mes propres liens familiaux me semblent vagues, nébuleux ; c'est comme si à la fois ils avaient toujours été adultes et ne possédaient pas assez de langage ou d'imagination pour se souvenir. D'ailleurs, le souvenir en général, les choses intimes ou les émotions paraissaient relever de la faute, et étaient entourés d'une pudeur frôlant la censure. Les maigres informations que je possède sur leur histoire restent ainsi assez abstraites.

Ma mère était l'aînée d'une longue série d'enfants d'un père d'origine hongroise et d'une mère d'origine portugaise. Dans sa famille, les hommes paraissaient physiquement fragiles, et trois de ses quatre frères sont décédés de la tuberculose. Son père, le vieux Themistocles, sans qu'on sache trop pourquoi, a abandonné son épouse et ses enfants pour se réfugier dans un couvent, où il a fini sa vie comme simple jardinier. Mon père trouvait l'histoire de son beau-père assez cocasse, et chaque Noël il insistait pour envoyer une carte de souhaits aux motifs religieux au jardinier du Carmelo da Sagrada Familia. Il n'avait pas beaucoup connu l'illuminé de Themistocles, qu'il décrivait comme un mélange de saint et de fou à la longue barbe noire ; il prétendait que le pauvre homme était devenu anachorète à cause des regrets qu'il éprouvait en voyant sa famille d'emmerdeuses et de tuberculeux. Ma mère ne répondait pas quand il se moquait ainsi, et elle ne nous a jamais parlé de son propre père. Après la mort des frères, les femmes survécurent à toutes les privations ; elles ont gagné leur vie je ne sais trop comment, et elles ont toutes vécu jusqu'à un âge avancé sans signes évidents de folie ni de troubles pulmonaires.

Comme notre mère était veuve lors de son mariage avec notre père, mon frère et moi avions conclu que son premier mari avait dû mourir tuberculeux lui aussi. D'où sa phobie des toux, des raclements de gorge ou des simples rhumes, et vraisemblablement aussi son acharnement à tuer dans l'œuf mes tuberculoses, comme elle les appelait, à l'aide de potions et d'incantations. Je n'ai jamais compris pourquoi moi en particulier et pas les autres.

Pas plus que celle de mon père, son instruction ne dépassait le cours primaire, et ma mère arrivait à peine à déchiffrer les nouvelles dans le journal. D'ailleurs, le monde en tant que tel ne paraissait pas l'intéresser spécialement en dehors des catastrophes, qu'elle croyait fermement être des punitions divines. Sa vie tournait autour du ménage, de sa couture, de ses amies et de ce qu'elle pouvait glaner, déduire, interpréter ou inventer au sujet de la vie intime des familles alentour. Mais là encore, seuls les faits divers et les potins disgracieux arrivaient à attirer son attention et ses moues réprobatrices. Elle adorait aussi l'église et les curés, et ne manquait pas une messe du dimanche ni une des nombreuses messes de requiem qu'elle commandait à la mémoire des morts de la tuberculose. Dans ce sens, son union avec mon père, de formation protestante, athée et anticlérical désabusé, augmente le mystère de leur couple tout en ajoutant une peine de plus à ses calvaires personnels. Car elle en avait, des calvaires… Quand elle se mettait à les énumérer, à menacer de se jeter par la fenêtre ou à feindre des crises cardiaques, tout y passait : l'ingratitude des fils, le dévergondage et l'irresponsabilité de son époux, les commerçants voleurs et le prix astronomique des haricots noirs, ce petit Noir — moi — toujours dans la lune ou à épier les gens, sa petite sœur, tante Lili, qui ne fermait pas la porte de la salle de bain quand elle allait se baigner ou simplement pisser. Ce dernier point donnait parfois lieu à des querelles conjugales monumentales. Et ma mère n'oubliait pas, dans la suite de ses calvaires, de citer l'absence d'un mari capable de remettre enfin à sa place cette dévergondée de Lili qui avait le feu au cul, sans oublier ses autres sœurs qui venaient en visite et qui restaient des mois à ne rien faire, en chemise de nuit toute la journée. Elle en avait aussi contre les négresses qui ne travaillaient jamais comme il faut, et qui devenaient insolentes quand elle les frappait ; contre la chaleur et l'humidité aussi, contre ses propres problèmes de vésicule biliaire, et contre le peu de succès de ses appels à l'au-delà pour la sortir de cette vie d'ingratitude. Tout y passait, littéralement, ce qui permettait aux enfants de se faire une bonne idée de l'état de la famille au moment précis de ses sautes d'humeur, tout en s'instruisant sur les choses qui n'étaient pas pour leurs oreilles. À croire qu'elle s'efforçait délibérément de nous renseigner ainsi sur sa façon de voir le monde. Ses crises avaient d'ailleurs lieu en l'absence du père et s'adressaient exclusivement aux enfants. Quand il était à la maison, il exigeait le silence en disant que la vie était déjà assez merdique comme ça, sans le caquetage hystérique des femmes.

Selon ce qu'on m'a rapporté, ils ont vécu ensemble et avec apparemment autant d'amour et de haine l'un pour l'autre jusqu'à leur mort. Voilà encore un paradoxe de l'âme humaine que je n'arriverai jamais à comprendre, puisqu'à diverses reprises j'ai cru qu'ils allaient se quitter ou même se tuer.

Mon père, quant à lui, avait une histoire un peu plus intéressante, ou du moins il l'avait un peu mieux racontée, tandis que la mère semblait plutôt s'arranger pour qu'on en sache le moins possible sur sa propre vie. Il n'était pas très bavard, je l'ai déjà mentionné, et quand je parle de raconter, c'est plutôt un euphémisme ; il en avait laissé davantage entendre, disons, ou il avait laissé échapper des petits détails ici et là sans non plus trop s'étendre, et en fin de compte il est assez possible que lui-même ne possédait pas toutes les informations au sujet de son passé. En regroupant ce qu'il nous avait dit, j'en suis arrivé à la conclusion qu'il était d'origine lettone, venu au pays en bas âge comme immigrant en compagnie de ses parents. Là commençaient déjà les imprécisions, car même s'il affirmait que la langue de ses parents était le letton, la vieille Bible qu'il possédait, un des seuls souvenirs de ses origines, était en allemand, publiée en Allemagne au XIXe siècle. Je me souviens d'avoir entendu de sa propre bouche que son père à lui était une sorte de pasteur du dimanche, tout en étant cultivateur durant la semaine ; que la Bible en question était celle qu'il lisait à ses amis et voisins, et qu'elle était en allemand parce qu'ils étaient luthériens. C'est, en tout cas, ce qu'il avait retenu, même si cela paraît absurde. L'allemand n'a pas de parenté linguistique directe avec le letton, et je me demande bien ce qu'un pasteur pouvait prêcher en allemand à des Lettons presque illettrés. Sa confusion venait peut-être de la confusion géographique qui régnait en ce temps-là. Kokis est, en effet, un nom de famille commun en Lettonie. Au tournant du siècle cependant, cette région de la Baltique n'était pas un pays indépendant, mais une sorte de colonie russe appelée la Courlande, qui était d'ailleurs un ancien prolongement de la Prusse orientale. L'allemand y était la langue prédominante chez les mieux nantis et chez les religieux. Il est ainsi tout à fait possible que ses parents aient été Lettons de souche mais de culture germanique, ou vice-versa. À moins que la lecture de la Bible en allemand n'y fût quelque chose du même genre que la messe catholique dite en latin, ce qui serait étonnant de la part de luthériens. Mais on ne sait jamais comment se manifeste la religion dans les contrées les plus reculées ou chez des gens défavorisés au point de vouloir émigrer jusqu'aux tropiques.

Comme tant et tant d'autres familles, la sienne était venue dans une des vagues successives d'immigrants paysans originaires de la mer Baltique au début du siècle, et destinées à la colonisation des terres brésiliennes. Malgré beaucoup de réussites, certaines de ces familles de colons connaissaient des échecs assez tragicomiques à cause des maladies tropicales, de l'isolement social, du manque d'instruction et du bas prix de la cachaça. En effet, dans leurs contrées d'origine, ces paysans étaient tenus en laisse par des régimes autoritaires, par une longue tradition de protestantisme rigide ainsi que par des liens familiaux de longue date. Sans compter la rigueur du climat et la pauvreté du sol qui ne laissaient pas de temps ni pour les loisirs ni pour les péchés. Une fois plongés au sein des forêts du monde tropical, sans plus devoir rendre de comptes à personne et dans un isolement parfois extrême, leurs traditions ne suffisaient plus à garder intacte la discipline ancestrale. Ainsi, la femme du prochain ou le mari de la prochaine sont des concepts presque abstraits dans l'hiver difficile d'un village traditionnel de la Baltique. Mais au Brésil, à trente-cinq degrés à l'ombre, avec la cachaça coulant à flots, beaucoup de gens armés et sans repères patriarcaux, la femme du prochain peut devenir quelque chose de très concret et chargée de beaucoup de sensualité.

Quand j'avais environ huit ans, j'ai eu l'occasion d'aller voir ce qui restait d'une de ces anciennes fermes fondées par des immigrants lettons, près du village de Nova Europa. Je m'en suis d'ailleurs inspiré pour la scène du dernier chapitre de *Kaléidoscope brisé*, où les saltimbanques enterrent le directeur Alberti sous un gigantesque manguier. Il s'agissait de la propriété de la famille de mon arrière-grand-mère paternelle. Il ne restait là que deux vieux oncles de mon père, ravagés par l'alcool et l'abandon, sans femmes ni enfants et vivant comme des ermites au milieu d'une saleté indescriptible. Les portes tordues par l'humidité restaient continuellement ouvertes, avec un va-et-vient de chiens rachitiques, de poules et de chauves-souris parmi de vieux attirails de pêche, des fusils rouillés et des outils agricoles abandonnés. La nuit, c'était comme coucher dehors, car ils n'avaient pas d'électricité et les chemises des lampes à kérosène étaient continuellement détruites par les gros insectes tournant autour de la lumière. Les deux vieillards avaient presque perdu leur langue maternelle sans toutefois avoir acquis convenablement le portugais, et ils s'exprimaient dans une sorte de galimatias dominé par les monosyllabes et les gestes d'impuissance. Ils paraissaient se souvenir vaguement de mon père, mais ils mélangeaient les dates et les événements, au point de s'étonner à un moment donné de le retrouver vivant, car ils le confondaient avec son père et trouvaient curieux de le voir avec de si jeunes enfants. Ils ne cultivaient qu'un peu de maïs et de manioc, tandis que les quelques vaches et les poules étaient laissées à elles-mêmes pour trouver à manger autour de la maison. Ils troquaient à l'occasion les produits de la ferme contre de la cachaça, du tabac et des cartouches. Presque tout le terrain était en friche et envahi par de hautes broussailles. Le vieux manguier, si chargé de fruits que les branches pendaient jusqu'à terre, témoignait des tentatives passées de cultiver des fruits. Mais il n'y avait plus de trace de potager ni d'enclos pour les bêtes. Pourtant, la maison était en dur, et on pouvait deviner qu'elle avait été assez coquette du temps où elle avait encore des fenêtres et toutes les tuiles du toit. Cette région qu'ils avaient défrichée vers 1910 a l'un des meilleurs climats de l'État de São Paulo pour l'agriculture.

J'ignore ce qu'a pensé mon père de l'état de délabrement du lieu de son enfance. Mais je me souviens d'avoir eu la nette impression qu'il était fier d'être sorti de là, car il parlait à ses oncles avec prestance de son industrie électrique à Rio de Janeiro, du climat agité de la grande ville et de toutes les belles choses que nous avions autour de nous.

Aussi loin que je me souvienne, la visite de cette ferme en ruine a été pour moi le premier exemple d'une leçon qui allait jouer un rôle important dans mon existence, à savoir qu'on ne doit pas s'attacher aux gens et aux choses de notre enfance uniquement parce que ce sont les gens et les choses qui nous ont vu naître. Plutôt que de s'encombrer avec les ruines de nos origines, mieux vaut chercher ses propres illusions, quitte à devoir mentir ou se mentir le restant de nos jours.

Dans le cas de papa, voilà que son propre père, le pasteur à qui appartenait la fameuse Bible et qui était censé être un excellent joueur d'échecs, s'est fait un jour tuer dans une bagarre. Mon père était alors très jeune, et soit il ignorait les détails de ce décès, soit il préférait ne pas en parler, me mettant seulement en garde contre la présence et les agissements des femmes quand les hommes sont armés. Par la suite, sa mère ayant décidé de se remarier, le fils du premier lit n'avait eu d'autre choix que se faire très discret. Il était alors parti en ville à l'âge de douze ans pour gagner sa vie du mieux qu'il pouvait. Gagner sa vie au début du siècle, pour un gamin sans instruction, voulait dire travailler comme manœuvre en attendant de gagner la confiance de quelque immigrant comme lui pour se faire admettre comme apprenti.

Mon père a alors appris le métier d'électricien, quelque chose d'assez aventureux pour son époque, et il a passé le restant de ses jours dans l'espoir absurde d'inventer un appareil révolutionnaire, de le breveter et de vivre ensuite comme un vrai capitaliste. Durant son apprentissage, on a dû lui raconter des fables industrielles miraculeuses comme on en voyait en Amérique du Nord. Ou alors, il avait gobé naïvement ce qu'on colportait sur la vie des Rockefeller, au point de croire que de tels miracles étaient possibles au Brésil. Il parlait d'ailleurs volontiers de ses lubies industrielles, surtout à l'époque où il s'était mis en tête de créer les tubes fluorescents portatifs qui rendraient définitivement obsolète l'usage de l'ampoule incandescente. Ou plus tard, quand il était déjà au bord de la faillite, de tenter de remplacer les panneaux publicitaires en néon par ceux en acrylique moulé. C'est qu'il chérissait le progrès technologique avec une sorte d'adoration naïve, et il y croyait un peu de la même façon que ma mère croyait aux esprits et aux incantations.

Tout comme son immigration, sa vie d'inventeur a été un long échec, même s'il ne l'a jamais avoué ou s'il n'en a jamais pris conscience, du moins durant les années que nous avons passées ensemble. Si sa nature un peu fantasque gardait vivant le rêve de succès technologiques, il ne cessait par contre de se plaindre de ce pays où il avait échoué malgré lui. Il trouvait que les Brésiliens manquaient de respect pour le travail sérieux et bien fait, qu'ils se contentaient du moindre effort, et que ce monde tropical était un monde de nègres et de mulâtres dégénérés, paresseux et s'intéressant uniquement aux fêtes et à la musique. Aussi, il pensait qu'encouragés par la bêtise des curés, les catholiques et leurs femmes en particulier manquaient totalement de sens moral. Il attribuait d'ailleurs à ces vices-là son incapacité à réussir dans les affaires, et regrettait de ne pas vivre en Amérique du Nord, ce pays d'entrepreneurs sérieux, où un homme comme lui serait vite sorti du rang pour devenir un industriel prospère. Ainsi, il détestait les syndicats et toute association ouvrière, qu'il considérait comme des entraves à la libre entreprise, ou tout au moins des refuges pour les paresseux. En même temps, n'ayant pas d'instruction, il avait une vision globale de la réalité passablement confuse et il n'en était pas à une contradiction près. Il admirait par exemple l'URSS pour ses progrès technologiques et pour l'ordre qui y régnait, et il déplorait ce qu'il considérait comme la mainmise des Juifs sur l'économie mondiale. Il regrettait la défaite d'Hitler aux mains des Alliés ; dans son esprit, Nord-Américains, Soviétiques et Allemands auraient mieux fait de se mettre ensemble pour donner un exemple d'ordre et de travail rigoureux au reste du monde. Pourtant, quand il était question d'étrangers, où que ce soit, sa propre identité d'immigrant prenait le dessus ; il oubliait alors toutes les autres convictions pour se porter à leur défense. Je me souviens de sa réaction de colère lors de la condamnation d'Ethel et de Julius Rosenberg, qui était, selon lui, barbare, mensongère et motivée uniquement par le fait qu'ils étaient des étrangers. Il la comparait d'ailleurs à la condamnation de Sacco et de Vanzetti presque trente ans auparavant, et à celle des pauvres nazis réfugiés en Amérique du

Sud. Le simple fait d'être étranger — même si cela englobait de manière syncrétique des réalités contradictoires — paraissait ainsi jouer un rôle essentiel dans son sens d'intégrité personnelle, et le disculpait de tous ses échecs en lui ouvrant une brèche imaginaire dans son quotidien fade.

Cette notion vague d'être étranger, la liberté de ne pas appartenir à un groupe quelconque m'a beaucoup influencé dans mon enfance, et elle a contribué à alimenter mes propres rêveries et mon propre détachement des choses. D'une certaine façon, son attitude me donnait la permission de m'évader à mon tour de cette maison oppressive, car rêver comme il le faisait signifiait vivre pleinement et non pas trahir. Je l'écoutais avec plaisir parler du pays enneigé de ses illusions, spécialement durant les fêtes de fin d'année ; il tenait alors à décorer un minuscule sapin en papier peint avec des masses de ouate pour représenter la neige lourde dont il avait entendu parler quand il était enfant. Il faisait chaud en plein été austral, mais il tenait à son sapin trop chargé comme à une sorte de bouée de sauvetage. Une fois, déjà un peu éméché, il m'a confié avec le regard pétillant que la neige était une chose merveilleuse, et qu'elle goûtait un peu comme la barbe à papa ! Il pouvait aussi évoquer des voyages dans des pays étrangers, avec les opportunités magnifiques qu'on y trouvait, y compris la beauté des autres langues. Ces langues dont il ignorait tout le fascinaient, surtout l'allemand de sa Bible aux caractères gras. Il avait perdu la langue de ses parents, et son portugais écrit était resté assez rudimentaire, tant par manque d'instruction que par absence de lectures. Mais il louait les gens qu'il avait connus autrefois — des Juifs pour la plupart ! — qui maîtrisaient diverses langues. De la même façon, il ne lisait pas, mais il se souvenait de gens admirables qui étaient souvent en train de lire ou de citer de belles phrases littéraires. C'était tout à l'opposé de la mère, pour qui la lecture était source de beaucoup de dangers, contribuant à la paresse, aux mauvaises pensées, sans compter qu'elle gâchait la vue et la santé des poumons. Elle se souvenait d'ailleurs très bien des tuberculeux de son passé qui lisaient et ne cessaient ensuite de tousser, et qui finissaient par mourir d'une mort affreuse.

Cette foule de contradictions avec lesquelles mon père semblait vivre en paix m'a aussi transmis une sorte de sérénité dans la bâtardise existentielle. C'est que son personnage était rassurant malgré tout. D'abord, c'était lui qui sortait chaque matin de cette maison morose pour aller travailler, et il pouvait se promener à sa guise ou s'amuser dans son atelier d'électricien. C'est également lui qui nous apportait des nouvelles du monde en général, même si ce qu'il racontait n'était pas toujours fiable. Il nous emmenait en promenade le dimanche, au contraire de la mère qui nous emmenait uniquement à la messe et dans des magasins où nous ne pouvions même pas nous attarder. Et il évoquait parfois, presque en soliloques, la possibilité d'avenirs ouverts, malgré le fait qu'il n'était jamais capable de préciser la nature ou le détail de ces vies qu'il jugeait aventureuses. Ou il regrettait le vaste monde, d'autant plus vaste qu'imprécis, duquel le manque d'instruction l'avait exclu. Que m'importait donc s'il n'était pas en mesure de nous sortir de notre situation instable, ou si les femmes disaient du mal de lui en son absence ? Dès qu'il se pointait, elles se taisaient, et les sœurs de ma mère se confondaient alors en sourires et en belles manières qu'il feignait d'ignorer. Et puis, même peu loquace, il avait toujours des bribes d'histoires ou de souvenirs cocasses quand on s'y attendait le moins. Ces rares récits, même tronqués, en tessons pour ainsi dire, brillaient d'un éclat magique dans la grisaille quotidienne. Par ses illusions, j'ai appris que je n'étais pas définitivement condamné aux choses telles qu'elles étaient, et que le monde pouvait être autrement que ce qu'il paraissait être.

Naturellement, je n'étais pas conscient de tout cela en bas âge, ni même plus tard à l'adolescence. Mais je sais aujourd'hui que mon père a déposé le ferment du large et de l'insoumission dans mon esprit, justement par sa façon farfelue de ne pas se contenter du réel. Il avait tout raté et il était resté comme suspendu dans l'existence, à la recherche d'un sens personnel dans ses chimères, toujours incapable de se fixer sur quoi que ce soit. Fils d'un demi-pasteur tué dans des circonstances délicates, ni Letton ni Brésilien, ni ouvrier ni capitaliste, sans être riche ni tout à fait misérable, ni chef de famille respectable ni homme à putes, celui qu'on appelait « l'Allemand » ne jouissait évidemment pas d'un statut de liberté pour créer son existence. Mais justement cet amas de contradictions lui conférait une position plus dégagée des contraintes fatalistes, moins soumise si l'on veut que celles des gens de notre entourage. Une position avec plusieurs points de vue tout au moins, ce qui lui permettait de sourire parfois face à l'adversité ou de se promettre des réussites futures avec l'air le plus convaincu qui fût.

Plus tard, en lisant ce que Blaise Cendrars raconte sur son propre père, je me suis dit que le fait d'avoir un père un peu loufoque, inventeur et rêveur doit pousser certaines personnes au vagabondage et à la vie spirituelle. Je fais peut-être un portrait trop édulcoré de mon père, comme c'est souvent le cas des portraits de ceux qui ont joué un rôle essentiel dans notre vie. Aussi, il se peut que le contraste entre lui et la mère n'ait pas été en réalité aussi net ; après tout, ils vivaient ensemble et devaient avoir beaucoup plus de choses en commun que ce que je rapporte ici. Mais c'est ainsi que travaille la mémoire : on doit parfois se contenter de morceaux épars, avec des nuances et des qualifications émotives à la place de la matérialité des faits. Le portrait final est donc beaucoup plus chargé de significations qu'un véritable portrait photographique, justement parce qu'il est la reconstruction de faits perdus à partir de leur sens figé pour nous au long de notre propre existence.

J'ignore aussi complètement l'opinion qu'avaient mes frères au sujet de nos deux parents, une opinion qui aurait pu ajouter quelques nuances à ce portrait de famille. J'ignore surtout si la position existentielle de ce père les a influencés de la même manière libertaire qu'elle l'a fait pour moi. Ou si, au contraire, son insouciance et son manque d'attaches ont eu pour effet, chez eux, de provoquer un sentiment d'insécurité qui les aura poussés à ramasser fortune et autres signes vicariants à la place d'une identité féconde. Mais, une fois de plus, cette ignorance même est le lot de celui qui a choisi le large plutôt que le confort du foyer, le vague souvenir plutôt que la collection de reliques concrètes. Mes greniers sont dans mon esprit, d'où leur grande richesse mais aussi leur manque de précision et de tangibilité. Je dois ainsi me contenter de ces lambeaux, de ces portraits incohérents, d'où je dégage une cohérence d'ensemble pour tenter de justifier comment il me plaît d'être et de voir mon passé.

❑

On décrit dans certains récits autobiographiques, à propos de l'éclosion de vocations extrêmement précoces, de véritables passions fulgurantes qui concernent souvent l'art d'écrire. Je reconnais volontiers certains talents innés, certaines sensibilités pour la musique qui seront ou non encadrés et stimulés par un apprentissage rigoureux. Mais quand il s'agit d'écriture, ces prétendues vocations précoces me laissent toujours un peu sceptique. Je ne peux pas m'empêcher d'évoquer alors l'image du petit cabotin ou de la fillette hystérique cherchant à briller devant le cercle de famille admiratif, ou alors enfermés dans leur chambre cossue à tenter de rimer des balivernes. « Je serai écrivain », dira un de ces enfants chéris avant même de savoir ses lettres, devant le regard craintif et ahuri des adultes. Ou encore, le visage émacié : « Je serai poète... » Parfois, c'est le souvenir des propos de parents confondus : « Cette enfant a une telle sensibilité ! Ou elle sera poétesse, ou elle mourra d'amour... » Pendant que l'oncle encanaillé pensera plus prosaïquement : « Cette peste prétentieuse fera chier tous les hommes et finira vieille fille. »

Récemment, à une table ronde d'écrivains, j'ai entendu une pauvre maigrichonne aux approches de la cinquantaine, mais vêtue comme une fillette, déclarer d'un air illuminé : « J'écris depuis toujours, depuis que j'ai neuf ou douze ans ; c'était mon secret le plus intime. J'ai toujours su que je serais écrivaine [*sic*]. » Le sourire aux lèvres devant cette petite femme nerveuse qui embaumait déjà l'éternité, j'ai pensé qu'à l'âge de douze ans mon secret le plus précieux était la masturbation. Mais comment le dire devant une assemblée de futurs écrivains très admiratifs des talents innés et des vocations rêvées ? Comment dire que j'ai bêtement commencé par vivre des aventures réelles, puisqu'à l'âge de neuf ans je ne savais pas encore ce qu'était un roman ou un poème ?

Il se peut qu'il y ait vraiment de ces vocations précoces, car je constate que les gens ne trouvent pas grotesques ce genre de propos exprimés en public d'un air béat. Mais je n'ai jamais rien connu de semblable dans mon enfance, et les auteurs qui me plaisent ne paraissent pas avoir entretenu de pareilles illusions enfantines. Peut-être que cela est possible au sein de familles ayant une grande tradition littéraire ou culturelle, où les enfants vivent entourés de livres et d'histoires depuis leur bas âge. Peut-être, quoique ma longue expérience du développement des enfants me porte à croire que, sauf dans les cas maladifs, les enfants sont davantage enclins à jouer, à rêver et à explorer le monde qu'à travailler systématiquement à la production d'une œuvre.

Dans mon cas particulier, la carence d'histoires débutait par l'absence même d'histoire familiale. Notre position sociale d'immigrants ou de travailleurs manuels nous excluait de la tradition du récit ; notre vie avait commencé de rien pour ainsi dire, avec un passé nébuleux et un présent plus que problématique. Seules les illusions de mon père ou les lubies animistes de ma mère nous ancraient dans une quelconque réalité transitive, temporelle. Et c'était un ancrage passablement fragile et sans lustre, duquel il fallait à tout prix se sortir si l'on aspirait à vivre. Par ailleurs, comme je l'ai déjà mentionné, les enfants étaient davantage perçus comme un fardeau que comme une richesse, et les parents n'avaient ni le temps ni les égards pour leurs états d'âme ou leurs facéties. On s'attendait à ce que les petits grandissent sans trop d'emmerdements ni de frais, et qu'ils s'en sortent un peu mieux que leurs parents après tous les efforts qu'ils avaient coûtés. En matière de vocation, on pensait plutôt à un emploi bien rémunéré et, si possible, pas trop de problèmes avec la police, avec l'alcool et avec les femmes de mauvaise vie. Les grandes destinées qu'on arrivait à évoquer étaient celles des médecins, des ingénieurs ou des militaires ; les avocats et les politiciens étaient déjà dans une sphère inaccessible, presque magique de la réalité. Plus proches de nous étaient les policiers, les pompiers, les soldats subalternes, les chauffeurs et les commerçants. Les fonctionnaires étaient tout en haut de notre hiérarchie des possibles, car, en plus de ne pas être des travailleurs manuels, ils avaient un emploi assuré à vie. Mon père arrivait parfois à évoquer discrètement les marins ou les voyageurs de commerce, même si ces métiers étaient mal vus par les femmes à cause des tentations et des mauvaises fréquentations qu'elles associaient aux voyages.

Quand j'essaie de plonger davantage dans ma mémoire à la recherche de mes désirs en bas âge, je ne trouve rien. Je crois que cela vient du fait que, pour un enfant, l'idée même de grandir, de devenir un adulte implique déjà un entourage qui stimule en lui la transitivité de sa personne, le temps et la vie comme narration. En l'absence de cette atmosphère lui suggérant qu'il n'est pas uniquement ballotté par une fatalité aveugle, il ne se verra pas aisément comme pouvant être un sujet en transition vers l'âge adulte. Ce qui me revient en mémoire, c'est le sentiment de pure attente, comme si je n'avais voix au chapitre que par une négativité d'objectifs. J'ai l'impression que, déjà bien jeune, je ne voulais pas être là, que je souhaitais participer au monde extérieur ou simplement fuir la grisaille quotidienne, sans autre but conscient. Je ne me souviens pas par ailleurs de désirs ou d'intentions précises que je pourrais appeler des vocations. Je me contentais de suivre les autres, en attendant aussi le miracle qui me sortirait de là, ou du moins qui apporterait un peu d'excitation ou de nouveauté. Comme tous les enfants sans trop de jouets, je dessinais, je regardais par la fenêtre, et je m'amusais à des jeux imaginaires, généralement couché sous le grand lit de la chambre. J'ignore cependant tout du contenu de ces rêveries, et si leur souvenir est resté vivant, c'est bien à cause des fessées que je recevais chaque fois que je m'endormais en pressant mes yeux dans le noir pour voir apparaître des sensations lumineuses. Soudain, sans motif apparent, on se rendait compte que je n'étais pas là, que j'avais disparu, que je n'étais pas rentré de la promenade, ou encore que je m'étais caché exprès pour donner du souci aux femmes de la maison. On me retrouvait alors un peu endormi, dans la lune comme elles disaient, on m'arrachait de mon refuge et on me punissait pour que j'apprenne à ne pas être une bête solitaire.

Mon sentiment d'appartenance à ma famille a toujours été très ténu, presque purement relié aux éléments de survie physique, comme mon lit de camp, l'heure des repas ou le besoin de me protéger contre les fantômes une fois la nuit tombée. Ainsi, les premières impressions qui me sont restées sont celles d'être un intrus qu'on tolère s'il ne dérange pas trop. Mais, curieusement, cette impression ne s'accompagne pas d'angoisse ni de souffrance affective, et j'en conclus que ma place ne devait pas être réellement aussi instable ou menaçante. Au contraire, je crois me souvenir que j'arrivais déjà à percevoir les autres comme autres que moi, avec un certain soulagement de ne pas faire entièrement partie de cet ensemble et d'arriver à bien le dissimuler. Il s'agit d'une étrange forme d'hypocrisie précoce que celle de me penser autre tout en me faisant passer pour un membre du troupeau. C'est sans doute ce que les femmes appelaient ma sournoiserie et, dans mes plus lointains souvenirs, l'épithète « sournois » revient presque aussi souvent que celui de « Noir » ou de « menteur ». Je devais sans doute agir avec un certain degré de dissimulation dans la vie courante pour que ce quolibet se justifie. De ce fait d'ailleurs, je déduis que ma vision multiple d'artiste — la possession de divers points de vue me permettant déjà des effets de parallaxe et d'appréciation variée du réel — est peut-être une donnée d'une certaine façon originale, antérieure même à mes plus lointains souvenirs. Pourquoi cette double nature, cette capacité de porter des masques, cette traîtrise essentielle ? Je n'arrive pas à le savoir, puisque je ne trouve aucun traumatisme spécifique qui m'aurait poussé à me cacher dans le camouflage du regard dissimulé. Mes efforts mnémoniques ne m'apportent rien qui puisse me distinguer des autres, ni aucune trace de mon incarnation spirituelle future dans la position du bâtard. Certes, il a été souvent question de ma réelle situation de bâtard au sein de la famille, puisque ma mère disait que j'étais le fils de mon père et de sa pute, ou de mon père et d'une négresse de passage ; elle m'a aussi crié à diverses reprises, dans des moments de grande colère, qu'elle regrettait de m'avoir pris chez elle au lieu de m'abandonner aux soins des putes de la rue. Mon frère aîné prétendait même avoir des preuves écrites du fait que je n'étais pas un fils légitime de la famille, et il m'a parfois taquiné en m'appelant l'« adopté » ou le « corniaud » (*vira-latas* en portugais). Cette hypothèse d'une identité originale — et pourquoi pas ? — pleine de promesses a fait l'objet de bien de mes rêveries. Mais rien de concret n'a jamais pu étayer cette possibilité que je chérissais comme explication essentielle d'une destinée m'appartenant en propre. Aujourd'hui, je crois plutôt que ces plaisanteries visaient uniquement ma nature sournoise perçue comme très différente de celle des autres ; mais cela ne faisait que renforcer cette même disposition à la dissimulation, en lui donnant la rumeur d'un fondement concret.

Je crois ainsi pouvoir conclure que j'avais depuis le début une sorte d'œil critique, sans que je puisse établir ses origines. Aussi, que ce dédoublement sournois ouvrait une brèche dans mon appartenance totale au groupe, comme un point de fuite que les autres condamnaient mais qui ne me rendait pas nécessairement mal à l'aise. Sauf que c'était encore une brèche trop abstraite, vide de sens ou purement négative à cause de mon ignorance des autres mondes et des autres vies possibles. Plus tard seulement, après avoir pris contact avec les théories du monde et de l'existence que sont les romans, j'allais pouvoir meubler mon vague à l'âme avec des projets étoffés. Pour le moment, je restais en sursis dans les limbes, sans autre perspective que la simple conscience de savoir que les limbes n'étaient pas le paradis.

❏

Soudain, voilà que la brèche s'élargit au point de fissurer irrémédiablement le monde de notre appartement. C'était mon arrivée à l'école, cette sorte de théâtre beaucoup plus réel que les ruelles alentour, où je n'étais qu'un simple figurant et qui restaient un pur spectacle. À l'école, pour la première fois, j'étais un des acteurs de la pièce ; mieux encore, j'ai vite découvert que j'y étais aussi presque l'unique responsable de mon propre rôle. Il y avait sans doute certaines contingences qui me renvoyaient à la matérialité du monde et à l'épaisseur de ma condition. Mais celles-ci étaient presque négligeables en regard du sentiment d'exaltation que j'éprouvais face à mes propres possibilités.

Sur la photo de groupe de la maternelle, j'apparais beaucoup plus grand que tous les garçons et fillettes de mon âge. Mon visage est dur, car j'étais fâché de devoir porter le tablier blanc des tout-petits. C'est qu'on m'avait aussitôt mis en première année à cause de ma taille, mais on s'était souvenu de moi pour la photo de groupe de la maternelle. C'était un petit mauvais moment à passer, qui m'est resté en mémoire pour me rappeler que, là aussi, je me faufilais déjà hors de ma condition, et avec désormais l'approbation des adultes.

Je ne sais pas comment cela s'est fait, mais j'ai aussitôt commencé dans une classe juste inférieure d'un an à celle de mon grand frère, et non pas de deux comme l'aurait voulu notre différence d'âge. Et contre toute attente, je réussissais très bien dans ce monde nouveau où les vertus de l'esprit n'étaient pas perçues comme de la pure sournoiserie. Même que les maîtresses me trouvaient très gentil et attentif, sans se rendre compte que j'admirais plutôt leur beau visage, leurs manières et leur façon provocante de fumer comme on fumait dans les films américains. Le plus fascinant, c'était la sensation nouvelle de passer entièrement inaperçu parmi les autres élèves, de ne rien devoir dévoiler de moi-même et de ne pas être l'objet d'une surveillance constante comme j'avais l'impression de l'être à la maison.

Tout au début, j'ai craint que l'école ne disparaisse à son tour à un moment donné, ou qu'elle ne se raréfie comme les bonnes promenades. Je retournerais alors chez moi avec un simple souvenir de ce monde nouveau. Mais non, ça se répétait chaque jour, et je constatais avec joie que c'était même une sorte de punition aux yeux des femmes de la maison. On me menaçait parfois de m'y envoyer pour toujours et de ne plus revenir me chercher !

La journée commençait par un vieil autobus bringuebalant qui venait nous prendre, mon frère et moi, ce qui nous valait un merveilleux voyage un peu partout dans la ville, en compagnie d'enfants bruyants et bien sympathiques. Un long voyage aussi, car c'était le seul autobus pour tous les élèves de l'école Santo Antonio ; il finissait sa course bourré d'enfants entassés les uns sur les autres, la plupart debout, dans un délicieux chaos de chahuts, de bagarres et de bousculades. Le chauffeur, un Noir très costaud et débonnaire, se fichait complètement de nos excès et freinait même parfois brusquement pour ajouter un peu plus de confusion dans l'amas d'enfants. Je découvrais alors plusieurs quartiers inconnus et j'apprenais combien pouvaient être variées les origines de mes petits camarades. Les plages avec leurs beaux immeubles, les jardins aux maisons basses, les bonnes en uniforme et les jolies mamans qui accompagnaient leurs enfants me donnaient une nouvelle perspective du monde, bien différente d'ailleurs du spectacle habituel qu'offrait notre fenêtre sur l'avenue Vargas. Tout cela faisait rêver, et quelque chose me disait que je ne devais pas mentionner ces impressions nouvelles à la maison pour ne pas déclencher des bagarres.

Une fois arrivés à l'école, nous nous mettions en rangs pour chanter l'hymne national et pour saluer le drapeau avant d'aller en classe. Je ne me souviens pas de tout ce qu'on nous apprenait, sauf des exercices d'écriture qu'on exécutait à l'aide d'un porte-plume dont on trempait la pointe dans un encrier. Les doigts se salissaient vite, on tentait de les nettoyer avec de la salive, mais on ne réussissait qu'à se barbouiller davantage, les lèvres et le visage y compris. Le mystère des taches d'encre sur le papier buvard m'attirait comme une sorte de miracle, et je crois avoir gaspillé plus d'encre dans ces jeux que dans les exercices d'écriture tout au long de mon cours primaire. Les maîtresses riaient de nos premières lettres, et si elles menaçaient de nous frapper avec les règles en bois, c'était uniquement pour nous rappeler à l'ordre, pas par haine personnelle. Certains élèves étaient par contre si maladroits qu'il fallait les renvoyer, et d'autres si agités qu'ils passaient la plupart du temps dans la cour de récréation pour ne pas déranger le travail du groupe. Mais chacun paraissait en tirer profit.

Je trouvais tout cela très divertissant, d'autant plus que j'apprenais sans effort même si j'étais le plus jeune de la classe. Le plus intéressant cependant, c'était tout ce que je découvrais au contact des autres enfants. Beaucoup d'entre eux venaient de milieux aisés, et ils possédaient de somptueux cartables remplis de richesses : des stylos, des boîtes de crayons de couleur, des compas et même des jouets qu'ils sortaient en cachette pour les montrer à la ronde. Leurs boîtes à lunch aussi étaient remarquables, avec d'épais sandwichs remplis de victuailles inconnues, des gâteaux et un thermos pour le chocolat froid. Ces merveilles contrastaient fortement avec mes pauvres possessions et ma tartine beurrée ; plus encore que leurs habits, leurs manières ou le respect craintif des maîtresses à leur égard, la variété du contenu de leurs cartables et de leurs boîtes à lunch me donnait une meilleure idée de ce que voulait dire « être pauvre ». Pourtant, je ne me sentais pas exclu, car à l'école l'étiquette de pauvre, si importante à la maison, ne semblait pas avoir d'effet sur les notes qu'on pouvait obtenir. Dès le premier bulletin mensuel, ce drôle d'aspect démocratique de l'école m'a grandement impressionné. J'étais certain qu'on allait me punir ou me renvoyer, tout au moins me blâmer à cause du peu d'éclat de mes travaux sans couleurs et aux traits tremblotants qui n'étaient pas tirés avec une règle. Mais non, la maîtresse s'est bornée à me conseiller d'être plus soigneux à l'avenir, puisque selon elle un élève brillant comme moi se devait de remettre des travaux mieux présentés. C'était tout un autre univers !

Le monde n'était donc pas un endroit aussi menaçant que le prétendait ma mère, ni aussi injuste ou implacable. En fait, je m'étais attendu au pire en allant à l'école, et voilà que j'étais agréablement surpris par la tournure des événements. La même chose se passait pendant les récréations : après le moment difficile où je devais avaler ma tartine beurrée pendant que les autres enfants se régalaient avec leurs délices, tout rentrait dans l'ordre dès qu'on commençait à jouer. Même que j'oubliais ces détails déplaisants, les réservant en esprit pour plus tard, quand je serais seul, de retour à la maison, et que je pourrais rêver en toute tranquillité que, moi aussi, je possédais les richesses convoitées. Et puis, il y avait ceux qui devenaient mes copains, les premiers copains que j'avais jamais eus ; je n'étais pas lié à eux par la grisaille qui me liait à mes frères, et nos jeux avaient ainsi une fraîcheur tout à fait sauvage. Je me sentais pour la première fois bien dans mon corps : je pouvais courir, sauter, bousculer, me faire bousculer et me mesurer physiquement à d'autres enfants sans danger de punition. C'était bon alors d'être un enfant. Il y avait aussi les filles, qui étaient les premières filles que je côtoyais ou voyais de près. Cette révélation allait me poursuivre la vie entière, cette curiosité envers les filles, toutes sortes de filles, sans égard à leur jeunesse ou à leur beauté. Celles-là ressemblaient de loin aux femmes de la maison, mais en beaucoup mieux sans que je sache alors dire pourquoi. Dans les jeux, d'ailleurs, il fallait faire continuellement attention à elles, car elles étaient prêtes à crier, à accuser les garçons les plus exubérants de tous les maux, ce qu'elles faisaient aussi parfois par pure provocation et en pouffant de rire. Elles me paraissaient adorables, ces petites créatures un peu malicieuses. Mais là encore, il n'arrivait rien de grave ; après la récréation, on revenait en classe et tout était oublié. Pas tout, naturellement, car elles avaient de si jolies façons d'attirer le regard, de nous frôler en passant, de balancer leurs cheveux ou de faire des grimaces que je me sentais continuellement amoureux.

Quand je revenais le soir à la maison, après une nouvelle balade en autobus, j'étais délicieusement las, et la morosité habituelle ne me dérangeait plus. J'avais juste le temps de manger et de faire mes devoirs, pour ensuite aller dormir. Je ne faisais plus de mauvais rêves et les fantômes paraissaient s'être désintéressés de moi. La vraie vie se passait désormais à l'école, et je me dégageais chaque jour davantage de ma vieille peau, sans même me rendre compte que je m'en créais une nouvelle mieux ajustée à ma propre nature.

Cette liberté et toutes ces nouveautés apportées par la vie d'écolier prouvaient bien que le fatalisme pessimiste des femmes de la maison était un mensonge, d'autant plus que je me suis vite rendu compte qu'elles n'en savaient pas plus que moi sur les sujets traités à l'école. La brèche dans leur monde devenait ainsi béante ; sans doute que ma dissimulation aussi augmentait, de pair avec mon sentiment d'infidélité à leurs valeurs et à leurs illusions. En même temps, ce que disait mon père au sujet de la culture prenait des aspects concrets, et cela haussait mes succès scolaires au rang de vraies promesses d'avenir. Quand je comparais ma mère et mes tantes aux maîtresses de l'école, elles en ressortaient avec des apparences si méprisables que, à mes yeux, cela justifiait totalement mes nombreuses trahisons.

J'ai ensuite changé d'école, mais le cours primaire s'est poursuivi tout aussi paisiblement et agréablement, en renforçant chaque jour un peu plus mon sentiment d'être un étranger à la maison. L'accès au langage narratif pour m'aider à meubler les vides de mon âme faisait encore défaut, car même à l'école on n'entendait pas parler de livres. Il y avait seulement le manuel scolaire intitulé *Meu tesouro* — « mon trésor » —, qui ne contenait pas de vrais trésors spirituels. Si ma mémoire est juste, ce livre sans attrait était un pur manuel d'instruction civique : outre quelques historiettes insignifiantes sorties des classiques brésiliens du XIXe siècle, il contenait les paroles de l'hymne national, celles de l'hymne au drapeau, de l'hymne à l'indépendance, de l'hymne à la liberté, ainsi que des illustrations représentant la carte du pays et celle de chacun des États de la fédération, avec la liste des capitales et d'autres insipidités destinées à développer le sentiment patriotique chez les enfants. Il va de soi que ma nature déjà un peu revêche aux fidélités fades ne trouvait rien de passionnant dans ce manuel, qui se répétait d'ailleurs avec peu de changements tout au long du cours primaire. Son manque de lustre était d'autant plus évident quand je le comparais aux bandes dessinées que les copains apportaient à l'école en cachette, et qui circulaient discrètement sous les pupitres. Je n'arrivais toujours pas à les lire comme il faut, car elles étaient ce que les maîtresses détestaient le plus ; il fallait faire attention de ne pas être surpris avec une de ces publications jugées immorales, sinon c'était le scandale. Mais la tension même qui se dégageait de la clandestinité des bandes dessinées suffisait pour me faire comprendre leur juste valeur.

Vers cette époque, je ne sais ni comment ni pourquoi, un livre étrange est apparu à la maison. Un jour, j'ai surpris mon père en train de le feuilleter. Après m'avoir laissé regarder quelques-unes des images sinistres qu'il contenait, il l'a rangé en assurant que ce n'était pas un livre pour les enfants. En effet, ce n'était pas un livre pour nous, puisqu'il était rempli d'images sombres de l'enfer, avec des démons torturant les pauvres condamnés et, comble de la perdition, tout le monde y était représenté nu. Par la suite, en écoutant ma mère en parler à ses amies, j'ai compris qu'il s'agissait d'une réelle histoire de l'enfer. Elle disait qu'il y avait des photographies de tous les châtiments, chacun étant adapté expressément à un type de péché particulier. Elle avait aussi remarqué que les pénitents étaient nus, hommes et femmes, et que les démons ne se gênaient pas pour empoigner les femmes à volonté. Elle trouvait cela pire encore que toutes les vraies tortures. Il va de soi que ce genre de propos était de nature à susciter la plus grande curiosité et, peu de temps après, mon frère et moi, nous nous sommes retrouvés en train de regarder le fameux livre en cachette. Il s'agissait d'une brochure bon marché de l'épisode de l'enfer de la *Divine comédie*, illustré par Doré. Il est certain qu'il était vendu aux familles en raison des illustrations et non pas du texte de Dante ; les images étaient vraiment révolutionnaires pour notre époque si prude. Mais comme c'était un livre quasi sacré, au sujet des punitions éternelles, les gens se permettaient de se délecter avec la vision des corps et des démons dans ce clair-obscur magnifique et si évocateur de la sensualité. Une fois la cachette du livre découverte, je suis resté un amateur assidu de ces images, qui, selon moi, font partie des chefs-d'œuvre de la gravure. Je pouvais passer des heures à les admirer et à les étudier dans tous les détails, et je me souviens d'avoir maladroitement cherché à copier quelques scènes, même après avoir été puni à cause de ma curiosité obscène. Je scrutais les ombres profondes à la recherche d'autres corps ou de fantômes qui pouvaient s'y cacher, tout en me régalant avec la variété des corps dénudés, avec leurs expressions de souffrance et d'extase.

Sans aucun doute, à l'instar des images des cirques, celles du carnaval et les images religieuses des églises, les gravures de l'enfer de Gustave Doré ont été mes premières et pendant longtemps mes uniques stimulations artistiques. Ces dernières m'ont marqué d'une manière profonde par leur caractère défendu autant que par leur perfection formelle, et elles sont devenues avec le temps les souvenirs d'enfance les plus chers auxquels je peux encore avoir accès d'une manière directe. Il n'est ainsi pas étonnant que beaucoup plus tard, quand j'ai commencé à pratiquer le dessin d'une manière rigoureuse, le premier débouché auquel j'ai pensé pour mes travaux fût la gravure. Et uniquement en noir et blanc, par la xylographie et par l'eau-forte, avec de grandes plages sombres et des contrastes très marqués. La passion de la figure humaine est aussi restée de manière dominante dans tout ce que je peins ou dessine, et je suis persuadé que cette attirance me vient davantage des gravures de Doré que des corps réels que j'ai étudiés ou caressés au long de ma vie.

4

Vers la fin du cours primaire, le déménagement de la famille au bord de la mer est venu enrichir ma vie et ouvrir des horizons insoupçonnés. Ce n'était pas un quartier de plage, ni de belles demeures, loin de là, mais simplement le voisinage du grand remblai de pierre et de sable qui gagnait peu à peu du terrain sur la baie de Guanabara pour des constructions futures. C'était encore un quartier du centre de la ville, plein de bureaux et avec de rares habitations, proche cette fois des bordels et des cabarets louches de la Lapa. Mais la mer n'était pas loin, même si elle était bordée par les travaux, encombrée de détritus et de vieilles barques de pêche, stagnante parmi les rochers et les larges portions désertes du gigantesque remblai. Ce n'était pas beau, certes, mais tout cela constituait un immense terrain de jeux abandonné aux enfants des alentours, et un monde de merveilles pour un enfant jusqu'alors enfermé comme moi.

Dans ce nouvel appartement, les femmes se sont mises à ne plus nous surveiller du tout. Il fallait même qu'on parte de la maison de bonne heure, pour revenir de préférence le plus tard possible les jours où il n'y avait pas d'école. Nous pouvions désormais rester dans la rue le soir jusqu'à dix heures sans que cela provoque la moindre remontrance. Cette transformation radicale s'est faite en très peu de temps et nous n'en savions pas la cause. Elles disaient que c'est parce qu'il ne fallait pas abîmer le nouvel appartement. Et c'était comme si, soudain, il n'y avait plus de place pour les enfants ; de toute manière, plus moyen de jouer, car nos jouets n'avaient pas suivi le déménagement sous prétexte que c'étaient des vieilleries d'enfants, et que nous étions devenus grands. Je devais avoir huit ans à cette époque, et j'ai accueilli cette liberté nouvelle avec enthousiasme et sans me poser la moindre question.

Je me souviens encore de mes premières explorations de ce monde nouveau qui s'ouvrait à moi de façon si inattendue. Cela se faisait en cercles concentriques autour de notre immeuble, qui allaient en s'élargissant au fur et à mesure que je gagnais en assurance. Il y avait la petite place Italia, tout près, avec ses balançoires et son toboggan déglingués, où se tenaient les six ou sept autres enfants du quartier. Des enfants à peu près de notre âge, et qui vivaient aussi la plupart du temps dehors, en bande. Ils nous ont reçus avec plaisir, car trois nouveaux membres d'un coup, cela renforçait sensiblement le pouvoir de leur groupe, et ils ont tôt fait de nous montrer toutes les merveilles desquelles ils étaient les seuls maîtres. D'abord, l'immense cour intérieure jonchée de déchets, repaire nocturne de clochards, de joueurs de cartes et de fumeurs de marijuana. Ensuite, les petits commerçants du coin, où l'on pouvait chaparder des fruits et des bonbons à l'occasion, s'acheter des cigarettes bon marché ou se payer des glaces quand on avait de l'argent. Enfin, le remblai désert, à perte de vue et qui aboutissait dans une mer entourée des rochers du brise-lames. L'endroit idéal pour courir, se cacher, jouer au foot et lancer des cerfs-volants.

Je me suis étendu sur cette période magique de mon enfance dans *Le pavillon des miroirs*, en mettant peut-être un peu trop l'accent sur l'accès interdit à la maison. C'était un détail important du point de vue d'un roman, mais bien moins significatif dans la réalité quotidienne du petit garçon que j'étais. En fait, mon désir de vagabondage et d'exploration dominait entièrement ma vie à cette époque, et je n'avais jamais assez de mes promenades et de mes rencontres. Avec les journées d'école et ces longues balades dans les environs, je passais si peu de temps à la maison que j'arrivais alors à me déconnecter entièrement de ce qui se passait dans ma famille. Quand l'atmosphère était trop lourde, je n'avais plus besoin de me réfugier sous le lit pour rêvasser ; je n'avais qu'à sortir et le monde était de nouveau à ma disposition, aussi riche que je l'avais quitté la veille. Le sentiment d'étouffement cédait ainsi la place à une sorte d'euphorie de la liberté. J'étais privé de ce bonheur seulement quand il pleuvait pendant des semaines entières. Alors, je restais confiné sous les porches des immeubles. Mais là encore, histoire de ne pas nous avoir dans les pieds, la mère se montrait parfois prodigue en petite monnaie pour nous envoyer au cinéma. Cela me valait des après-midi entiers dans les salles fermées, à voir et à revoir des films en compagnie des copains, à fumer, à regarder les couples s'embrasser et à chahuter en toute impunité.

Les copains de ce temps-là paraissaient aussi peu préoccupés par la vie adulte que moi. Comme nous, ils venaient de familles aux liens affectifs peu intenses, et paraissaient préférer la rue et la liberté. Peut-être qu'ils n'avaient pas le choix et crânaient comme des durs pour ne pas faire voir leurs blessures ou leur sentiment d'abandon. En tout cas, cela ne paraissait pas assez pour que je m'en souvienne. Nous n'allions jamais chez eux, et ils ne venaient jamais chez nous ; et il semblait y avoir un accord tacite pour ne pas parler de nos familles en public. Bien au contraire, une sorte de pudeur ou de respect mutuel nous poussait à la plus grande discrétion, comme si on ne remarquait pas, par exemple, que la grande sœur d'un des copains se comportait un peu comme une pute, ou que la mère d'un autre sortait souvent avec un grand nombre d'hommes différents. Ces aspects gênants nous paraissaient être les conditions de base du monde, indépendantes de nos volontés d'enfants, et nous apprenions à les accepter comme s'il s'agissait de la pluie ou des jours trop chauds. Ou bien, on fabulait, comme cet autre copain qui disait que l'étrange visiteur nocturne de sa mère célibataire était un oncle qui avait une grande réputation chez les trafiquants et les contrebandiers, un vrai spécialiste des autos et des pneus volés dans la mythique région frontalière avec la Bolivie. Ce qui aurait pu être un motif de honte devenait ainsi un motif de fierté, et on cessait de se poser des questions inutiles. Je me souviens d'avoir réagi avec envie en entendant son récit sur le trafiquant, car je ne pouvais pas évoquer un personnage aussi haut en couleur que cet oncle qu'il avait créé pour la circonstance. Ma mère, en tout cas, ne saurait jamais se faire un amant assez intéressant et débrouillard pour devenir contrebandier. Quant à mon père, même en fouillant bien dans mon imagination, je ne trouvais rien en lui pour me vanter devant mes camarades.

Ce monde de fictions m'attirait cependant, déjà bien plus que le monde réel qui m'entourait. Seul, ou en jouant avec les autres, j'arrivais à me créer de longs scénarios mentaux qui pouvaient durer toute la journée, et dans lesquels j'étais un explorateur perdu dans une île déserte ou un pirate en fuite. Ces fantaisies rassurantes m'accompagnaient dans mes explorations solitaires, et mes cercles concentriques s'élargissaient ainsi de manière fabuleuse, englobant en peu de temps tout le terrain de l'aéroport Santos Dumont, jusqu'à l'école de la marine au bout de la longue rade de rochers amoncelés. Il y avait aussi le centre de la ville proprement dit, avec ses trottoirs bondés de passants, la station de tramways de la place Carioca et, plus loin, la Lapa malfamée, où j'allai d'abord jouer au billard. Plus tard, à l'adolescence, j'y allai pour fréquenter les dancings et les bars. Mes promenades n'avaient plus d'autres limites que la fatigue de mon corps, la soif ou la faim. Je rentrais à la maison fourbu d'avoir tant marché, la tête pleine d'aventures, et plus rien d'autre ne m'intéressait.

Je ne sais pas comment mes frères vivaient cette liberté nouvelle, car nous ne parlions pas entre nous des changements qui étaient survenus dans notre vie, de peur de devoir nous poser des questions gênantes. Je me souviens que l'aîné paraissait fâché de devoir se balader la journée durant ; ses tentatives de rébellion provoquaient d'ailleurs des crises et des bagarres mémorables avec la mère. Moi, au contraire, je me sentais plutôt soulagé de ne plus avoir à dissimuler mon plaisir de m'en aller de là, de disparaître dès le réveil pour ne revenir que très tard, pour avaler mon repas en vitesse et repartir de nouveau. Mais je me détachais aussi de mes deux frères ; leur compagnie n'avait rien de comparable avec l'immense richesse des rues et du remblai, et je commençais à préférer de plus en plus les balades solitaires où j'étais le seul maître à bord. Plus tard, quand j'ai appris à nager, mes parents ne se faisaient plus du souci si je passais la journée à nager autour des rochers, parmi les pêcheurs et les couples enlacés dans les recoins discrets de l'estacade. La nuit, l'endroit devenait un véritable bordel à ciel ouvert, et les scènes croustillantes ne manquaient jamais. Nous y allions alors en groupe pour nous donner confiance, et les copains et moi apprenions de drôles de côtés de la vie. Nous nous disions cependant que nous ferions des choses sensationnelles plus tard, plutôt que de rester comme ces pauvres diables qui venaient là pour tirer un coup rapide avec les putes de passage, presque debout sur les pierres et toujours à guetter les patrouilles de la police.

J'ignore ce que je serais devenu si ces vagabondages avaient duré des années et des années encore, sans l'issue des études et de mon exil formateur à l'internat. Tout comme j'ignore et n'arrive pas à m'imaginer la destinée de ces copains d'autrefois, perdus de vue depuis plus de cinquante ans. Ils sont restés étrangement jeunes dans ma mémoire, figés à jamais dans leurs poses et mimiques de ce temps révolu. Je connaissais trop peu de leur vie ou de leur monde spirituel pour me faire une idée de leurs possibilités d'avenir. Je ne sais pas s'ils ont continué à étudier ou s'ils ont été emportés par la glissade des petits boulots, des combines, des trafics et du ressentiment tel qu'il existait alentour, en particulier chez les nombreux clients du bar Esplanada.

C'était un bar avec un petit restaurant attenant, situé au centre même de notre petite place Italia. La place Italia n'avait d'ailleurs rien d'italien ; elle était ainsi nommée car elle était située à proximité de l'ancienne Casa d'Italia, la légation italienne du temps du fascisme, envahie durant la guerre par les étudiants et transformée par la suite en la Faculdade Nacional de Filosofia. Bien des années plus tard, j'allais revenir là-bas pendant mes études de philosophie ; je mangeais parfois à notre bar Esplanada, mais je n'ai jamais rencontré d'anciens copains du temps de mon enfance. Le fameux bar était tenu par des Galiciens, et bien mal tenu d'ailleurs, avec son éternelle puanteur de poisson chaque fois qu'ils ouvraient la porte du réfrigérateur. Le plancher était toujours recouvert d'une couche épaisse de sciure de bois mouillée et, à l'entrée, s'entassaient en plein soleil les tonneaux de bière aux relents âcres. Mais c'était l'endroit le plus intéressant du point de vue littéraire, et je suis persuadé d'y avoir entendu mes premiers morceaux de véritable fiction. Je n'écarte pas non plus la possibilité que mon style parfois un peu baroque, emphatique et avec une forte tendance aux énumérations ait sa source dans les délicieuses narrations entendues au comptoir de ce bar miteux.

Durant le jour, depuis tôt le matin, le bar était rempli d'ouvriers et de petits fonctionnaires venus prendre une bière ou un repas rapide. Le soir, après le souper, le quartier était désert et plongé dans la noirceur, et le bar Esplanada avec ses lumières blafardes attirait un bon nombre de buveurs et d'ivrognes des environs. C'étaient pour la plupart des pères de famille écœurés de leur épouse ou de l'ambiance à la maison, des vieux solitaires désabusés ou de jeunes hommes voulant noyer dans l'alcool une peine d'amour, une vague de spleen ou encore la déception que leur causaient les défaites de leur équipe de football. Jamais de femme, si ce n'est quelque folle clocharde de passage, vite renvoyée, ou des ménagères éplorées qui passaient par là discrètement pour tenter de ramener les maris ivres qui ne voulaient pas rentrer. L'ambiance était purement masculine, tant par les thèmes abordés que par la gaillardise des propos frôlant continuellement l'obscénité. Ces clients étaient en majorité à la recherche de compagnie, d'histoires ou d'oreilles attentives pour justifier leur passivité dans leur propre faillite. Quelques-uns avaient une vie intéressante, et ils s'arrêtaient là sans doute aussi pour prendre un dernier verre, pour profiter de la fraîcheur de la nuit avant de rentrer chez eux ; et ils restaient un peu pour écouter si les bavards du moment étaient en verve. Mais ce n'étaient pas les vrais habitués, les piliers de bistrot qui émerveillaient nuit après nuit l'auditoire avec leurs fabulations jusqu'à sombrer dans un état de stupeur éthylique. La présence des enfants ne les dérangeait jamais, bien au contraire ; nos mines étonnées et nos rires naïfs semblaient avoir un effet d'encouragement chez ces natures désespérées avides d'attention. Quelques-uns se disaient poètes incompris, poussés à la boisson par l'amour des choses sublimes ; d'autres proclamaient avoir abandonné une situation stable ou un métier à cause d'une passion fulgurante ayant débouché sur la trahison et l'ingratitude. C'était la période d'un romantisme tropical aux lourds parfums de rut et d'infidélité, que chantaient les paroles grandiloquentes des tangos et des boléros venus de nos voisins hispanophones. Mais, aussi, celle des feuilletons radiophoniques d'origine cubaine ou colombienne qui s'éternisaient jour après jour, en faisant pleurer les femmes de toutes les couches sociales. Plus tard, à l'internat, j'ai pu retrouver les mêmes thèmes dans les romans populaires et décadents du Colombien Vargas Vila et de ceux de l'Italo-Argentin Pitigrilli, qui étaient les best-sellers du temps. Ils célébraient les amours impossibles et adultères, les putains aux cœurs d'or, les orgasmes paradisiaques accompagnés du sentiment de faute et de la peur des vengeances assassines, les concubinages les plus extravagants ou les fillettes impubères, pantelantes de désir, qui s'offraient comme des bacchantes à des bellâtres aux cheveux gris. Curieusement, ces ouvrages alors très abondants — Vargas Vila a écrit plus de cinquante titres, aux tirages astronomiques —, et destinés à faire rêver les deux sexes, ont pratiquement disparu depuis. Ils ont cédé la place d'un côté aux romans Harlequin et à l'abondante production d'histoires mielleuses pour le grand public féminin, et de l'autre aux livres policiers teintés d'érotisme pour un public d'hommes. Je me demande pourquoi cette rupture de l'univers du kitsch en féminin et en masculin a eu lieu, mais je n'ai jamais trouvé d'études approfondies sur la question.

Les ivrognes fabulateurs de mon enfance paraissaient tirer leur inspiration non pas de livres ou de feuilletons spécifiques, mais bien d'une ambiance qui prédominait alors. Il ne faut pas oublier que c'était bien avant l'arrivée de la pilule anticonceptionnelle, à une époque où des jeunes gens pouvaient encore être mariés de force dans les postes de police, sous la menace du revolver, au moindre soupçon de rupture de l'hymen. Le déshonneur de se faire cocufier pouvait aussi être lavé dans le sang sans risque de paraître ridicule, et seul le veuvage pouvait libérer quelqu'un des boulets du mariage. Les histoires les plus cocasses et pathétiques circulaient un peu partout, et ces ivrognes n'avaient qu'à les saisir dans les faits divers des journaux et à les transformer pour en créer de nouvelles. C'étaient d'ailleurs des rêveurs très imaginatifs mais sans trop de culture, avec un talent inné pour le langage oral et pour le théâtre. Les meilleurs d'entre eux avaient aussi un fond mélancolique frôlant le masochisme, un esprit d'autodérision doublé d'un humour acide et de beaucoup d'histrionisme. Leurs histoires étaient longues, drôles et épicées à la fois, tant pour faire monter la tension que pour avoir le temps de boire les verres offerts par l'auditoire. Mais ces conteurs faisaient attention à ne pas trop y mettre de vantardise, pour ne pas éveiller la méfiance ni la rancune des spectateurs. Ils prétendaient souvent que c'étaient leurs propres histoires d'amours malheureuses, et que les acteurs de ces drames étaient victimes d'une fatalité absurde ou de formidables passions irrationnelles. Ils avouaient d'ailleurs d'emblée qu'ils ne méritaient pas les femmes exceptionnelles que le destin avait placées sur leur chemin, et dont la beauté et les extases décrites dans le détail laissaient bouche bée les autres clients. Tout petit, j'apprenais ainsi que le sexe des femmes était quelque chose de merveilleux et de cruel à la fois, assez semblable aux tentacules puissants des grosses pieuvres, et qu'un homme romantique pouvait en moins de deux y perdre sa famille, son honneur et même son existence. Par ailleurs, certains amants expérimentés savaient approcher ces bêtes sauvages comme les pêcheurs au harpon approchaient les monstres marins, et alors ces femmes infernales s'évanouissaient en orgasmes épileptiques au risque de broyer la colonne vertébrale de leur amant, pour devenir ensuite, l'espace d'un moment, les douces esclaves de leur maître. Ils poursuivaient dans le même style, avec des fillettes impudiques, des veuves insatisfaites, des fiancées impatientes, jusqu'aux mornes épouses qui se réveillaient un beau jour comme de véritables possédées du démon. Tout cela finissait mal, naturellement, et ils donnaient alors comme preuve leur propre déchéance, à s'enivrer jour après jour pour tenter d'oublier les moments sublimes de leur passé.

Quelques-uns de ces conteurs étaient plus drôles, avec leurs histoires de fiancées au vagin formidable qui se retrouvaient en lune de miel avec des époux au sexe minuscule, pour lesquelles ils étaient capables d'inventer des verbes et des substantifs qui nous faisaient nous esclaffer. Les efforts des conjoints pour tenter malgré tout un minimum de vie sexuelle dépassaient toute mesure comique, et leur mariage finissait alors dans les plus affreux des déshonneurs. S'enchaînaient alors les histoires de petits hommes timorés ayant épousé des femmes colossales, à l'appétit insatiable, ou les récits des doux martyres d'époux obligés d'héberger la vie durant des cousines chaudes mais restées vieilles filles. Tout y passait en matière de fantaisies d'hommes frustrés, depuis les vierges nymphomanes et les putains amoureuses jusqu'aux vieilles millionnaires vicieuses. Certains d'entre eux se spécialisaient dans la narration d'échecs magistraux, avec le leitmotiv des pertes d'érection au moment crucial, suivies de prises d'initiative surprenantes de la part de la femme enflammée. L'arrivée impromptue du mari cocu armé jusqu'aux dents possédait aussi de nombreuses variantes allant du comique à l'épouvante. Cela stimulait l'imagination des spectateurs et rappelait d'autres souvenirs, d'autres faits divers qu'on avait entendus quelque part et qui paraissaient complètement invraisemblables. Mais l'alcool aidant, on avait déjà balancé par-dessus bord la vraisemblance au profit de l'exubérance, et c'était à qui inventait le mieux. Dans cette ambiance de gaillardises mélancoliques, seule la vantardise rebutait les gens ; c'est qu'ils étaient là pour entendre des histoires qui ne les humilieraient pas davantage, qui les rassembleraient dans une sorte de confrérie de l'échec. Leur vraie vie était trop morne, et chacun d'entre eux savait que les autres le savaient pertinemment. On tolérait, par contre, un peu de vantardise concernant les bagarres avec des inconnus ou les exploits au football, car il fallait bien que la vie ait un brin d'exaltation en dehors des échecs amoureux. Mais tout ce qui avait trait aux relations affectives, aux plaisirs de la vie conjugale ou à la réalisation de soi devait nécessairement tourner au vinaigre. On expliquait cette impossibilité d'atteindre le bonheur par l'inconstance des femmes, par leur peu de passion une fois passée la lune de miel, et même par l'aveugle fatalité. Cette dernière, syncrétique comme le monde des morts de ma mère, englobait beaucoup de choses hétéroclites, telles que la corruption des politiciens, le fait que le Brésil avait été colonisé par les Portugais et non par les Anglais, le trop-plein de virilité des hommes du sud ou le manque de couilles de l'entraîneur de l'équipe nationale de foot, la générosité des hommes et la difficulté de trouver une femme aussi sainte que sa propre mère. Ou on disait tout bonnement que la vie était ainsi faite, un merdier dans une vallée de larmes, où seulement les riches et les pistonnés arrivaient à réussir.

Les buveurs devant le comptoir avaient parfois aussi d'autres thèmes, comme les catastrophes ou les monstruosités animales ou humaines, les suicides passionnels et les grandes déceptions durant les parties de football. Mais ces récits captivaient moins d'auditeurs, et le narrateur arrivait rarement à se faire assez payer à boire pour étancher sa soif d'ivrogne. Les vrais fabulateurs, ceux qui arrivaient à s'enivrer à l'œil jusqu'à tomber étaient ceux des tragédies amoureuses suivies d'une débâcle totale. Ceux, enfin, qui chantaient les paradigmes desquels ils étaient tous des exemples vivants.

J'évoque ces artistes de la parole de mon enfance, car ils ont été sans aucun doute mon premier contact avec le langage narratif, comme je l'ai dit plus tôt. Les questions de ressentiment et de complaisance dans l'échec, quant à elles, ne sont aucunement originales. Ma vie durant, j'ai été attentif à ces exemples de mauvaise foi qu'on rencontre un peu partout, et j'ai toujours été curieux de leurs manifestations culturelles spécifiques. J'allais plus tard entendre pester contre les étrangers en général, contre les juifs, les nègres ou même les hommes tout court, contre les Anglais qui empêchent les francophones de bien parler leur langue ou d'avoir leur pays, contre les intellectuels et contre les vieux. J'ai même été accusé d'être un de ces vieux qui accaparent tous les honneurs par un jeune écrivain frustré, partisan d'un renouveau littéraire duquel il serait un des fondateurs ! Mais dans des moments pareils, je ne peux m'empêcher de penser aux ivrognes de mon enfance, ni de trouver qu'ils gagnaient leurs verres de cachaça de façon plus imaginative et plus variée. Leurs histoires se répétaient, forcément — les trucs de cul, les triangles amoureux et l'enlisement dans la rancune sont des sujets trop simples —, mais les voir varier ces sources éculées de tant de manières possibles était une véritable leçon précoce de l'art de la narration. Plus tard, quand j'ai lu *La morphologie du conte,* de Vladimir Propp, j'ai pu enfin comprendre l'étendue et la structure de cet art ; j'ai alors admiré à leur juste valeur ces artistes naïfs d'autrefois, pour qui les seules récompenses étaient l'admiration d'autres ivrognes et les verres qu'on leur offrait. J'ai d'ailleurs tenté de leur rendre hommage dans quelques-uns de mes romans, car je demeure persuadé que la littérature est quelque chose d'aussi simple que ça, malgré le snobisme dont on tente de la parer dans les milieux intellectuels. Et je regrette de ne pas avoir été capable de me faufiler discrètement pour entendre les histoires que les femmes se racontaient entre elles, le pendant féminin de ces récits d'ivrognes. J'ai sans doute perdu des fabulations tout aussi intéressantes. Par ailleurs, j'ignore si elles se racontaient autant, ou si elles étaient trop embourbées dans la passivité d'un rôle subalterne pour pouvoir même rêver et fabuler. Je n'en sais rien.

En tout cas, par l'écoute de ces histoires que je soupçonnais déjà d'être fictives, je m'ouvrais davantage à la richesse des mondes, et je me rendais compte que le nombre des existences ratées était bien plus grand que ce que j'avais imaginé par la seule observation des gens de mon entourage.

❑

Un beau jour, sans aucune explication préalable, ma mère m'a amené voir une série de personnes inconnues qui n'étaient de toute évidence ni des médecins ni des professeurs. Ils étaient sérieux mais affables, et ne paraissaient pas me vouloir du mal. Ils me posaient toutes sortes de questions étranges et sans lien logique apparent, y compris sur mes rêves et sur ma famille. J'avais l'impression qu'ils ne savaient pas au juste ce qu'ils souhaitaient savoir, presque comme s'ils s'étaient trompés de personne en s'adressant à moi. Naturellement, j'étais sur le qui-vive, et je m'attendais à une quelconque punition sans toutefois me souvenir d'avoir fait quelque chose qui sortait de l'ordinaire. Je soupçonnais quand même que ces entrevues avaient un rapport avec mes vagabondages et avec tout ce que j'apprenais des clients du bar ou d'autres marginaux du quartier. Mais cela restait nébuleux, aussi nébuleux que la raison pour laquelle j'étais presque devenu *persona non grata* à la maison durant la journée. Plusieurs explications s'entremêlaient confusément dans mon esprit, accompagnées d'un vague sentiment de culpabilité. Je suis ainsi resté le plus évasif possible dans mes réponses, me cachant comme je pouvais avec le masque d'une timidité la plus innocente du monde. Une jolie dame qui fumait cigarette sur cigarette m'a même questionné ouvertement sur la sexualité, en se servant d'exemples si concrets que c'en était gênant. Par ses sourires spontanés, j'ai cru que mes réponses la convainquaient de ma pureté d'âme et de mon ignorance totale de tout ce qu'elle évoquait. Quand je regarde mes photos de cette époque, il me paraît clair que je n'avais pas besoin de trop en mettre pour la convaincre de mon apparence de petit ange. Sauf qu'elle avait aussi d'autres renseignements, ce que j'ignorais. Et ayant pris la décision de tout nier, je niais peut-être un peu trop, ou je m'embrouillais dans mes réponses séance après séance. Cette investigation a duré quelques semaines, durant lesquelles mes parents sont restés laconiques, se bornant à mentionner une nouvelle école très exclusive et d'accès difficile, ou quelque chose qui sonnait comme une bourse d'études pour éviter de devoir payer des écoles pour les trois frères. Selon eux, je devais me réjouir et collaborer avec ces gens si bons, qui me voulaient tant de bien. C'était suffisant pour m'avertir d'un danger imminent, et je me suis alors renfermé davantage, tentant même de camoufler mes connaissances quand il était question des matières scolaires. Dans mon désir de passer inaperçu, j'avais complètement oublié que mes résultats scolaires étaient excellents et que ces gens-là le savaient. Il se peut alors que j'aie un peu trop forcé la simulation de la déficience mentale, ou du moins trahi ma mauvaise volonté en leur dessinant des bonhommes têtards. Je ne me souviens plus, car j'étais vraiment trop anxieux. Tout a fini par un examen médical rigoureux, avec des radios des poumons, de multiples piqûres de tuberculine et de drôles d'exercices sur une poutre.

J'ai compris qu'ils m'avaient eu au sourire satisfait de ma mère et aux méandres dont usait mon père pour me dire que j'allais vivre loin de Rio de Janeiro, dans une belle école, mais qu'ils continueraient à m'aimer comme si de rien n'était, et que j'y serais très heureux, que je pourrais leur écrire tous les jours si je voulais... Même que je les aimerais davantage, parce que la distance nous fait réfléchir sur nos mauvais penchants, et sur la façon dont les parents se sacrifient pour leurs enfants. Bon, juste le genre de propos insolites capables de monter d'un cran mon état d'alerte. Le grand frère, qui allait aussi bénéficier de cette aubaine, cachait à peine son envie de pleurer en apprenant la nouvelle. Pourtant, ce qu'ils racontaient ne me paraissait pas de prime abord si mauvais; c'était leur manière d'agir qui me poussait plutôt à la méfiance. Cela devait être grave, car d'habitude ils criaient simplement ou me menaçaient de coups si j'hésitais à obéir. Par ailleurs, quand j'y pensais, je serais seul, sans mes parents, dans une sorte d'aventure; ça ressemblait même à une expédition en Afrique. Ils insistaient sur le fait que je n'y serais pas maltraité, ni puni si je respectais les règlements. Tout à fait comme à l'armée, et j'aurais même un uniforme. C'était comme une armée civile, pour les enfants chanceux et intelligents, mais où il fallait faire attention parce que les professeurs et les surveillants étaient pour ainsi dire de vrais anciens militaires. Et comme ils me recevraient gratuitement, il fallait en outre leur montrer de la gratitude, car ils me nourriraient, m'habilleraient et me donneraient de l'instruction par pure générosité.

Tout cela avait l'air trop beau pour être vrai, et je me demandais par quelle bonne ou mauvaise étoile j'avais pu mériter tant d'égards. Un détail me plaisait cependant : c'était très loin et je ne reviendrais pas souvent à la maison. J'aurais ainsi ma propre vie à moi, sans devoir rendre des comptes à personne ; ce serait un peu comme à l'école mais en mieux. Ne trouvant pas quel crime honteux j'avais pu commettre pour être enfermé dans une prison affreuse, j'attendais la suite avec un mélange d'appréhension et d'exaltation. Les copains de la rue ne pouvaient rien me dire sur ce genre d'école, et ils évoquaient seulement l'horreur imaginaire des maisons de redressement avec lesquelles leurs propres parents les menaçaient continuellement. Les clients du bar étaient bien plus rassurants : même s'il fallait faire très attention, ils disaient que si ce n'était pas une école de prêtres, on courait peu de risques d'être sodomisé ou perverti. Et mon père m'avait bien assuré que cette école n'avait rien à voir avec un séminaire.

Je me suis si bien fait à l'idée de ma liberté nouvelle que, le jour du départ, je tentais uniquement de cacher ma joie pour que mes parents ne s'en rendent pas compte. Ma crainte était qu'ils ne découvrent ma vraie nature à la dernière minute et qu'ils décident de ne plus m'envoyer à l'internat. Je regardais les autres enfants qui attendaient à la gare pour monter dans le train, tous avec le même uniforme de gros drap gris et le crâne rasé. Beaucoup d'entre eux se collaient, craintifs, à leurs parents ou se perdaient en accolades sans fin avec des mères pleureuses. Je baissais la tête d'un air contrit, cherchant à me faire oublier et tentant de ne pas montrer mon ingratitude, mon absence de sentiments envers mes parents. Mais avec une seule idée en tête : pourvu que ce train parte au plus vite et qu'on ne vienne pas me retirer des rangs.

Cet attrait du large déjà ancré dans ma nature n'allait pas être déçu. L'internat a été dès le premier jour une aventure aux sens multiples, me permettant avant tout de me percevoir enfin comme une unité très distincte de ma famille et de son monde. Dès le premier voyage, je me suis retrouvé mêlé à de nombreux autres enfants, perdu dans la foule, anonyme et bien à l'aise dans cette position. Personne ne savait qui j'étais, et c'était comme renaître pour des vies possibles. Je me sentais dégagé de toute fatalité, en particulier de celles prêchées par ma mère, comme si soudain le destin promis m'avait perdu au milieu de tant d'autres enfants en uniforme. La misère, l'atmosphère lourde de la maison, le climat de rancune et de médisance, même les messes et les fantômes étaient laissés en arrière, comme une vieille peau de serpent que j'enlevais pour pouvoir grandir. Jusqu'aux difficultés respiratoires qui m'avaient valu la réputation de tuberculeux en puissance, et qui disparaissaient comme par miracle avec la fumée des cigarettes que les camarades plus âgés distribuaient alentour avec nonchalance.

L'internat était situé à Nova Friburgo, qui était alors à environ six ou sept heures de train de Rio de Janeiro. Il occupait tout le haut d'une montagne surplombant la petite ville, et dont la voie d'accès était une longue route sinueuse et à pic. C'était un endroit magnifique, aux installations assez neuves, avec des dortoirs divisés en chambres pour six élèves et des salles de classe pour trente-cinq. Le terrain tout autour s'étendait à perte de vue, et il finissait par des forêts ou des rochers où il faisait bon se promener. Il s'agissait bel et bien d'un internat laïque, avec des visées de maison de redressement moderne, créé par une fondation paragouvernementale, la Fundação Getulio Vargas — le nom du dictateur était vraiment omniprésent —, dans le but d'essayer au Brésil de nouvelles méthodes pédagogiques. Mais, comme tout au pays, c'était assez confus. La population des élèves était des plus hétéroclites, allant des cas franchement psychiatriques jusqu'aux enfants surdoués, en passant par les délinquants et par les enfants que les familles voulaient mater, ou encore par ceux que les parents voulaient voir acquérir un peu plus de virilité. Ces derniers, les pauvres, subissaient un sort affreux à cause de leurs manières délicates et de leur attachement excessif à leur maman; ils vivaient d'ailleurs entre eux, en petits groupes craintifs, et souvent ne revenaient plus après les vacances semestrielles. Mais il y avait aussi des enfants trop paresseux, ceux qui étaient trop dans la lune, et pour finir, d'autres sans histoires, venant de plusieurs États de la fédération et pistonnés par les politiciens locaux pour pouvoir aller étudier près de la capitale.

Un petit comme moi, à l'âge de neuf ans, déjà bien entraîné dans l'art du camouflage, pouvait ainsi se perdre dans la masse et ne pas se faire trop emmerder pour dévoiler son monde de fantaisies. Plus tard, en lisant de nombreux livres sur la vie dans les prisons et dans les camps de concentration — un champ d'intérêt aux relents identitaires duquel je ne me suis jamais rassasié —, j'ai pris conscience de l'énorme ouverture que ces sociétés fermées offrent aux esprits imaginatifs, de pair avec le danger d'abrutissement pour les êtres trop attachés aux choses concrètes. Mais ce n'était pas une prison, loin de là, et même à la maison je n'avais jamais été aussi bien traité que dans cet internat. Il avait pourtant plusieurs caractéristiques communes avec ces sociétés fermées, ne serait-ce que l'uniformisation des apparences et des comportements, le fait de ne pas pouvoir s'en échapper ni échapper à la contrainte du groupe autrement que par la rêverie, ainsi qu'une idéologie propre le distinguant du reste du monde. Pour la plupart des internes, cette idéologie servait comme unique forme d'identité et de structure de monde existentiel, comme cela arrive par exemple dans les forces armées, dans les ordres religieux et même chez les détenus de droit commun. Ceux qui disposaient d'une vie intérieure assez riche réussissaient à continuer leur quête personnelle, dans la mesure où ils apprenaient à dissimuler leur esprit et à adopter le rythme de l'ensemble. Et j'étais déjà un expert dans ce genre de déguisements.

L'idéologie régnante dans cet internat semblait calquée sur celle de l'armée, avec le culte du corps modelé par le sport et celui d'un nationalisme assez primaire ; nous devions nous percevoir comme une sorte d'élite future, sans définition précise cependant. Les marches militaires, les hymnes chantés deux fois par jour le torse bombé, le regard d'airain qu'on se devait de porter à l'horizon, et les nombreux drapeaux — chaque classe avait son propre drapeau, révéré comme le drapeau du collège et comme le drapeau national — donnaient à l'ensemble une saveur fasciste bien au goût des professeurs les plus sportifs. Même les professeurs de musique, de langues ou de dessin, les moins militaristes, tentaient à leur tour d'arborer des apparences martiales lors des salutations aux drapeaux. Les « jeux olympiques », tenus pendant une grande partie de l'année scolaire, étaient l'activité la plus importante en dehors des études proprement dites ; comme dans les universités américaines, un bon sportif pouvait aussi compenser dans une certaine mesure ses échecs scolaires à l'aide de ses exploits sur le terrain de football. Les installations sportives étaient d'ailleurs très modernes pour l'époque, même si la paresse des professeurs de gymnastique nous confinait la plupart du temps au foot et au basket.

Le meilleur, ou tout au moins ce qui m'a le plus impressionné au début, c'était la nourriture. Je n'étais pas habitué à manger autant ni de façon si variée à la maison, et chacun des trois repas de la journée devenait ainsi un moment de plaisir très attendu, surtout que les exercices me donnaient une faim de loup. Le plus rassurant aussi, je l'ai vite compris, était le fait que je pouvais manger tant que je voulais, sans aucune obligation de remercier qui que ce soit pour sa bonté ni pour les sacrifices qu'on faisait pour moi. Pour la première fois de ma vie, la question de la nourriture se situait en dehors du registre de la culpabilité. En peu de temps, mon apparence maigrichonne a commencé à prendre des formes plus musclées, ce qui m'aidait passablement dans les bagarres.

À part ces bagarres, qui constituaient un spectacle continuel, les récréations étaient le théâtre d'autres jeux d'empoignades et de courses. Nous pouvions aussi aller nous promener bien loin de l'immeuble principal pour fumer en paix. La discipline était certes stricte, mais les professeurs et les surveillants préféraient que les élèves règlent seuls leurs propres comptes, et ils ne nous dérangeaient pas trop en dehors des moments solennels des manifestations civiques. Ainsi, il était interdit aux plus jeunes de fumer, même si tout le monde fumait. L'important était de ne pas se faire attraper en flagrant délit, de faire semblant qu'on respectait les normes ; devant l'évidence, le professeur pouvait se sentir insulté, ou il pouvait prendre l'affront comme un signe d'insoumission, ce qui était très mal vu. Et comme tous les professeurs fumaient partout et à tout moment, ils étaient assez indulgents quand le fautif montrait un véritable désir respectueux de dissimulation, ou même une gêne évidente devant leur autorité.

Le réveil sonnait à six heures du matin et les lumières étaient éteintes à dix heures du soir. Nous avions huit heures de classe par jour, y compris les cours quotidiens de gymnastique, en plus d'une heure et demie d'étude le soir. Il restait ainsi fort peu de temps pour nous morfondre sur nos états d'âme et pour nous détendre durant les récréations. Une fois la routine installée, notre sommeil était profond, et même les natures les plus délicates oubliaient vite leurs petites angoisses. Plusieurs des élèves se comportaient cependant comme de vrais zombies, rasant les murs et profitant du moindre recoin pour se cacher, tant ils paraissaient épuisés.

J'ignore comment tout cela se passait pour les autres, d'autant plus que les confidences ou les amitiés plus profondes étaient ouvertement condamnées comme étant de nature vicieuse. Nous échangions plutôt des banalités sur le sport, les bagarres et les cours, à un tel point que, durant les sept années que je suis resté dans cette école, je n'ai jamais rien su de la vie intime ou familiale de mes camarades. Un peu plus tard, comme tous les adolescents, nous parlions des femmes qui nous faisaient envie, des putes qu'on rencontrait au bordel de la ville ou des fillettes de la bonne société locale avec qui on dansait dans les bals du samedi soir. Mais là encore, nos conversations étaient plutôt discrètes, avec une grande pudeur au sujet de notre vie intime, comme si chacun cherchait à cacher ses propres trésors personnels pour ne pas sombrer dans l'uniformité amorphe.

J'étais profondément heureux, ainsi perdu dans le lot, sans rien d'autre de précis pour m'identifier qu'un simple numéro dans la longue suite arithmétique de plus de quatre cents élèves. Je me sentais disponible à chaque réveil, et cette liberté absolue avait quelque chose d'enivrant. Soudain, c'est comme si mon passé avait été aboli ; je pouvais à loisir ne retenir que ses bons aspects, ou même mentir ou fabuler si je voulais, car il n'y avait plus de danger qu'on m'interroge ou qu'on me condamne. À partir de là, ma vie m'appartenait sans le poids lourd de ma famille, et elle pouvait devenir ce que j'en ferais par mes propres moyens. Il est évident que ma conscience d'alors n'était pas si claire en ce qui concernait les implications existentielles de cette rupture. Mais le sentiment d'exaltation qui m'est resté dans la mémoire me prouve que des bribes de cette conscience de liberté étaient bel et bien là aussitôt que j'ai eu une idée d'ensemble de la vie en institution. La phénoménologie appelle ce sentiment une conscience encore non thétique de sa situation, dans laquelle le sujet réalise vaguement son être-au-monde sous la forme de simples émotions connotatives, sans toutefois pouvoir le formuler de manière précise. En effet, une sorte de sensation d'irréalité presque magique s'emparait de moi à chaque réveil, quand je me rendais compte que j'étais toujours là, qu'un nouveau jour allait commencer et que je pourrais une fois de plus me perdre dans cette multitude, sans que personne ne sache ce qui se passait dans mon esprit. Cela avait l'allure d'un sentiment d'irresponsabilité ou de gratuité totale, comme si je me sentais libéré du devoir de gratitude pour n'être qu'un enfant enjoué et rêveur selon mon tempérament.

Je voyais parfois mon frère parmi ses camarades, mais vite je me suis rendu compte que je l'évitais autant que possible, comme s'il pouvait m'empêcher d'avoir accès à cette belle brèche qui s'ouvrait pour moi dans le monde. Après quelques brèves tentatives de rapprochement, lui aussi s'est mis à garder ses distances et, en peu de temps, nos chemins se sont séparés ; ainsi, c'est presque en compagnie d'un étranger que je rentrais à la maison dès les premières vacances.

Je me souviens peu des cours et je ne sais pas dire si nos professeurs étaient de bons enseignants. J'apprenais avec facilité et je recrachais ce qu'il fallait apprendre quand on m'interrogeait, sans me poser de questions sur les matières scolaires. Tout me paraissait très abstrait, sans rapport avec la vie de chaque jour. L'histoire était réduite à un ensemble de noms et de dates qu'il fallait retenir par cœur, tout comme les fleuves et les capitales en géographie. Les mathématiques, on le savait déjà, étaient un ensemble de formules et de calculs de nature mystérieuse, mais qu'il fallait apprendre tels quels et on devait faire bien attention en effectuant les opérations si on voulait avoir de bonnes notes. J'avais la nette impression que les professeurs de mathématiques, eux non plus, ne savaient pas à quoi tout cela servait, et c'est pourquoi ils se mettaient en colère quand on leur posait ce genre de questions. Ils se bornaient à répéter ce qui était dans les livres et ils s'attendaient à ce que nous en fassions autant en toute humilité. Les vraies questions de nature à passionner les enfants étaient éludées ou considérées comme un manque de respect envers le professeur. Ainsi, je me souviens de ma première punition, qui m'a d'ailleurs appris à ne plus chercher à emmerder les professeurs : si la Terre est une sphère, pourquoi les Japonais n'ont-ils pas la tête en bas ? Le professeur m'a alors répondu qu'ils n'avaient pas la tête en bas. En insistant un peu, je me suis rendu compte que le professeur ne savait pas aller plus loin dans son explication, ni même comprendre le sens de la question d'un enfant. Il disait que la Terre était trop grande, et qu'on ne se rendait pas compte de ce genre de problèmes, ou que les Japonais pouvaient très bien penser la même chose de nous ; et la preuve était dans le simple fait que nous n'étions pas la tête en bas quand la Terre tournait. Cela n'était pas satisfaisant, et j'ai fini par être puni. D'ailleurs, plus tard, il m'est souvent arrivé de poser cette même question, qui m'est restée dans l'esprit et dont je connaissais déjà la réponse, et rares étaient les professeurs au secondaire capables d'y répondre convenablement. Car répondre à la question logique d'un enfant implique la connaissance de sa manière de penser ; sa question est posée parce qu'il part d'un point de vue spécifique, et rien ne sert de simplement la lui retourner si on ne lui fait pas voir aussi le changement nécessaire de son point de départ.

Les professeurs de portugais ne s'encombraient pas trop de questionnements non plus. Comme pour ceux de mathématiques, il fallait faire comme ils disaient parce qu'ils savaient bien parler et pas nous. Si on ne voulait pas passer pour un imbécile, il fallait bien parler et bien écrire le portugais, savoir tous les verbes irréguliers et tous les temps des verbes, les prépositions qui allaient à la bonne place, et reconnaître celles que seul un paysan ou un ouvrier misérable pouvait penser qu'elles allaient là où il ne fallait pas. Voilà ! Et pas trop d'imagination dans les rédactions pour ne pas passer pour un énergumène ou faire croire au professeur qu'on se foutait de sa gueule. De toute manière, là encore, les textes des manuels scolaires du cours secondaire étaient si insignifiants qu'on ne se posait pas de questions durant les cours de portugais. Il fallait s'y soumettre automatiquement, comme on se soumettait à tous les hymnes qu'on nous faisait chanter. Les professeurs de langues étrangères éludaient plus facilement encore les questions en répondant qu'ils ne savaient pas, que c'était ainsi et pas autrement que les Français ou les Anglais parlaient. Allez donc le leur demander, si vous n'êtes pas contents ! Les professeurs de latin, qui étaient toujours aussi ceux de portugais, prétendaient que le latin était nécessaire parce qu'il aidait à la compréhension du portugais. Mais le fait de voir régulièrement des élèves qui réussissaient très bien en portugais, mais qui échouaient lamentablement en latin ne les étonnait jamais. Je n'ai jamais entendu un de ces professeurs parler de la beauté d'une langue ou d'une résolution de théorème comme on parle de la beauté d'une fleur ou de celle d'une femme, ni tenter de nous émerveiller en attirant notre attention sur la richesse du vocabulaire, les tournures de phrases, les argumentations ou les raisonnements fallacieux. Cette dichotomie entre les cours de langue et le langage des romans était telle que seulement bien des années plus tard j'ai réfléchi au fait que les histoires fascinantes sont fascinantes aussi parce qu'elles sont écrites avec art et pas n'importe comment. De toute façon, les livres qui m'attiraient n'avaient rien à voir avec les textes qu'on étudiait en classe. Quelques professeurs plus nationalistes prétendaient même que lire des livres étrangers avant d'avoir parcouru toute la bonne littérature de langue portugaise équivalait à une sorte de trahison : cette perversion s'appelait le cosmopolitisme, et était l'opposé du patriotisme. Nous ne parlions ainsi jamais en classe des livres lus à la bibliothèque. Ces derniers étaient considérés comme un simple loisir durant les récréations, au même titre que le foot ou le ping-pong, même si la lecture était préférable aux bagarres et aux chahuts.

Les heures de classe et les études me paraissaient ainsi être simplement le prix à payer pour la bonne nourriture et pour la vie libre loin de la maison. Bien plus tard seulement, et dans la perspective de devoir choisir un cours universitaire, j'en suis venu à me poser des questions sur mes matières préférées. Mais c'étaient alors des considérations plutôt sur les matières où j'avais les meilleures notes que sur celles qui m'intéressaient le plus. Ma vraie vie à l'internat commençait à la sortie des classes, durant les jeux, les promenades, dans le plaisir de marcher seul au milieu d'une végétation luxuriante et sous un ciel étoilé. Je pouvais alors donner libre cours à ma vitalité physique, à mes rêveries, ou me consacrer passionnément à la lecture d'histoires pour passer le temps.

5

J'ignore ce qui se passait dans ma tête d'enfant quand j'étais très petit et qu'on se fâchait contre moi en disant que j'étais dans la lune. J'étais peut-être simplement distrait, ou je somnolais d'ennui comme cela arrive aux enfants dans les situations assommantes, en pleine chaleur moite et quand il ne se passe rien d'intéressant. Ou c'étaient peut-être juste des pensées pour arriver à mieux mentir ou cacher mes méfaits. Ou bien je me divertissais avec les vagues images visuelles captées durant la journée, passées et repassées en esprit jusqu'à ce qu'elles se mêlent aux reliques de la mémoire. Impossible de le savoir au juste. Je me souviens par contre de quelques rêveries spécifiques que j'ai eues plus tard, vers l'âge de cinq ou six ans, qui ont été fixées à cause des punitions et des menaces du feu éternel de l'enfer. J'imaginais des accidents de la circulation se produisant sous notre fenêtre, accompagnés d'une profusion de morts et de blessés, avec la présence de la police, des pompiers et même des soldats du défilé militaire. Cela pouvait être aussi l'incendie spectaculaire de la maison d'en face, de l'autre côté de l'avenue, les habitants sautant dans le vide comme le rapportaient parfois les journaux, et beaucoup de camions de pompiers avec leurs jets d'eau. J'ai dû raconter cela à mes frères ou aux tantes ; d'où des conséquences fâcheuses et le pourrissement de la réputation de mes moments de visions illusoires. À ce moment-là, c'étaient déjà des façons de transformer des souvenirs précis pour me divertir et pour passer le temps dans les périodes creuses. J'avais en effet vu beaucoup d'accidents et quelques incendies, et j'arrivais alors à les transformer à ma guise pour créer des spectacles mentaux. Ou même des mensonges, car je me rappelle aussi avoir raconté avec force détails des choses qui n'avaient pas eu lieu, tout comme je me rappelle les fessées qui ne se faisaient pas attendre. Les femmes de la maison pouvaient d'ailleurs soit dire que j'étais dans la lune, soit dire que je fabriquais mes mensonges. Peut-être aussi qu'il s'agissait de simples fabulations pour tenter de comprendre ce qui m'échappait de la vie alentour ; elles disaient en effet que je racontais tout de travers, que je mélangeais des choses qui n'allaient pas ensemble et qu'à la fin, ce qui s'était vraiment passé devenait une histoire sans queue ni tête, et en général pleine de méchancetés. Sournois, dans la lune, menteur, toujours à ruminer des mauvaises pensées pour faire des mauvais coups, voilà comment elles expliquaient mon comportement d'alors. Ma mémoire ne me donne malheureusement rien de plus précis au sujet des contenus, même si la forme ressemblait assez à de la fabulation.

Avant même d'aller à l'internat, j'avais déjà l'habitude d'ajouter des éléments imaginaires à mes jeux, mais j'avais aussi appris à les taire, comme si mon monde intérieur était une sorte de tare. Durant les parties de foot, où j'étais pourtant un participant, j'arrivais à entendre dans ma tête la description des passes, y compris de mon propre jeu, de la même manière que les commentateurs sportifs les rapportaient à la radio. Cela ajoutait une agréable note dramatique à nos parties d'habitude assez fades. Ou alors, tout en me promenant, j'imaginais le récit à la radio de mes explorations, mais sous la forme de batailles militaires ou de safaris africains. À cette époque, les commentateurs des parties de foot et les acteurs des feuilletons à la radio étaient mes uniques références linguistiques objectives. J'en tirais grand profit au bord de la mer pour imaginer des sauvetages de navires en détresse, ou tout prosaïquement pour exorciser mon horreur devant les cadavres que la marée déposait sur les rochers du remblai. Le jour de mon départ à l'internat, avec mon uniforme gris, je m'imaginais en train de partir avec un grand contingent de criminels pour un camp de prisonniers en pleine brousse.

Nous serions tous graciés, du moins les survivants, si le gouvernement était content de notre travail d'esclaves. J'avais glané cette histoire, un soir, au comptoir du bar Esplanada, et elle me semblait parfaite pour enrichir ce moment-là. Pour l'enrichir, mais sans doute aussi pour harnacher mes propres craintes devant l'inconnu. En transformant en promesse d'aventures ce qui ne dépendait plus de ma volonté, comme une sorte de théorie scientifique provisoire, j'arrivais mieux à m'approprier cette rupture radicale de mes habitudes de vie. C'était un simple début de ce qui allait devenir une véritable passion avec la découverte de la littérature.

Je suis entré pour la première fois à la bibliothèque de l'internat presque un mois après mon arrivée. J'avais passé tout mon temps à explorer les terrains environnants et je ne savais pas qu'il était permis d'entrer dans cette salle toujours fermée pendant les heures de classe. Je ne l'avais même pas remarquée, en fait, tant l'immense terrain boisé et le terrain de football attiraient ma convoitise. C'est un copain qui m'avait parlé des livres, et je l'avais suivi, non sans crainte, puisque moi-même je n'en avais jamais possédé aucun. Comme d'habitude, je m'attendais au pire, surtout d'un endroit aussi exotique, rempli de livres qu'on pouvait toucher à volonté, ainsi qu'il me l'avait décrit. J'étais certain qu'il s'agissait d'une blague de mauvais goût de sa part, et je me rendais là décidé à lui faire payer cher sa provocation.

La bibliothécaire était une vieille fille très pudique, avec des jupes amples, une blouse toujours boutonnée jusqu'au cou, comme si elle craignait que ses seins majestueux et son joli visage ne fassent naître des idées pécheresses. Elle habitait en ville et venait au collège deux fois par jour pour s'occuper de la bibliothèque en dehors des heures de classe. Elle venait aussi le dimanche afin d'aider le curé à se préparer pour la messe. Je ne l'oublierai jamais, Dona Ercilia, car elle a été pour moi un objet complexe d'amours enfantines, de premiers désirs sexuels, tout en étant la bonne fée maternelle que je n'avais jamais connue dans la vie réelle. Toute bigote qu'elle était, ses yeux noirs de femme mûre s'allumaient d'un éclat à la fois juvénile et taquin quand elle se mettait à parler des romans. D'ailleurs, elle lisait tout le temps, assise là derrière le comptoir, et souvent les élèves attendaient qu'elle lève les yeux de son livre pour ne pas la déranger. Je crois ainsi que ma passion de la lecture a débuté par l'amour de la bibliothécaire, ce qui est une belle façon d'entrer dans le monde de la fiction.

Elle m'a accueilli avec le sourire, tout en me faisant signe qu'il ne fallait pas parler trop fort. J'ai compris qu'il s'agissait d'un endroit sacré, comme une sorte d'église, que c'était le seul endroit à ma connaissance où il fallait chuchoter. Les murs étaient tapissés de livres ; il y en avait partout, de tous les formats, de toutes les couleurs, et j'ai aussitôt remarqué des élèves grimpés sur des escabeaux pour examiner les étagères d'en haut. Tout cela dans le plus grand calme et dans le silence, pendant que la dame restait assise derrière son comptoir à contempler mon étonnement. Il était évident que je n'avais jamais vu une chose pareille. Elle devait être habituée à cette scène au commencement de l'année scolaire, car beaucoup d'élèves réagissaient comme moi. J'en ai connu qui ont osé emprunter un premier livre seulement après avoir fréquenté l'internat pendant des années, par crainte de le salir, de devoir le payer, ou simplement par respect mystique devant le texte imprimé. La dame m'a rassuré et m'a invité à explorer la bibliothèque, en insistant pour que je prenne et feuillette plusieurs livres avant d'en choisir un.

— C'est le meilleur moment, quand tous les livres sont possibles, a-t-elle ajouté. Une fois le choix fait, il faudra lire celui que tu as choisi sans plus regarder ceux qui sont restés sur les étagères. Tout à fait comme quand on choisit une glace. Alors, prends le temps qu'il faut pour choisir.

Mon problème n'était pas si simple que ça. Je n'avais jamais lu un livre de ma vie, ni jamais tenu un livre sans images entre mes mains. Je n'allais tout de même pas l'avouer devant tous ces élèves assis qui lisaient, et ceux qui choisissaient avec l'air de connaisseurs. Comme c'était mon habitude dans les situations nouvelles, à la façon de ces papillons gris des forêts qui se fondent dans le décor, je me suis mis à imiter mon environnement pour ne pas me trahir. Je me suis ainsi promené lentement devant cette profusion jamais vue de livres, feuilletant ici et là, timidement, ceux dont la couverture me semblait plus belle, mais en vérité à la recherche d'images, d'illustrations, de n'importe quoi de connu pour guider mon choix. Je n'osais pas me retourner, de peur que la dame ne se rende compte de ma confusion, mais aussi à cause de la beauté de son visage. Pendant tout mon périple, j'avais l'impression de sentir son regard sur l'arrière de mon crâne rasé, ce qui me mettait de plus en plus mal à l'aise. Incapable de trouver un livre pour moi dans cette confusion de titres, j'ai opté pour un qui me rappelait la place Italia : *Le fil du rasoir*. Pernambuco, un des vagabonds du coin, possédait en effet un beau rasoir à main de marque Solingen, qu'il appelait sa Sola, sa compagne de bagarres. Il nous le montrait à l'occasion, en imitant des mouvements de lutte ou en le battant en l'air comme s'il l'affûtait sur un cuir à rasoir. J'ai toujours été très attiré par cette arme, et j'ai cru que le livre raconterait des histoires de bagarres au rasoir entre vagabonds.

Quand je me suis retourné, son regard était en effet posé sur moi, avec le même sourire aux lèvres. Elle avait tout compris.

— Bien, tu as choisi un Somerset Maugham ! a-t-elle dit avec admiration. As-tu lu d'autres romans de lui ?

Impossible de mentir dans une situation aussi nouvelle et devant ce beau visage. Je lui ai alors expliqué en toute humilité le motif de mon choix, et elle ne s'est même pas fâchée. Avec deux ou trois questions bien discrètes, elle s'est rendu compte que je ne connaissais rien aux livres et que j'ignorais aussi comment on s'y prend pour lire un roman. Mais elle a été adorable.

— Tu sais, *Le fil du rasoir* est un roman magnifique. Je suis certaine que tu le liras un jour avec plaisir, et que tu te souviendras que c'était ton premier choix. Mais il ne parle pas de bagarres, malheureusement, et je crains que tu ne l'aimes pas beaucoup en ce moment. C'est un peu une histoire d'amour… Fais-moi confiance, moi aussi j'aime les histoires de bagarres, surtout celles de pirates et de vagabonds. Tu devrais donc commencer par un très bon roman d'aventures, pour ne pas t'ennuyer. On ne devrait jamais lire un livre qui nous ennuie. Il y en a tant, n'est-ce pas ?

Elle est alors allée chercher *L'île au trésor*, de Robert Louis Stevenson, et me l'a mis dans les mains.

— Je suis sûre que tu vas l'adorer. Mais attention de ne pas te laisser trop impressionner… Il y a des passages effrayants !

Comme je ne bougeais pas, elle m'a invité à m'asseoir ; elle a ouvert le livre à la première page et m'a lu la première phrase à voix basse.

— Tu vois ? C'est l'histoire d'une île où est caché un trésor de pirates. Tu liras lentement, phrase après phrase, en faisant bien attention au début. Ensuite, cela continue tout seul. Si tu ne comprends pas quelque chose, continue à lire parce que d'habitude ça s'explique un peu plus loin. Sinon, viens me voir et nous en discuterons.

Elle avait tout à fait raison même si j'étais plus perdu dans le parfum délicat de ses cheveux attachés en chignon que dans ses paroles. Mais j'étais décidé à réussir.

« […] je prends ma plume dans l'année de grâce 17…, et je me tourne vers le temps où mon père tenait l'auberge Admiral Benbow, et où le vieux marin basané, balafré d'un coup de sabre, vint loger pour la première fois sous notre toit. »

Après une phrase comme celle-ci, impossible de s'arrêter. C'était l'aliment qu'il fallait pour mon esprit affamé, et je n'ai plus jamais cessé de l'avaler autant que possible, sans cependant me rassasier. Ce soir-là, quand la sirène a annoncé la fin du cours libre, elle m'a fait sursauter, et j'ai ressenti l'interruption de la lecture comme une réelle blessure. Il était défendu de sortir les livres de la bibliothèque ; ils restaient dans des casiers en attendant la prochaine occasion. La dame m'a encore souri, elle m'a souhaité bonne nuit et m'a invité à revenir aussi souvent que je voulais.

J'étais bouleversé par le roman, littéralement plongé dans le monde de l'auberge, et je me sentais tout à fait Jim Hawkins. Dans ma tête, le refrain m'aidait à marcher comme un vrai marin :

« Ils étaient quinze sur le coffre du mort
« Ho, ho, ho, et une bouteille de rhum ! »

Le reste du monde perdait soudain ses contours devant les images si précises que la lecture avait imprimées dans mon esprit. La frustration devant le récit interrompu me faisait imaginer des suites possibles, mais mes propres créations allaient pâlir à leur tour avec chaque reprise du roman. Je vivais ensuite dans l'attente des heures de lecture pour retrouver l'aventure du jeune Hawkins, avec un réel sentiment de regret de ne pas être moi-même à bord de l'*Hispaniola* et de ne jamais avoir eu un copain comme cette ordure de Long John Silver.

La fin de la lecture de ce premier roman m'a laissé une immense sensation de frustration. Le livre était fini, mais je n'en avais pas encore fini avec le livre ; je souhaitais qu'il continue, je voulais savoir la suite de la vie de Silver, et mon imagination n'était pas en mesure de me satisfaire. J'ai alors demandé à la dame la permission de lire à nouveau le même livre plutôt que d'en prendre un autre. J'étais persuadé qu'aucun des autres romans ne me plairait autant, et je trouvais dommage d'avoir avalé d'un trait et si peu savouré le texte de Stevenson.

— Bien sûr, m'a-t-elle répondu avec sa tendresse habituelle. Autant de fois que tu le voudras. Les meilleurs livres sont faits pour être lus plusieurs fois, la vie durant.

Je l'ai relu et, en effet, il m'a presque donné encore plus de plaisir qu'à la lecture initiale. Je jubilais en reconnaissant les passages les plus intéressants, et j'apprenais par cœur certaines phrases qui ne me sont plus sorties de la mémoire : « Jim, me dit Silver dès que nous fûmes seuls, si j'ai sauvé ta vie, tu as sauvé la mienne ; et, ça, je ne l'oublierai jamais. » Ou encore la drôle de façon qu'avait Silver de dire adieu : « George, je crois que j'ai réglé ton compte. »

J'ai aussi continué à le relire au long de ma vie comme la dame l'avait prédit, et cette habitude de relire mes romans préférés ne m'a plus abandonné. Plus tard, après avoir appris d'autres langues, un de mes plus grands plaisirs reste celui de relire mes romans préférés en diverses versions, pour mieux apprécier la finesse des textes, comme si chaque langue pouvait les apprêter à des sauces variées. Cela a en outre l'avantage de servir de bonne excuse lorsque ma manie de relire les mêmes livres est prise pour une lubie obsessive. Je peux alors prétexter que ce sont plutôt des exercices mentaux de traduction, et cela passe mieux qu'une simple et folle perversion.

Le choix de mon deuxième roman me paraissait tout à fait aller de soi : ce serait un autre roman du même Stevenson. J'étais d'accord pour changer de roman mais pas de romancier. Une fois de plus, la dame a approuvé ma décision :

— Moi non plus, je n'aime pas butiner à droite et à gauche, a-t-elle dit. Même si *L'île au trésor* me semble son meilleur, j'apprends toujours plus sur lui en lisant d'autres livres de ce même écrivain. Peut-être que cela ne veut rien dire, mais j'aime être fidèle quand un auteur m'a donné du plaisir.

Moi aussi, je voulais être fidèle en l'imitant. J'ai alors adoré *L'étrange cas du Dr Jekyll et de monsieur Hyde*, et j'ai lu avec intérêt *Kidnappé*, même si celui-ci reste bien inférieur à *L'île au trésor*. C'étaient les seuls Stevenson qu'il y avait là, heureusement, car ses autres romans m'auraient porté à l'infidélité.

Cette autre habitude de lire l'œuvre complète des auteurs que j'aime m'est aussi restée la vie entière, non plus par fidélité mais parce qu'on gagne en effet à connaître la totalité du monde imaginaire d'un créateur. Cette connaissance mettra en relief des aspects jusqu'alors inaperçus de ses meilleurs textes en raison des multiples références croisées, intentionnelles ou non, qu'un esprit tisse au long de ses associations mentales. Souvent, les livres d'un même écrivain se parlent entre eux, se complètent, comme si en fait ce qu'il cherchait à écrire n'était pas chacun de ses romans, mais le long roman qu'est son œuvre achevée. Ceci est évident pour des auteurs comme Balzac ou Zola, qui font revenir à l'occasion les mêmes personnages. Mais c'est aussi vrai pour d'autres, comme Dostoïevski ou Knut Hamsun, qui changent de personnages sans changer de problématique de base, à la façon d'un metteur en scène qui se servirait de différents acteurs pour jouer les mêmes drames. Et que dire de ceux qui sont comme Hermann Hesse ou Franz Kafka, dont le sens du roman unique se développe de livre en livre? Il y a, sans doute, des écrivains d'un seul ou de deux uniques romans, comme Céline, Malcolm Lowry ou Marguerite Yourcenar: soit le restant de leur œuvre est très quelconque, soit il reste à l'ombre de ces ouvrages magnifiques sans pouvoir les enrichir. Mais on ne perd rien à lire la totalité de leurs écrits, car au long de toute une vie de lecteur il est parfois difficile de trouver des auteurs réellement significatifs. Et quand on aime les aventures, le moindre Joseph Conrad, le plus faible des Somerset Maugham, des Graham Greene, des B. Traven ou des Le Carré réussira toujours à nous emporter davantage que les meilleurs livres d'autres auteurs moins talentueux. Avec tant de livres et si peu de temps, je crois que mon principe de l'œuvre complète reste encore la meilleure garantie contre le gaspillage de l'imagination.

J'ai ensuite lu quelques Jules Verne, mais, à part dans *Michel Strogoff* et dans *Vingt mille lieues sous les mers,* il ne m'a pas beaucoup captivé. La technologie, la science et la modernité n'ont jamais été mes thèmes de prédilection, et les aventures de Jules Verne m'ont paru trop peu crédibles, trop écrites pour les jeunes enfants. Il me fallait du réel, bien excitant et bien sanglant. Après mes commentaires, la belle bibliothécaire m'a guidé vers Emilio Salgari, Horacio Quiroga, Rudyard Kipling, Alexandre Dumas et Jack London. Des choix très judicieux, qui démontrent bien qu'elle connaissait non seulement la littérature, mais aussi l'esprit des petits garçons aventureux.

Ces livres ont ainsi occupé tout mon univers durant les premières années dans cette institution scolaire. Je n'étais alors plus dans un simple internat, et je n'étais plus le petit garçon rêveur issu de ma famille. Tout s'enrichissait et les mondes multiples s'imposaient à ce réel fade de la vie de tous les jours. Le quotidien se transformait à ma guise en jungle, en désert, et chaque promenade devenait une vraie aventure dans mon imagination. Je me promenais alors plutôt dans des bazars remplis d'assassins enturbannés avec de longs poignards, prêts à n'importe quelle ignominie pour s'emparer de mes précieuses cigarettes d'opium. De chaque coin sombre pouvaient désormais bondir des bandits vénitiens au visage masqué, pour m'inviter à croiser l'épée au risque de ma vie. Ou bien je m'en allais, penaud et sans un sou, grelottant dans mon uniforme de drap parmi les chercheurs d'or du Klondike, en compagnie de mon brave chien Buck. J'arrivais ainsi à transformer mes professeurs, mes camarades et tout le collège en une vaste scène d'un théâtre personnel. Je découvrais alors la fascination d'avoir plusieurs vies à ma disposition, et d'infinies identités possibles que j'arrivais à explorer sans que personne d'autre s'en aperçoive. Je m'imbibais comme une éponge de ce trop-plein de réalités virtuelles, qui me faisaient péniblement défaut depuis mes premiers efforts de rêveries. C'est comme si tout à coup je perdais le respect qu'on doit au réel palpable, pour vivre dans une sorte de Luna Park d'existences imaginaires. Qui plus est, au fur et à mesure que je m'enrichissais d'histoires fictives puisées dans les romans, ma propre imagination se mettait en branle, tant en mélangeant les meilleurs aspects des divers livres qu'en inventant de toutes pièces de nouvelles histoires pour m'amuser. Chaque nouvelle lecture avait l'air de contribuer à ce fonds de fictions que j'accumulais, et que je réorganisais une fois sorti de la bibliothèque. Le fait que je ne possédais pas de livres a pu jouer un rôle dans cette tentative d'établir une collection imaginaire de romans et d'aventures, et je me souviens encore de mes efforts de mémoire et de mes multiples consultations des livres déjà lus, dans le but de bien les conserver dans mon esprit. Parfois, au contraire, le goût de l'aventure était tel, mon imagination était si remplie et mes muscles si avides d'action, que je passais des semaines entières sans revenir auprès des livres ; je me consacrais alors furieusement à des promenades et à des jeux, tout en faisant défiler dans ma tête mes meilleures trouvailles.

Il est vrai que cette découverte de la fiction a eu durant un certain temps un effet néfaste sur mes aptitudes de gardien de but, et que j'ai dû paraître très renfermé au point d'être questionné par des professeurs, curieux de savoir si je n'étais pas trop mélancolique. Ils guettaient les élèves qui manifestaient des signes évidents de folie, et leur plus grande peur était que les désaxés ne s'échappent de là ou qu'ils ne commettent des gestes désespérés. Mais j'étais si heureux et enjoué qu'ils ont fini par se rassurer. Par ailleurs, curieusement, cette fuite dans les vies imaginaires n'avait pas trop de mauvaises influences sur mes résultats scolaires. J'étais souvent un peu dans la lune durant les cours, mais la stimulation linguistique apportée par la lecture avait sans doute des répercussions positives sur toutes les autres sortes de contenus verbaux, y compris l'algèbre, et il me semble que j'apprenais avec une facilité encore accrue. Ma mémoire pour les noms et les dates en histoire et en géographie s'élargissait aussi, d'autant plus que les lieux exotiques, les batailles et les cultures du passé gagnaient à leur tour une signification concrète, vivante, pouvant même servir de base à de nouvelles inventions.

Aidé ainsi par la fuite dans la fantaisie, le temps passait sans que je m'en aperçoive, et les aspects fades ou désagréables du quotidien ne me touchaient que de manière superficielle. Mon adaptation à l'internat était donc excellente, et je me sentais profondément serein. Au contraire de ce que racontaient les camarades, je vivais les rares retours à la maison comme des corvées qu'il fallait subir avec patience. La place Italia, les copains et même mon cher remblai me semblaient appauvris à chaque visite, sans attraits, et la vie de mes parents de plus en plus dépourvue de signification. Au moment de reprendre le train pour revenir au collège, j'éprouvais une grande exaltation. Les poches remplies de cigarettes et le cœur à l'aventure, je retrouvais ma liberté intacte, là où je l'avais laissée, sans regrets et de moins en moins sensible à la culpabilité. Je devais pourtant faire très attention pour que cela ne se voie pas, sinon je serais passé pour un idiot. Pour la plupart des élèves, le retour à l'internat était un moment très pénible, même de grande mélancolie pour beaucoup d'entre eux. Après tout, nous étions enfermés, et seul un imbécile pouvait trouver qu'il s'agissait d'une belle vie. Ils devaient sans doute avoir des vies plus intéressantes chez eux, ou ils crânaient pour s'en donner l'illusion, je n'en sais rien. J'avais cependant la nette impression que plusieurs copains vivaient ces retours de la même façon que moi, et s'ils protestaient, c'était uniquement pour la forme, car leur comportement et leur allégresse dans le train en disaient long sur la visite dans leur famille.

Le cinéma était l'autre plaisir de l'univers symbolique qu'offrait l'internat. Deux fois par semaine, nous avions droit à un film dans l'auditorium. Les familles des professeurs et des employés assistaient aussi à ces projections, et le choix des films était fait principalement en fonction de ce public adulte. Toute la gamme des vieux films américains de la période de la guerre et de l'avant-guerre y passait, mais aussi d'anciens films français et italiens. C'étaient des films noirs pour la plupart, aux intrigues policières, de guerre ou d'espionnage, mais très romantiques, héroïques et particulièrement propices pour déclencher des rêveries. Beaucoup de westerns aussi, ou des films sur les gens déplacés par les conflits en Europe. Un vagabond dans l'âme comme moi se délectait alors avec la filmographie complète d'un Humphrey Bogart, par exemple, jouant les médecins fous (*Docteur X*) ou les grands classiques comme *Le faucon maltais*, *Key Largo*, *Le trésor de la Sierra Madre* ou *Casablanca*. Être jeune, loin de tout, très rêveur et fumer la dernière cigarette de la nuit avec l'image de Lauren Bacall ou d'Ingrid Bergman dans la tête a été pour moi l'expérience la plus proche que j'ai jamais eue de ce qu'on appelle une vision mystique. Naturellement, il y avait beaucoup de navets, la plupart sans aucun doute. En faisant un calcul rapide, je me rends compte que j'ai dû voir entre trois et quatre cents films durant mon séjour à l'internat. Mais des perles s'insinuaient souvent dans le tas, comme *Capitaine Blood*, avec Errol Flynn, *Anges aux figures sales*, ou le magnifique *Le troisième homme*, avec un Orson Welles sinistre. Mais aussi les films français, comme *Bas-fonds*, *La grande illusion* et *Quai des brumes*, et les italiens comme *Le voleur de bicyclette* ou *Sciuscià*. Et puis, même les mauvais films offraient toujours aussi quelque nourriture pour l'esprit, ne seraient-ce que les paysages ou les villes étrangères qui faisaient voyager l'imagination, la mélodie des langues inconnues et les mœurs qui élargissaient mon monde.

Je sortais transfiguré de ces séances de cinéma, confus aussi devant ces histoires d'adultes dont je ne comprenais pas entièrement le sens parfois. Et j'étais de plus en plus fasciné par ces spectacles qui racontaient le monde d'une façon si riche que quand les lumières se rallumaient, la vie tout autour paraissait manquer de sel. Le restant de la semaine, je m'attelais aux romans de la bibliothèque, auxquels j'ajoutais les images cinématographiques dans mon esprit. Les Garbo, Bacall et Gardner prêtaient ainsi leur apparence aux femmes des livres, tandis que Bogart, Cagney ou Gabin devenaient des personnages d'histoires jamais tournées au cinéma. Qu'importe ? Tous ces acteurs se dégageaient ainsi de l'abstraction des œuvres où ils figuraient pour venir enrichir mon propre univers, pour m'aider à créer mes existences multiples et mes propres cinémas imaginaires.

Au fur et à mesure que passait le temps et que cet ensemble chaotique prenait un sens dans mon esprit, je devenais indifférent aux contraintes extérieures, particulièrement en ce qui concernait l'idéologie prédominante dans l'internat. Je participais aux marches, aux défilés, je chantais les hymnes et je saluais les drapeaux de manière purement mécanique, sans plus y ajouter le cynisme ou mes airs moqueurs du début de mon séjour. Ces choses-là ne me touchaient tout simplement plus comme elles pouvaient toucher ou irriter mes camarades pauvres en imagination. Déjà vers ma treizième année, je vivais en parallèle des autres sans que cela paraisse, et il me plaisait aussi de perfectionner ce double rôle comme si j'étais un acteur dans un théâtre ou un vrai prisonnier dans une prison. Je dis « double », mais en fait il était multiple, dépendant du contexte et de l'inspiration du moment. Je ne crois cependant pas que mon identité eût été suffisamment établie à ce moment-là pour pouvoir faire face à des conflits ou à des secousses majeures. Je vivais protégé dans un cadre rigide d'horaires, d'uniformes et d'exigences précises ; surtout, ma survie était assurée sans d'autres conditions que celles de réussir mes études et de ne pas trop faire le fou. Dans ce contexte privilégié pour l'introspection et pour les exercices d'identité naissante, même mon identité fragile, encore constituée davantage de négativité, de refus et de fuite dans l'imaginaire, était suffisante pour me donner un sentiment provisoire de sérénité. En fait, je m'étais choisi comme autre depuis longtemps déjà, et ce choix ne s'était pas heurté à des obstacles extérieurs de nature à l'ébranler ou à le mettre à l'épreuve. Ceci est important, comme sont importants les nombreux accidents de parcours bien aléatoires mais qui peuvent agir comme éléments de facilitation ou de destruction d'une identité naissante. Ces contraintes extérieures ne dépendaient pas de ma pure volonté ou de mes décisions ; elles m'étaient au contraire données comme une sorte de bonus du destin, de la même manière que mon talent pour réussir dans les études ou ma vigueur physique. Elles sont cet aspect de dureté du réel brut, de condition de départ que Sartre appelle la situation, et depuis laquelle nous sommes en mesure de nous choisir comme des êtres selon nos propres désirs, ou des êtres-pour-soi. Je me choisissais ainsi, et *je m'étais* de plus en plus, selon la formule magnifique mais intraduisible de Fernando Pessoa, quand pour dire cette même condition presque vingt ans avant l'existentialisme il a décidé de rendre transitif le verbe « être » (*sou-me,* qui veut dire « je me suis »)*. Je devenais ainsi celui que je cherchais à être, mais encore trop vide d'être, sans contenu et avec le pur dilettantisme des aventures comme unique objectif personnel. Il s'agissait encore d'un choix purement esthétique ; le choix du départ et du lointain sans qualifications spécifiques, donc sans responsabilité. C'était le simple désir de me sentir libre face aux contraintes de ma situation. Un désir négatif et non pas un choix moral d'être libre pour me consacrer à quelque tâche précise. J'aimais les aventures parce qu'elles signifiaient le départ, la nouveauté, et pas encore en raison de leur caractère de création d'un sens. En effet, seul celui qui a déjà une identité établie peut réellement la mettre à l'épreuve

* In Bernardo Soares, *Livro do desassossego,* Lisbonne, Assírio & Alvim, 1998.

dans l'aventure; pour lui seul, l'aventure peut avoir une signification de courage dans la confrontation et la transcendance. Autrement dit, seul celui qui a quelque chose à perdre court vraiment des risques et peut se dépasser. Il me manquait ainsi l'étoffe de base, qui allait se tisser au fil des années et des lectures subséquentes.

Quand je réfléchis à cette période de ma vie autour de l'adolescence, ce qui me frappe le plus, c'est l'absence de figures concrètes d'identification. Le jeune Jim Hawkins avait autour de lui les personnages variés et très contrastants du docteur Livesey, de monsieur Trelawney, et surtout de Long John Silver, sans compter le capitaine Smollett et ce fou de Ben Gunn. Son aventure pouvait ainsi devenir roman d'apprentissage, et la quête de l'île au trésor gagnait alors un aspect de transcendance morale qui dépassait l'esthétique de la pure aventure dépaysante. Je ne disposais d'aucune personne suffisamment attirante autour de moi pour chercher à gagner une estime signifiante ou pour servir d'inspiration au moulage d'une existence adulte. Mes professeurs paraissaient tous embourbés dans une vie médiocre qu'ils n'avaient pas tout à fait choisie, et cela s'exprimait par le peu de passion qu'ils mettaient dans toutes les tâches quotidiennes. Ils semblaient être transparents, sans matière, sans coins sombres ni lieux de fuite pouvant suggérer des célébrations personnelles ou même des échecs magnifiques. Ils étaient seulement sans trop de défauts, de simples professeurs qui cherchaient à passer le temps de la façon la plus prosaïque possible. Quelques-uns d'entre eux avaient des passe-temps, comme le bricolage, la construction de modèles réduits, ou encore le violon que le professeur de musique se promettait d'apprendre sérieusement quand il serait à la retraite. Rien d'autre. Même la passion du sport était un mensonge, car les professeurs de gymnastique étaient obèses et paresseux même s'ils étaient encore assez jeunes. Et les récits des faits d'armes de ceux qui étaient allés à la guerre s'embellissaient de façon disgracieuse d'année en année, au point de devenir un sujet de plaisanterie parmi les élèves.

Dans ce brouillard épais d'absence d'orientations captivantes, seule la bibliothécaire paraissait briller d'un léger éclat, surtout quand je levais les yeux discrètement de mon livre pour la regarder à la sauvette. Mais elle a vite disparu sans que je sache pourquoi. Elle a été remplacée par des employés qui se contentaient de tamponner les livres empruntés et de les examiner au retour pour s'assurer qu'ils n'étaient pas abîmés ; ils veillaient aussi à la bonne marche de la bibliothèque comme s'il s'était agi d'un simple service administratif. Et non seulement ils ne lisaient pas, mais ils ne semblaient rien connaître du mystère des romans.

Peut-être spontanément ou par simple hasard, je me suis alors tourné vers d'autres livres et d'autres auteurs, lesquels restent les seuls vestiges dans mon souvenir de figures d'identification pointant vers la quête d'existences morales. Le premier de ces auteurs qui me soit tombé entre les mains a été Maxime Gorki, dont la bibliothèque possédait l'œuvre complète dans une jolie édition reliée. J'ai tant aimé sa trilogie autobiographique que pendant longtemps j'ai songé à voler les trois volumes pour les avoir toujours à portée de la main, presque de manière religieuse. Je ne me rassasiais pas de les lire et de les relire, avec la nette impression que ces livres contenaient quelque chose de plus qu'une simple histoire, presque un message qui m'était personnellement destiné. Ses autres romans m'ont aussi beaucoup plu, même s'ils ne me touchaient pas autant, car il s'agit en général de livres décrivant la construction proprement dite d'un personnage, parfois depuis son enfance jusqu'à l'âge adulte. Et c'est exactement ce que je tentais de faire tant bien que mal avec ma propre personne. La longue étude d'une destinée humaine qu'est *Klim Samgine* m'a d'ailleurs longtemps servi de référence pour penser le temps et les étapes de ma propre existence, ainsi que pour me rassurer sur les possibilités d'avenir quand je trouvais que la vie n'avançait pas assez vite. J'ai aussi aimé l'humanisme et le parti pris de Gorki pour les défavorisés, mais sans jamais montrer ces derniers de façon manichéiste, uniquement comme bons ou comme victimes. D'ailleurs, ce réalisme critique lui a valu des problèmes avec les autorités de son temps. En lisant *Les petits bourgeois* ou *Asile de nuit*, je ne pouvais pas m'empêcher de penser à ma propre famille, et je découvrais ainsi la littérature comme instrument d'analyse et de parodie sociale.

Knut Hamsun, le deuxième de ces auteurs majeurs, a eu une influence encore plus importante sur moi, car ses thèmes sont étroitement liés à la quête personnelle de signification. Chez Gorki, j'arrivais à percevoir l'aspect historique et social d'une vie se déroulant dans le temps. Chez Hamsun, il est continuellement question de projet individuel en dépit des conditions extérieures adverses. Son individualisme souvent sauvage et romantique s'accordait à merveille avec mon état d'esprit d'alors. Il a d'ailleurs continué à être l'un de mes auteurs préférés, de ceux dont je relis toujours les œuvres avec profit ; au contraire de Gorki, qui m'a énormément donné mais qui semble avoir définitivement livré ce qu'il avait à dire.

Je ne sais pas pourquoi cela se passe ainsi, pourquoi certains livres nous suivent la vie entière comme de vrais compagnons de route, tandis que d'autres restent en arrière comme de chers amis pour qui nous éprouvons surtout de la gratitude. Mais c'est un fait, qui doit avoir ses origines dans des implications très profondes avec les aspects les plus magiques et impénétrables de notre âme. L'univers décrit par Hamsun était pourtant très exotique pour moi à cette époque ; mais, même si cela peut paraître incroyable, je crois que ce monde de Hamsun n'est pas étranger au choix du pays où je me suis enfin établi. Peut-être que je retrouve chez cet auteur le désir de liberté que cachaient les propos de mon père quand il discourait sur la neige et sur la mer Baltique, et qu'il fallait que je vienne dans un nord un peu semblable. Mais je retrouve aussi chez lui mon propre désir de vagabondage pour fonder mon identité d'artiste dans un monde prosaïque, où cette identité est perçue comme une démesure. Tout cela est bien possible, quoique j'évite de trop me poser ce genre de questions sur les auteurs que j'aime, de peur de détruire le plaisir que je retire de chaque relecture de leurs œuvres. Ce serait comme tuer la poule aux œufs d'or. S'agissant d'art, de plaisir et de désir, il est bien difficile d'approfondir l'introspection au delà de certaines limites sans banaliser l'objet de nos réflexions. Cela est vrai, absolument, en ce qui a trait à l'être aimé. Mais le plaisir esthétique a sans doute ses sources dans la même sphère psychique qui unit le corps propre au sentiment d'identité, et sa célébration doit rester autant que possible empreinte d'un certain mystère pour qu'elle continue à se reproduire avec autant d'intensité.

Je me souviens encore de l'impact presque physique, corporel, que la lecture du roman *Faim*, de Hamsun, a eu sur moi. J'ai pu ressentir quelque chose d'un peu semblable bien des années plus tard, en abordant certains drames de Strindberg et d'Ibsen. L'atmosphère expressionniste de certaines scènes s'est aussi retrouvée à quelques reprises dans mes gravures et mes tableaux, presque trente ans plus tard. J'y trouvais, pour la première fois, la passion originale d'un projet existentiel extrême, avec tous ses risques et tout le désespoir qu'on doit surmonter pour atteindre ses buts les plus extravagants. Les aspects histrioniques, toute la grandiloquence absurde de ces courses folles dans la ville endormie, l'opiniâtreté du personnage et sa révolte contre le milieu bourgeois m'ont beaucoup séduit à une époque particulièrement féconde en questionnements personnels. J'ai lu ensuite sa trilogie sur le personnage d'August, où l'opposition des destinées du vagabond voyageur et visionnaire et de ceux qui n'osent pas quitter leur foyer stimulait mes propres élans pour devenir moi aussi un déraciné. J'avais quelque part pris connaissance d'éléments épars de la biographie de Knut Hamsun, de ses balades comme conducteur de tramway à Chicago et de ses périples comme travailleur saisonnier en Californie. Cela m'a fait l'aimer davantage. Il me plaisait de penser que cet écrivain, tout comme Gorki, écrivait à propos de choses qu'il avait lui-même vécues ou vues de près, et que son écriture pouvait être ainsi considérée comme un épiphénomène d'une vie bien vécue plutôt que comme un simple désir de divertir ses lecteurs.

À cette même période, après avoir été touché par les deux romans d'apprentissage d'Erich Maria Remarque sur la Première Guerre mondiale, j'ai lu avidement plusieurs de ses autres livres. Les thèmes de l'errance et du dépouillement de soi y sont traités de manière accessible pour le jeune homme que j'étais, et ils m'ouvraient alors des horizons beaucoup plus proches de ma condition et de mon temps. Trachtenberg, un camarade de classe rêveur comme moi, qui était aussi un lecteur avide et qui apportait souvent des romans de chez lui à chaque retour au collège, m'a fait connaître *La septième croix* et *Les morts restent jeunes* d'Anna Seghers, et *La tempête* d'Ilya Ehrenbourg, tous dans les éditions de la maison de publication du PC brésilien. Ces livres sur les guerres ont été peut-être les premiers de ce qui allait devenir une grande passion, c'est-à-dire non pas la guerre en tant que telle, mais l'être solitaire et individualiste pris malgré lui dans une situation de conflit et de discipline collective. J'allais continuer à explorer ce thème à travers de nombreuses lectures sur des sujets aussi variés que les camps de concentration et la vie en prison, les ordres religieux, les partis politiques ou même les clochards. C'était toujours la même question du lointain, mais elle se précisait et me permettait de comprendre l'étendue des conséquences et des risques de ce choix qui se cristallisait en moi. À cette même époque, comme si le hasard était en train de me venir en aide, j'ai lu aussi *Germinal*, mon premier Zola, et je me suis délecté avec le personnage de Souvarine. Ensuite, *Moby Dick* et *La vareuse blanche*, mes premiers Melville, et *Pour qui sonne le glas*, mon premier Hemingway.

La découverte des œuvres de Joseph Conrad parallèlement à celles de Somerset Maugham a élargi de façon substantielle mon concept d'aventures existentielles. J'avais enfin lu *Le fil du rasoir*, suivi de près par *De la servitude humaine*, et j'étais encore sous le charme de cette recherche mystique et amoureuse d'un sens à la vie, quand je suis tombé sur un commentaire de quatrième de couverture qui décrivait Somerset Maugham comme étant la version édulcorée d'un écrivain polonais de langue anglaise nommé Joseph Conrad. Or, il y avait à la bibliothèque l'œuvre complète de ce dernier, que j'avais sans motif apparent ignorée jusqu'à ce moment-là. Quelle découverte ! Il s'agissait en effet de quêtes comme celles des romans de Maugham, mais chez Conrad elles aboutissaient à des échecs spectaculaires, à des catastrophes existentielles tout à fait remarquables ; elles étaient ainsi particulièrement instructives pour un apprenti vagabond comme moi. À l'exemple de Hamsun, Conrad reste l'un de mes maîtres littéraires jusqu'à présent, et il me plaît de penser que, comme lui, j'écris dans une langue étrangère que je n'arriverai jamais à parler à la perfection.

Vers l'âge de quinze ans, presque vers la fin de mon séjour à l'internat, j'ai lu mon premier Dostoïevski : *Crime et châtiment*. C'était comme entrer dans le monde du personnage de *Faim* si celui-ci avait eu le courage de tuer. Un livre exquis, avec des analyses de l'âme humaine telles que je n'en avais jamais rencontrées nulle part, et qui allaient faire de Dostoïevski l'écrivain que je respecte et admire le plus. Je connais et possède son œuvre complète en diverses langues, mais la richesse qui s'y trouve est telle qu'une seule vie n'est pas suffisante pour tout explorer comme il se doit. Mon adolescence allait d'ailleurs être essentiellement consacrée à lire et à relire l'œuvre de cet écrivain, tout en me divertissant ici et là avec la relecture d'autres auteurs, mais sans nouvelles découvertes significatives.

❏

Un survol rapide de cette énumération de livres et d'auteurs suffit pour qu'on se rende compte que, dès le début, la lecture a été pour moi une source de réflexions sur la vie plutôt qu'un simple divertissement. La plupart de ces livres sont de manière plus ou moins évidente des romans d'apprentissage ou des aventures extrêmes. Et cette façon d'envisager l'espace littéraire comme un lieu d'exercices existentiels m'est restée toute la vie. Encore maintenant, en entrant dans la vieillesse, un roman n'a d'intérêt pour moi que s'il me permet des identifications ou des aventures qui correspondent à celles qui me tiennent à cœur. Je n'arrive pas à aimer un livre simplement parce qu'il raconte une bonne histoire, parce qu'il est bien écrit ou parce qu'il est dépaysant. Je suis incapable de cette ouverture d'esprit ou de cette frivolité. Chaque roman que j'aime se révèle être celui d'une de mes possibles trajectoires, et il me faut absolument une identification, une sympathie, une sorte d'intimité avec le personnage que je reconnais être un peu moi-même dans une autre vie. Et il faut qu'il me ressemble, sinon ce n'est pas un livre pour moi, et je ne perds alors pas de temps à tenter de le comprendre ni à juger ses mérites. Voilà pourquoi je ne pourrais jamais être un critique littéraire ni même un bon professeur de littérature. Et je ferais faillite comme libraire. Le contenu des livres reste pour moi un objet de passion sans aucun compromis. Mon usage de la fiction est trop lié à mon exercice de l'existence, au projet de devenir moi-même, et il se situe ainsi dans un registre trop personnel, tout à fait distinct de l'objectivité des appréciations sociales — si jamais les appréciations sociales ont une quelconque objectivité. Dans ce sens, mes goûts littéraires sont restés intimement liés à mes émotions et à mes projets, de la même manière que mes goûts érotiques, affectifs ou plastiques sont essentiellement ancrés dans mon esprit, sans barèmes objectifs ou standardisés. J'aime un livre parce qu'il parle d'une certaine façon de moi, parce que je peux m'y perdre dans d'autres moi-même que je n'avais pas encore envisagés, dans des aventures qui ressemblent aux miennes ou dans des conflits similaires à ceux que j'ai affrontés dans le passé. Ma curiosité à l'égard des autres mondes individuels est extrêmement réduite, et ma patience envers des questions qui ne me touchent pas directement est donc très limitée. Par conséquent, après une vie entière de lecteur avide, il m'est vraiment difficile de trouver des livres assez intéressants parmi la masse de romans publiés chaque saison et dont on dit qu'ils sont bons. Mais bons pour qui ? Pour les courriéristes des journaux, pour les professeurs ou pour cette absurdité irréelle de nature touristique qu'on appelle le lecteur moyen ? Je n'en sais rien. Quant à moi, il faut que les romans me parlent de ma propre aventure, il faut qu'ils soient écrits par des auteurs ayant une quête de même nature que la mienne, par des types qui seraient d'une certaine façon mes camarades dans l'existence. J'ai même déjà pensé que c'est surtout cet usage trop personnalisé de la littérature qui m'a poussé à écrire tant de romans après l'âge de cinquante ans. Ce n'est pas une boutade : il est bien possible que je les aie écrits tout simplement pour pouvoir les lire et me délecter ainsi à découvrir de la variété de mon propre égocentrisme. D'ailleurs, et je le dis le plus sérieusement du monde, mes propres livres sont dans ce sens les meilleurs livres que j'ai jamais lus, car ils parlent uniquement de mon propre univers sans toutefois être autobiographiques ! Ce sont justement ces vies multiples d'autrefois, des variations sur les thèmes qui me sont chers, des exercices de mes vies que je n'ai pas eu le temps ou la chance de vivre. Naturellement, je trouve aussi des éléments de ces thèmes chez des auteurs que j'admire, et c'est pour cette raison que je les lis et les relis toujours avec plaisir. Mais ils possèdent une masse énorme d'autres éléments qui ne me concernent pas, et il me faut les dépouiller pour accéder à ce qu'ils contiennent relevant de ma propre personne et de ma manière de voir l'existence. Les Kokis, au contraire, sont essentiellement écrits pour moi ; ils renferment également, caché dans les références croisées et dans l'intertextualité, tout un monde qui m'est cher, tous mes hommages à mes maîtres à penser ainsi que mes propres transformations et appropriations de leurs leçons originales. Je me découvre ainsi, tard dans la vie, profondément hégélien sans l'avoir voulu, comme cet Être initial de la *Phénoménologie de l'esprit* qui se nie pour se développer et pour se donner à voir à soi-même selon des perspectives qu'il ne pouvait pas soupçonner tout au début. Sauf que je n'aboutis pas à l'impérialisme allemand comme l'être suprême de Hegel, mais bien à une série d'aventures en forme de laboratoires pour me regarder, comme un enfant qui se divertit dans un pavillon des miroirs.

Je conviens que cet usage extravagant de la littérature est peu usité, ou en tout cas il est peu rapporté dans les confidences d'écrivains ou de lecteurs. C'est un usage du type fait sur mesure, qui se distingue du choix du lecteur qui butine dans les librairies à la recherche d'un bon livre ou d'un roman primé. Je qualifierai ce dernier choix comme étant celui de l'acheteur du prêt-à-porter, et ceci sans aucun jugement de valeur eu égard à son dilettantisme. Le lecteur dilettante cherche sans doute dans un roman à se cultiver, à se divertir, à passer un bon moment, ou simplement à se dépayser de son quotidien en se mettant en contact avec des univers qui ne sont pas les siens. Il s'agit donc d'un choix esthétique, et je reconnais qu'il correspond à l'objectif le plus courant des œuvres de fiction, c'est-à-dire faire rêver. Mon choix, de type plutôt éthique, est le plus curieux des deux, et il exige une explication, d'autant plus qu'il a l'air de me confiner dans une sorte de rigidité de goûts très peu à la mode, ou à une circularité à la fois obsédante et appauvrissante.

Je crois que l'origine de mon attitude se trouve dans le choix initial de ne pas fonder mon identité à partir d'une appartenance objective, et de tenter de la créer de toutes pièces par mes propres moyens. Cette décision, on s'en souvient, n'était pas un caprice d'enfant, mais était provoquée par la précarité de ma situation initiale, où s'opposaient la pauvreté des figures d'identification à ma disposition et ma convoitise d'être et de significations dont je n'ai pas pu retrouver la source. Ce choix et la voie à laquelle il mène impliquent un continuel retour sur soi, dans une sorte d'instabilité foncière, car le sujet n'aura pas, ou si peu, de certitudes extérieures sur quoi s'appuyer. Au contraire, dans le cas du choix d'appartenance — que ce soit à une famille, une tribu, une patrie, une race ou une tradition —, le sujet pourra transférer la responsabilité de soi et de sa destinée à des repères extérieurs généralement apaisants et fournisseurs de significations toutes prêtes. Inutile de m'étendre sur la valeur ou les pièges de la mauvaise foi que ce genre d'attitude peut receler pour la qualité de l'identité, car c'est justement contre ce type d'option essentialiste que je me suis choisi. En outre, ma position n'était pas le contraire de ce choix identitaire de l'appartenance, et qui serait celle de la simple révolte, comme c'est le cas du délinquant ou de l'homme antisocial. En effet, mon attitude de révolte d'abord purement négative s'est vite transformée en quête d'une vraie identité originale. Ma position était donc contradictoire au sens logique du terme en relation à cette position d'identification à des réalités extérieures immanentes. L'instabilité de mon parti pris existentiel, convenablement renforcé par le départ en institution, m'obligeait alors à une vigilance et à une rigueur dans mes nouvelles options, de manière à ne pas simplement changer d'allégeance en m'identifiant à d'autres familles, à d'autres tribus ou à d'autres valeurs. Ainsi, le sentiment de culpabilité a agi comme une sorte de garde-fou de ma liberté, car tout choix extérieur facile aurait impliqué une simple trahison de ma famille. J'étais d'une certaine façon condamné à être libre, à me créer de manière originale pour dépasser réellement ma situation de départ. Et cette condamnation dure la vie entière si l'on se fait une règle de traquer la mauvaise foi et de garder le choix initial comme aventure. Ce qu'on gagne en liberté, en disponibilité et en lucidité se paye au détriment des loisirs ou des purs dépaysements. Au contraire, l'apparente sécurité intérieure provenant des valeurs extérieures auxquelles on s'attache, comme un wagon à un train en marche, rend le sujet disponible pour des choix esthétiques, voire frivoles s'il le veut, pour la variété des expériences comme pur divertissement ou comme simples passe-temps. L'équilibre continuellement instable, toujours à recommencer de celui qui se choisit comme seul fondement de son propre sujet implique un soin rigoureux de soi, à chaque moment, et il ne pourra alors plus s'abandonner à l'extérieur de lui ; son temps est précieux, car il devient littéralement le spectateur et le metteur en scène de sa propre vie.

Tous les aspects de la vie de celui qui se choisit comme être de l'errance, comme absolument étranger et sceptique deviennent ainsi essentiels, du fait même qu'il se dépouille des accidents et de la gangue originale. Paradoxalement, dans son insouciance envers les vérités dites établies, il devient un être du souci ; mais du souci de soi. La littérature, qui pour les autres est une forme de loisir, deviendra pour lui une collection de théories de l'existence, où il ne cessera de chercher pour renforcer cette identité toujours précaire. Mais, de grâce, ne le plaignez pas ! Dites-vous bien que, dans sa position apparemment inconfortable, il est profondément heureux ; même qu'il se sent supérieur à tous ceux qui vivent dans le confort des certitudes extérieures. Il est ainsi une sorte de

« dandy-clochard » de l'existence, et c'est pourquoi seuls ses semblables peuvent attirer son regard et sa considération.

C'est un peu ainsi que je me sentais déjà, quoique infiniment plus fragile et hésitant qu'aujourd'hui, quand j'ai appris mon expulsion de l'internat à l'âge de seize ans. Je n'avais rien fait de spécifique pour mériter cette mesure radicale; j'étais d'ailleurs trop habitué à passer inaperçu, à cacher mon absentéisme et mes soûleries. Les autorités de la fondation du collège ne savaient même pas comment justifier leur décision. « C'est mieux pour tout le monde », se sont-ils bornés à dire, sans autre commentaire. Dans leur ignorance face à une identité naissante si peu malléable, ils soupçonnaient tout bonnement que j'étais une graine de potence, et que seul le service militaire pourrait me mater.

Pourtant, j'étais content là-bas, et je réussissais très bien dans mes études. Sous des abords un peu cyniques, peut-être, mais je n'étais plus le bagarreur du début. Mon absence de respect envers les valeurs éternelles devait malgré tout transparaître sans que je m'en aperçoive dans ma façon désabusée d'esquiver toute question concernant mon avenir, mon choix de carrière ou mes sentiments civiques. Mais je souhaitais y rester jusqu'à la fin de mes études collégiales, un peu comme un détenu en état de chronicité désire rester sous la protection des murs de la prison, tout en ne s'identifiant pas aux valeurs de pénitence ou de repentir. Il le fait par peur de la vie. Dans ce sens, une fois de plus, ces bienfaiteurs de l'internat m'ont rendu un excellent service en se débarrassant de moi, même si je ne l'ai compris que bien des années plus tard.

6

Le retour à Rio de Janeiro après tant d'années d'isolement dans l'internat a été un choc pour moi. Cette chute dans la vraie vie a mis à l'épreuve mon monde de rêveries avec d'autant plus de force que j'étais à cette époque en plein dans l'état de déséquilibre de l'adolescence. Une fois que je me suis trouvé sans la protection de l'uniforme, des murs et de la sécurité matérielle qu'offrait la vie institutionnelle, la dureté du réel palpable ne pouvait plus être escamotée. J'étais tout d'abord un jeune homme sans fortune et sans famille capable de l'aider à se tailler une place dans la société. Cela peut paraître trivial aux yeux des gens repus, mais je regrettais avant tout les trois succulents repas quotidiens du pensionnat ; en pleine croissance, un petit détail de ce genre peut faire une énorme différence dans notre état d'esprit ou dans nos décisions les plus exaltées. Il n'y avait plus de bibliothèque où me réfugier, avec des livres à ma disposition, du silence et du confort pour continuer à vivre en dehors du monde. Ma grande facilité pour les études m'a permis de décrocher une place dans un autre collège gratuit en ville ; mais les garçons et les filles qui le fréquentaient venaient tous de familles bourgeoises aisées, et la pauvreté de mes moyens financiers et de mes habits me condamnait à une marginalité certaine. Les filles qui me plaisaient flairaient à distance ma véritable nature de sauvage et ne se cachaient pas pour me le faire savoir. Je me rendais par ailleurs compte que j'avais jusqu'alors vécu dans une sorte de monde artificiel, et que mon identité n'était tout au plus qu'un ensemble de vagues intentions sans autre fondement que mes propres dispositions de tempérament. Et toute la richesse que je croyais avoir accumulée au fil de mes lectures ne valait rien aux yeux des gens que je fréquentais. Si je voulais continuer à rêver, il fallait m'occuper des choses matérielles les plus urgentes, y compris la nécessité de me décider enfin pour des études universitaires, car j'achevais les études collégiales. Je savais que je voulais continuer à étudier, non seulement pour perfectionner cette nature d'artiste ou d'intellectuel qui se stratifiait déjà, mais aussi parce qu'aucune profession ne m'attirait vraiment. Étudier signifiait ainsi ajourner l'entrée dans le vrai monde, sans compter que l'étudiant universitaire avait plusieurs avantages à cette époque, dont les repas aux restaurants universitaires n'étaient pas le moindre. Mais étudier quoi, si tout me semblait fade et menait nécessairement à une fruste existence bourgeoise ?

Je me souviens de cette période comme étant la seule où j'ai jamais éprouvé un réel sentiment d'insécurité. La fin de mon enfance s'était déroulée dans l'internat, et ce retour à la grande ville me mettait face non seulement à ma situation précaire, mais aussi à mon manque d'expérience et de savoir-faire dans la vie en société. Je manquais de manières, ma façon de danser était celle des bordels, et mon éblouissement devant la richesse du monde après la pénurie existentielle dans l'institution me rendait conscient de mes maladresses avec une cruelle acuité.

Ma défense naturelle a été le repli sur moi-même, sur mon identité idéale de déraciné que je vivais désormais avec une dérangeante actualité quotidienne. Ce n'était plus un jeu mais bien la seule identité à ma disposition, même si sa pauvreté de contenus trahissait encore son caractère artificiel. Il s'agissait donc de la renforcer dorénavant, non plus à travers les rêveries mais par des attitudes concrètes et une indépendance réelle, surtout du point de vue matériel. Mais par où commencer si je commençais en partant de rien, et dans une société aux classes sociales compartimentées, avec très peu de place pour la mobilité sociale ? Il me faudrait de longues années d'études avant de pouvoir exercer une profession qui me sortirait de la misère, et que je devrais exercer ensuite comme un esclave jusqu'à la fin de mes jours. Je me rendais ainsi compte des contradictions internes difficiles à résoudre que comportaient mes dispositions d'esprit. D'un côté, je voulais être un vagabond, à la façon des clochards, des pêcheurs ou des marins ; je souhaitais une vie d'aventures, libre dans la rêverie et sans trop de rapports avec le sérieux teinté de frivolité des adultes qui m'entouraient. D'un autre côté, je souhaitais aussi une vie entourée de livres, plongée dans les réalités symboliques et spirituelles, avec un minimum de confort et un maximum de solitude, tout à fait comme celle que je venais de laisser à l'internat. Sans compter que j'étais pas mal romantique, et que la fréquentation subite de tant de filles de bonne famille avait ramolli mon âme et exacerbé mes désirs. Il est évident que tout ceci était en parfaite conformité avec l'ensemble des lectures que j'avais faites durant plus de six années d'isolement. Je n'en étais pas conscient, puisque tout mon univers mental était formé de la sorte, et que je ne disposais pas encore de points de vue multiples pour me remettre en question. Mais j'étais capable de comprendre que ces diverses intentions seraient difficilement réalisables, ou même qu'elles étaient contradictoires et absurdes sans un minimum de sécurité matérielle. Combien de fois n'ai-je alors rêvé à la rente annuelle de trois mille dollars dont disposait Larry, le personnage du *Fil du rasoir*, et qui garantissait justement sa liberté et son je-m'en-foutisme existentiel ? Ce genre de réflexions, plutôt que d'ouvrir des brèches réalistes dans mes schèmes mentaux, me poussait au contraire à plus de révolte et à me renfermer dans mes vérités abstraites. J'avais tant et tant fabriqué de vies fictives et d'identités virtuelles qu'il m'était alors impossible de changer de cap, puisque je ne connaissais pas d'autre façon intéressante d'être au monde.

J'empruntais au hasard des livres à mes camarades de classe, ou je lisais simplement ce qui me tombait sous la main pour continuer à rêver, pour me donner l'illusion que tout n'était pas perdu. Je vagabondais en de longues promenades solitaires, visitant les plages et les quartiers riches, mais de plus en plus conscient que je me trouvais dans une sorte d'impasse. Les moindres choses de la vie de tous les jours, comme une chemise propre ou une rage de dents, devenaient des obstacles infranchissables dans ma condition de dépossédé. Je lorgnais dans les librairies les livres que je n'osais pas voler, et je me contentais d'amourettes de passage et de petites consolations dans les lits des putes. Je n'arrivais à envisager ni un avenir ni des projets précis pour me sortir de ce bourbier quotidien. Le spectacle de la pauvreté absolue dont j'avais été témoin au cours d'un voyage à l'intérieur du pays durant mon séjour à l'internat me revenait continuellement à l'esprit comme une menace. J'ai raconté ce voyage en détail dans *Le pavillon des miroirs*, comme étant une sorte d'éveil à la vie et à ma propre décision de ne jamais m'abandonner à la passivité. Cette prise de contact direct avec la misère et avec ce qu'elle implique de déchéance spirituelle m'avait en effet ébranlé, en renforçant ma détermination de sortir coûte que coûte de la condition de ma famille. Mais voilà que je me retrouvais dans une situation presque impossible, où c'était la matérialité des choses, et non plus les décisions abstraites, qui comptait. Je commençais ainsi à purger la peine existentielle que je m'étais créée, et il fallait apprendre à me battre au jour le jour si je ne voulais pas succomber. Dans mes périples solitaires, souvent tard dans la nuit, des scènes décrites par Knut Hamsun dans *Faim* assaillaient ma conscience et provoquaient une oscillation entre l'angoisse et le désespoir. Les plongées mémorables dans l'ivresse qui suivaient ces moments difficiles n'apportaient aucune réponse ni aucune direction. Dans ma solitude apparemment sans issue, je me demandais si j'étais vraiment assez courageux pour affronter le genre de combat décrit dans *Faim*, ou si j'allais m'abandonner comme certaines épaves humaines des romans de Conrad ou de Somerset Maugham. Que faire alors, revenir chercher l'appui de ma famille ? Mais ma famille n'existait déjà plus comme lieu de sécurité depuis longtemps. Et mon expulsion de l'internat, en prouvant que j'étais bel et bien destiné à mal finir, venait de couper les derniers ponts qui me liaient à elle. Aussi, j'étais allé trop loin dans ma démarche spirituelle pour pouvoir revenir en arrière sans me détruire comme personne. J'étais donc bel et bien condamné à une destinée humaine semblable à celle de Caïn: « Tu seras un errant parcourant la terre. »

D'autres jours, avec le sens de l'humour à la surface et la mélancolie provisoirement enfouie dans les oubliettes, je comparais mon sort farfelu à celui de Don Quichotte. Plutôt que de me perdre dans les livres sur la chevalerie, je m'étais perdu dans les romans d'aventures, mais la quête d'honneurs délirants paraissait la même. J'arrivais ainsi à mieux penser mon projet existentiel de liberté en m'avouant presque le vide identitaire qui supportait toutes mes lubies. Oui, me disais-je, je suis vide, je ne possède pas grand-chose sur quoi me bâtir comme personne; mais au moins je le sais, comme je sais aussi ce que je ne veux pas devenir. Le souvenir des misérables aperçus autrefois sur la route de Bahia, de simples volumes dans le paysage, se juxtaposait alors à ceux des gens de mon entourage pour révéler leur véritable nature et tout ce que je refusais. Il valait donc la peine de continuer à refuser, juste pour voir ce qui allait arriver, avec la seule conviction que je ne serais pas un simple volume dans le paysage de la vie. Prendre conscience, c'est tout ce que je pouvais faire à ce moment-là; prendre conscience et durer, mais sans trop faire de compromis pour ne pas perdre de vue ce qui m'était cher et ce que je méprisais.

J'attendais donc, vivant de petits jobs sans avenir et qui n'exigeaient de moi aucun effort mental; c'étaient de simples moyens de survie en attendant de trouver une sortie. Heureusement que j'étais costaud et en bonne santé. J'ai ainsi distribué des circulaires, j'ai été manœuvre pour des chantiers électriques, j'ai fait l'emballeur dans un dépôt de ferronnerie, j'ai copié des plans d'architecture, et puis j'ai été homme à tout faire dans une imprimerie et livreur de lourdes boîtes de tracts pour un candidat député. J'ai même donné des cours privés de rattrapage de chimie à des élèves en difficulté.

Mais l'expérience la plus intéressante du point de vue littéraire et existentiel a été celle de reporter policier la nuit. J'avais été engagé à la pige, pour faire son travail en cachette, par le reporter titulaire qui avait aussi un autre job ailleurs. Il avait besoin d'un remplaçant bien discret pour lui ramasser les nouvelles de la nuit, pendant qu'il s'occupait des sports dans un autre journal. Avoir plusieurs emplois simultanés était un peu la norme à ce moment-là au Brésil, car les salaires étaient très bas et les gens se débrouillaient du mieux qu'ils pouvaient. J'ai si bien travaillé que le journal m'a ensuite gardé comme reporter surnuméraire. Je gagnais très peu, et je n'étais pas toujours payé, mais le trésorier nous donnait souvent des bons permettant de manger dans les restaurants voisins, et qu'on pouvait aussi échanger contre de l'argent ou des cigarettes avec des gens encore moins fortunés. De toute façon, en tant que reporter, il était parfois possible de manger gratuitement dans nos tournées nocturnes, ou de se faire servir un verre ici et là, même de se faire un peu d'argent de poche avec des trafics parallèles. Le chauffeur de la jeep et le photographe que j'accompagnais eurent tôt fait de me mettre au courant de leurs combines, et j'arrivais ainsi malgré tout à m'en sortir. L'arrivée de la jeep du journal était toujours un événement qui attirait la curiosité des habitants des quartiers pauvres ou des favelas, où nous allions dénicher nos cadavres et nos viols pour l'édition du lendemain. Le reporter et le photographe étaient aussitôt accueillis et invités au troquet du coin, chacun des badauds voulant raconter sa version des faits dans l'espoir de voir son nom ou sa photo publiés dans le journal. Par ailleurs, comme la police ne s'occupait pas de nous — nous étions chroniqueurs policiers ! —, il y avait toujours moyen de rendre un petit service à des connaissances du chauffeur, comme transporter des paquets non identifiés, ou même sortir de là une pute ou un trafiquant se trouvant dans le pétrin. Cela nous valait des entrées sans danger un peu partout. Nous n'avions certes pas la renommée des journalistes des deux quotidiens les plus sanguinaires, *O Dia* et *A luta democratica*, spécialisés dans les affaires criminelles, et qui étaient toujours accueillis et fêtés comme des célébrités. Mais notre journal, le *Diario de Noticias*, était quand même très populaire auprès de la classe moyenne la plus pauvre, et les gens collaboraient volontiers avec nous. Les faits divers se répétaient cependant de façon très stéréotypée nuit après nuit. Il s'agissait généralement de cadavres découverts criblés de balles, victimes de règlements de comptes ou d'exactions policières; parfois les policiers appelaient eux-mêmes les journaux après leurs exécutions sommaires de petits voleurs ou de trafiquants de marijuana. Ou alors, c'étaient des femmes battues ou violées, des bagarres entre ivrognes, des incendies ou les éboulements de terrain après les grandes pluies. Le photographe surtout avait du travail, car les beaux clichés étaient très prisés par le lectorat, en particulier les photos de corps féminins dénudés. Et s'il avait la chance d'en capter de bien beaux, il pouvait aussi les vendre sous le manteau à d'autres photographes arrivés trop tard sur les lieux du drame. Les photos étaient si importantes qu'une fois, ayant manqué un suicide mélodramatique, nous avons dû aller à la morgue et soudoyer les employés pour qu'ils nous laissent faire une petite mise en scène, histoire d'avoir de beaux clichés du cadavre en question. Mais c'était rare, puisque notre chauffeur avait de bons contacts un peu partout dans les postes de police, et nous recevions d'habitude les bons tuyaux à temps. Il va de soi que les gens des deux journaux sanguinaires étaient toujours sur place avant nous; le bruit courait que les policiers et les criminels les avertissaient avant même de commettre leurs méfaits, pour être certains d'avoir leurs nouvelles bien rendues par ces deux quotidiens populaires.

Mon rôle n'avait rien de littéraire ni de romantique. Je devais recueillir les faits, le nom des gens impliqués et le plus de détails scabreux possible sur ces tragédies, y compris l'opinion des policiers et des clients des troquets avoisinants. Le rédacteur des pages policières donnait ensuite forme à la nouvelle. Je cherchais naturellement à rédiger mes rapports en l'imitant du mieux que je pouvais, mais je tombais toujours bien en deçà de sa verve grandiloquente. De toute façon, il attendait de moi uniquement des détails essentiels pour donner un minimum de crédibilité à ce qu'il allait créer. Ensuite, connaissant le goût de son public, il réinventait les faits à sa guise en se servant de l'opinion des badauds ou du climat général de la scène du crime. Il fallait innover chaque jour, épicer les histoires, faire preuve enfin de beaucoup d'imagination pour arriver à varier un peu les faits divers répétitifs.

Mais cet homme était un vrai artiste dans son domaine, un grand spécialiste des adjectifs et des mots techniques si abondants dans la langue portugaise pour signifier les différents types de meurtres. Ainsi, le banal homicide se déclinait en termes de « parricide », « matricide », « infanticide », « fratricide », mais aussi en « *latrocidio* » (meurtre en cours de vol), « *uxoricidio* » (meurtre du conjoint), « *lenocidio* » (meurtre d'une prostituée) et d'autres encore que j'ai oubliés, avec leurs adjectifs respectifs et même des adverbes dérivés de manière fantaisiste. Le simple meurtre n'existait pas, car il fallait le caractériser par une foule d'épithètes comme « passionnel », « désespéré », « horripilant », « répugnant », « maniaque », « glacial », « religieux », « satanique ». La rage, la vengeance ou la jalousie atteignaient aussi leur sommet avec des attributs tels que « sodomite », « fulminante », « mystique », « idolâtre », « scélérate », « ignoble » et même « castratrice ». Et les descriptions des cadavres, particulièrement ceux des femmes et des enfants, touchaient parfois au sublime. Il faut dire que la criminalité était déjà à cette époque un véritable fléau et que la police n'offrait aucune protection aux populations pauvres les plus menacées. Les photos et les articles sanglants des journaux servaient ainsi d'exutoire à la peur quotidienne des misérables, car c'étaient les uniques nouvelles les concernant. De pair avec le football, seuls les faits divers faisaient vendre les journaux aux pauvres.

Je suis resté au journal jusqu'en 1965, sans grande passion journalistique mais en me divertissant beaucoup avec les sorties policières. Curieusement, c'est au *Diario de Noticias* (du dimanche 20 décembre 1964) que j'ai pour la première fois publié un texte signé de mon nom. Cela s'est passé d'une drôle de façon, qui en dit long sur le niveau de la vie intellectuelle en ce temps-là. Tout le monde dans la rédaction parlait du cas incroyable de cet écrivain français qui venait de refuser le prix Nobel. Refuser ! Les gens n'en revenaient pas, d'autant plus que le prix était accompagné d'une bourse exorbitante en couronnes suédoises et non pas en cruzeiros brésiliens, ce qui signifiait une fortune en dollars américains. Était-il fou ou quoi ? se demandaient les journalistes abasourdis, sans trop savoir comment interpréter le geste absurde de ce type-là, un certain Jean-Paul Sartre. J'étais déjà en deuxième année de faculté de philosophie à cette époque et, sans trop vouloir m'étendre sur le sujet, j'ai tenté de leur expliquer le sens de ce refus. Les rédacteurs n'arrivaient pas à croire que moi, le plus jeune, j'avais entendu parler de l'écrivain en question, et que je pouvais même soutenir un geste aussi bizarre que celui de refuser une fortune. Le rédacteur en chef m'a alors demandé d'écrire un petit article là-dessus, car même si notre journal était modeste, il n'allait pas rester en arrière des autres au sujet d'un fait divers aussi spectaculaire. Refuser du fric ! J'ai alors écrit un long texte, principalement inspiré par les discussions que nous avions à la faculté. J'étais persuadé qu'on allait le charcuter ou l'embellir comme c'était l'usage avec mes créations policières. Quelle ne fut pas ma surprise, le dimanche suivant, de lire l'intégrale de mon article (« J.-P. Sartre : anatomie d'un refus ») sur une page entière du journal, avec mon nom en lettres grasses à côté. Mes camarades à l'université trouvaient cela bien cocasse, puisque mon journal était vraiment minable, même si mon article avait été l'un des plus rigoureux sur l'attitude de Sartre. À la rédaction, cependant, mon statut a grimpé d'un cran, avec pour conséquence la jalousie de certains rédacteurs qui craignaient que je ne devienne une menace à l'avenir. Après m'avoir fait des éloges pour la couverture sophistiquée de ce fait divers bizarre concernant l'écrivain français, le directeur du journal m'a offert une prime pour que je m'achète une paire de souliers neufs.

❑

Mon choix d'études universitaires a été un autre pas important durant ces années-là. Faute de meilleures idées, je me préparais aux examens d'entrée à la faculté de médecine simplement parce que j'avais de bonnes notes en chimie et en biologie, et que je me débrouillais assez bien en physique à la fin du cours collégial. Les préparatifs pour la médecine avaient aussi l'avantage d'être les mêmes que pour l'entrée en pharmacie et en biologie ; ces cours étaient des options de plus facile accès, avec moins de candidats pour le nombre de places. Cette gamme de possibilités m'assurait que, bientôt, je pourrais manger dans les restaurants universitaires même si j'échouais à l'examen d'entrée en médecine. Pourquoi cependant la médecine ? Surtout en raison du fait que Somerset Maugham avait étudié la médecine, mais aussi parce que souvent dans les romans j'avais trouvé des médecins employés sur des navires marchands, dans des expéditions ou dans des safaris. Même les guerres et les révolutions avaient toujours besoin de médecins, et je comptais ainsi voyager et me divertir tout en gagnant mon pain. Je reconnais qu'il s'agit d'un argument de moindre poids moral pour un choix aussi spécifique que celui de m'occuper des souffrances physiques de mon prochain. Mais il en était ainsi, et les souffrances physiques ou morales de mon prochain ne sont jamais entrées en ligne de compte dans mes choix personnels. Je choisissais une profession qui me donnerait la possibilité de suivre ma seule vocation : les aventures et le vagabondage. Soigner mon prochain n'a jamais été une vocation pour moi, et je me demande si ça l'est pour la plupart des médecins. Je pense toujours qu'à moins de croire en Dieu et à une récompense éternelle, on n'a pas le droit de se faire embêter la vie durant par les infortunes de ses semblables. La véritable passion scientifique et technologique d'un médecin pour son travail me paraît, au contraire, tout à fait digne d'éloges comme choix de vie, comme l'est celle du physicien ou du mathématicien, celle du peintre ou du musicien. Si le médecin peut aussi s'adjoindre l'ornement de la compassion pour son prochain, tant mieux ; une bonne réputation d'humaniste ne fait de mal à personne. Mais j'hésiterais à me faire soigner par un médecin qui me percevrait avant tout comme une personne souffrante et non pas comme un objet d'exercice de sa passion scientifique.

Je me préparais alors du mieux que je pouvais, et j'étais certain de décrocher une place quelconque. Je me disais que, comme biologiste ou pharmacien, je voyagerais dans des contrées exotiques à la recherche de plantes insolites, et que j'arriverais à m'amuser. Sinon, je changerais de cap et je trouverais quelque chose de plus agréable en chemin. Après tout, Darwin et Humboldt avaient fait de beaux voyages grâce à la biologie, et James Cook avait toujours un naturaliste à bord de ses bateaux.

Le revirement total de mes choix s'est cependant fait de manière inattendue lorsque je suis allé m'inscrire à l'examen d'entrée en biologie. Les inscriptions étaient centralisées à la Faculdade Nacional de Filosofia pour toutes les études menant au magistère ; des étudiants des diverses disciplines donnaient des conseils aux candidats et les aidaient pour les inscriptions. Or, une jolie fille aux formes plantureuses, qui s'occupait des candidats au cours de philosophie, s'est rendu compte de mon intérêt pour sa personne ; mine de rien, elle s'est approchée pour me demander si j'avais besoin d'aide. Sentant mon enthousiasme et mes hésitations devant ses beaux seins, mais décidée à me remettre à ma place, elle s'est alors mise à m'expliquer d'un air supérieur le genre d'études qu'elle faisait dans cette faculté, combien c'était sérieux, la pensée des grands esprits, et blablabla. Je ne savais pratiquement rien de ce genre d'études, car mon professeur de philo au collège était un pauvre type qui confondait la philosophie et la simple morale, et qui nous servait une sorte de soupe beaucoup plus proche de la théologie ou même du catéchisme. Et voilà que cette belle fille d'apparence délurée et même un peu beatnik s'évertuait à me parler d'une série d'auteurs importants dont je ne connaissais même pas une page. Alors que la file d'attente avançait, elle continuait en évoquant la révolte sociale, la transformation du monde par la parole, les théories scientifiques et artistiques, et en particulier la beauté des dialogues de Platon qu'elle lisait à ce moment-là. Étrangement, pendant qu'elle discourait ainsi pour m'en imposer, elle devenait plus chaleureuse, assez coquette, souriante, et n'avait plus l'air offusquée de mon intérêt pour ses formes. Moi, au contraire, je devenais de plus en plus curieux de ce qu'elle me racontait, et j'oubliais presque ses seins au profit de questions précises concernant cette fameuse philosophie. Elle m'a donc invité à prendre une bière de l'autre côté de la rue, justement dans mon ancien bar Esplanada, en face de la place Italia.

Ce dont elle parlait me paraissait si captivant que je me voyais déjà partir en voyage dans le monde des idées et des penseurs, sans plus devoir passer par d'ennuyeuses études de médecine ou de biologie. J'étais tout à fait fasciné par ce monde nouveau dont j'ignorais tout et qui paraissait être à ma portée. Après la bière, de retour à la fac pour l'inscription, j'ai oublié la biologie et je me suis inscrit plutôt au concours de philosophie. Il restait cependant la préparation pour l'examen, où je devrais passer une épreuve d'histoire de la philosophie sans jamais avoir entendu parler de cette matière. Nous étions en octobre 1962, et l'examen aurait lieu en février de l'année suivante. La jolie fille, se sentant déjà coupable de mon changement absurde de cap, m'a aussitôt prêté son *Historia da filosofia* en trois volumes, d'un auteur italien appelé Sciacca, et m'a orienté vers le cours préparatoire que ses camarades étudiants donnaient le soir à la faculté. En m'inscrivant à ce cours, elle m'a aussi appris que j'avais déjà le droit de fréquenter le restaurant de la faculté, où les prix étaient ridiculement bas ! Elle m'assurait d'ailleurs qu'avec l'enseignement de ses camarades je serais assez au courant du programme d'examen, et que je pourrais alors compléter ces connaissances par mes propres lectures. Cette décision de changer d'orientation m'a plu immédiatement, car j'économisais aussi les frais d'inscription assez élevés des concours pour la pharmacie et pour les trois facultés de médecine. Au diable la médecine, j'avais trouvé ma vocation !

Il va de soi que je n'ai parlé de cette décision à personne, car je ne savais toujours pas dire ce qu'était au juste la philosophie. Comment donc expliquer de quoi je serais professeur à la fin de mes études, surtout que la philosophie était déjà rarement enseignée dans les collèges ? La dictature militaire allait d'ailleurs pratiquement abolir cet enseignement peu de temps après. Les gens de ma famille restaient persuadés que je me préparais pour la médecine ou la pharmacie, car même la biologie était quelque chose de trop abstrait pour leur capacité de compréhension. Et comme j'avais souvent un livre entre les mains, personne n'a eu la curiosité de savoir ce qu'étaient les trois volumes avec lesquels je passais dorénavant tout mon temps.

Le cœur en fête, je me suis alors consacré à la préparation de cet examen d'histoire de la philosophie. Dès mes premières lectures, je savais déjà que j'avais fait le meilleur choix du monde ; jamais les études ne m'avaient donné autant de plaisir. Ma copine a emprunté d'autres livres pour moi à la bibliothèque de la faculté, et je ne manquais plus alors de lectures de tous les types, y compris des romans. Elle a ajouté aussi le *Manifeste du parti communiste*, de Marx et Engels, qui n'était pas au programme, mais que selon elle il était important de lire, même s'il ne fallait le dire sous aucun prétexte. Une de ses amies m'a passé *L'État et la révolution* et *L'impérialisme, étape suprême du capitalisme*, de Lénine, avec la même consigne de garder cela pour moi, car les professeurs étaient plutôt réactionnaires. Ses camarades m'avaient un peu adopté comme un des leurs, et ils m'aidaient volontiers quand j'avais des questions trop épineuses au sujet des thèmes d'examen. Et tout cela après avoir bien mangé au fameux restaurant universitaire de mes rêves.

Les lectures m'ouvraient un monde magnifique de réflexions, qui allait me ravir la vie durant et me permettre d'ajouter un peu d'ordre dans mon désordre mental. Comme je n'avais plus à m'encombrer avec la physique, la chimie et la biologie, mes intenses études et la fréquentation du cours du soir m'ont en effet très bien préparé pour l'examen. Mais une insécurité de base persistait : je n'avais jamais passé un examen sérieux de philosophie, et je n'arrivais pas à imaginer ce qu'on pouvait y demander. C'était une situation anormale qui avait sa source dans le ratio disproportionné entre le nombre très réduit de places à l'université et la foule des candidats ; il fallait donc en éliminer le maximum possible. Les examens étaient parfois absurdes, comme celui de philosophie justement, puisqu'il fallait presque avoir déjà fréquenté pendant quelques années la faculté pour les réussir. Heureusement que les professeurs manquaient un peu d'imagination, et répétaient souvent d'année en année les mêmes thèmes de dissertation. Pour les facultés scientifiques, les questions pouvaient être si spécialisées que même les professeurs du collège avaient parfois de la difficulté à les comprendre.

Le jour de l'examen, j'étais là, avec mes trois paquets de cigarettes, mon stylo et mon encrier de réserve, fin prêt pour les quatre heures de dissertation. Je me souviendrai toujours des quatre sujets, parmi lesquels on devait en choisir trois et les développer le mieux possible durant le temps alloué : l'être et le mouvement, des présocratiques à Platon ; la théorie de la connaissance chez Descartes et chez Locke ; les catégories de l'esprit et la chose en soi chez Kant ; raison et foi chez Bonaventure et chez Thomas d'Aquin. Le caractère vague de la question et la masse de choses qu'on pouvait répondre étaient intentionnels, car ils permettaient d'éliminer le nombre qu'il fallait de candidats, en rendant impossible toute contestation. Mais nous étions habitués à ce genre de questions ouvertes par nos cours de portugais, d'histoire et de géographie, ainsi qu'à ces longs examens de plus de trois heures. Même dans les examens de sciences, il n'était jamais question de cocher quoi que ce soit ; on attendait de l'élève qu'il soit capable d'expliquer toutes ses réponses, y compris certaines procédures mathématiques, par un langage narratif parfait et élégant. Les erreurs de syntaxe ou de style dans la langue portugaise étaient scrupuleusement déduites des notes dans toutes les matières. Le talent discursif comptait ainsi beaucoup pour la réussite ou l'échec dans les études.

J'ai très bien réussi cet examen, et ensuite celui de portugais ; je pouvais donc m'inscrire à l'université, et je finirais professeur de philosophie. Mais il fallait garder mon contentement pour moi seul. À la maison, cette nouvelle de mon choix d'études n'a fait que prouver, une fois de plus, que j'étais un bon à rien et que je finirais mal. Personne dans notre entourage n'avait jamais entendu parler d'un choix aussi farfelu. Après mes explications, ma mère était persuadée que j'étudierais la théologie ou le spiritisme, et elle ne voyait pas d'un mauvais œil que je veuille devenir curé. Mon père, après avoir décrété que je serais toute la vie un meurt-de-faim, a tout de même montré un peu de curiosité envers certains des philosophes que j'avais cités. Selon lui, je finirais peut-être aussi en prison parce que ces philosophes étaient sans doute des communistes ; mais si je savais bien me débrouiller, je pourrais faire de la politique et vivre de l'argent de la corruption. Mes frères trouvaient tout bonnement que c'était encore une autre de mes provocations pour faire chier tout le monde, car gaspiller mes talents de bon élève avec une sottise pareille dépassait leur entendement. C'était la fin des rares rapports que j'entretenais encore avec ma famille.

❑

Le début des études de philosophie est venu mettre un terme à mes périodes de mélancolie. Soudain, les questions sur le sens de la vie et sur les quêtes existentielles cessaient d'être de simples lubies personnelles pour devenir des réalités presque palpables. J'étais tombé, par un heureux hasard, en plein centre de ce genre de questions. La plupart de mes nouveaux camarades se les posaient ; même les réponses, accompagnées d'autres questions et d'autres utopies, fusaient de toute part, et cela ne se limitait pas aux étudiants de philosophie, bien au contraire. La Faculdade Nacional de Filosofia était le vrai noyau de la réflexion universitaire à cette époque, et, dans toutes les disciplines — la sociologie et l'histoire en particulier —, le ferment de la contestation sociale bouillonnait, tout à fait comme une sorte de carnaval des idées. Je n'exagère pas en parlant de carnaval, car toutes les couleurs, toutes les tendances, tous les schismes et déviations, aussi bien que les orthodoxies y étaient représentés, avec le marxisme et l'existentialisme comme figures de proue. Mais il y avait aussi des théoriciens du thomisme, des groupuscules fascistes, des catholiques d'extrême gauche et d'extrême droite, tout cela accompagné d'une faune bigarrée de bons vivants, de filles se libérant sexuellement, d'alcooliques et de drogués, ainsi que de quelques beatniks attardés. La recherche d'un sens personnel pour sa vie devenait ainsi un genre de fête quotidienne ; celle-ci avait très peu à voir avec les cours proprement dits et se passait plutôt dans les couloirs, dans le restaurant de la faculté, dans les assemblées, dans les escaliers discrets derrière l'immeuble, sur le toit ou dans les bars environnants. La classe sociale et l'apparence d'un étudiant n'avaient aucune importance, puisqu'un vent libertaire soufflait continuellement, du moins en surface, et que les études étaient gratuites. La majorité des étudiants se disaient d'ailleurs de gauche, et le Parti communiste avait là sa plus grande cellule de militants universitaires au pays.

Je commençais alors à respirer un air plus pur, si différent de l'étroitesse petite-bourgeoise de mes origines. Et puis, les cours me plaisaient beaucoup. On ne se posait pas de questions embêtantes du genre : à quoi cela servira-t-il plus tard ? Le « plus tard » était escamoté derrière le paravent des révolutions libératrices, de l'anti-impérialisme et de la société plus juste qui viendrait un jour. Il s'agissait donc de continuer à rêver et à se préparer pour les lendemains qui allaient chanter des mélodies humanistes. Juste ce qu'il fallait comme dose d'utopie pour renforcer mon identité quelque peu hésitante. Je me suis alors plongé dans ce tourbillon avec enthousiasme, sans plus m'occuper du fond mélancolique qui faisait périodiquement surface dans mon esprit pour exiger des cuites formidables.

L'étude de la philosophie m'a aussitôt paru très semblable à la lecture des romans. Il s'agissait même tout à fait de récits fictifs, non pas sur des vies individuelles mais cette fois sur le monde comme totalité, sur l'univers depuis ses origines, sur la vie humaine en général et sur la connaissance en particulier. On était toujours dans le domaine de la fiction, et chaque théorie paraissait d'ailleurs refléter la personnalité propre de son auteur et la mode de son temps. Il va de soi que j'ai gardé pour moi cette opinion, non sans une certaine honte, après qu'on m'eut répondu que ces théories visaient au contraire la vérité et qu'elles étaient ainsi aux antipodes de la simple fiction. D'autres étudiants, plus cyniques, disaient de l'histoire de la philosophie qu'elle était l'histoire de la bêtise humaine, c'est-à-dire des erreurs accumulées nécessairement au long des siècles pour en arriver enfin aux bonnes et vraies théories contemporaines. Les avis étaient si partagés que j'ai pris le parti de considérer tout cela comme un immense jeu de discussions entre auteurs, en dépit des siècles et des cultures qui les séparaient. C'était à mon avis un jeu fascinant, un jeu d'argumentations tel que celui que j'arrivais à jouer avec les romans, et qui m'ouvrait d'étonnantes perspectives symboliques pour continuer à m'amuser. Avec l'avantage d'être un jeu ayant une réputation très sérieuse et distinguée, car il y était question de vérité et de destinée humaine. En y jouant, on affûtait sa pensée à travers la logique et la rhétorique, ce qui signifiait aussi qu'on pouvait y jouer sans aucune culpabilité. Un des professeurs avait l'habitude d'éluder la question du sens même de tout cela en répondant : la philosophie est une chose telle que sans elle le monde serait tel quel. Je ne sais pas où il avait glané cette phrase, mais elle était si jolie et rassurante qu'elle faisait oublier son vide total de contenu significatif. C'est d'ailleurs ce genre de pauvreté de contenu au profit de la seule forme extérieure qui me plaisait aussi dans les élucubrations métaphysiques. Au contraire des romans, où priment le contenu et les références à la vie réelle, dans la métaphysique ce sont les jeux linguistiques qui prennent le dessus par la dérivation artificielle de substantifs à partir des verbes, un peu comme on fait avec les adverbes. Sauf que les adverbes sont encore descriptifs d'actions, tandis qu'avec les substantifs on entre dans le domaine illusoire des choses nouvelles, des choses jamais vues mais d'apparence si belle et logique qu'elles finissent par ressembler aux choses palpables. C'est une délicieuse fiction créatrice de mondes.

Je percevais tout cela dès le début, et j'étais aidé dans ce sens par la richesse presque chaotique des opinions qui circulaient partout à la faculté. Mais je n'étais aucunement dérangé par cette sorte de pensées, puisque, pour une fois, il s'agissait d'un monde officiel, certifié par les autorités universitaires et par la noblesse des bibliothèques, et non plus du simple fruit de mes lubies solitaires. Je me sentais ainsi tout à fait dans mon élément, et loin de moi l'idée de gâcher ce bonheur par trop de critiques. Le marxisme et l'existentialisme phénoménologique m'attiraient cependant davantage par l'actualité de leurs propos, le premier par son message révolutionnaire, si important dans un pays aux relents esclavagistes comme le Brésil, et le deuxième par mes propres besoins de mise en ordre de mon identité. Il serait cependant long et fastidieux de retracer ici tout mon cheminement intellectuel à cette époque, d'autant plus que la plupart de mes acquis d'alors ont été abandonnés ou modifiés en cours de route. Je me servais de ces théories comme d'instruments pour m'aider à mieux cheminer, et je les abandonnais ensuite pour continuer à avancer avec peu de bagages et plus ouvert à de nouvelles expériences. En fait, je n'ai jamais eu une disposition intellectuelle purement philosophique, et j'ai toujours gardé une méfiance secrète envers les créateurs de systèmes qui cherchent à enfermer la richesse du monde ou de la vie. Aussi, je n'ai jamais aimé les gens qui cherchent opiniâtrement à convaincre leurs semblables d'une quelconque vérité. Par conséquent, je suis toujours resté un avide lecteur de fictions, même si je me suis plutôt spécialisé dans une sphère limitée de cette richesse, c'est-à-dire dans celle qui me touche et qui me définit depuis plus de cinquante ans. Comme la vie est courte, il faut se spécialiser si l'on veut aller en profondeur dans quelque chose. Mais je dois reconnaître que, de la masse des théories philosophiques que j'ai étudiées, la phénoménologie, le marxisme et le néokantisme critique m'ont influencé de manière plus profonde, au point de former la structure même de ma façon de penser les hommes, le monde et la connaissance. Ce sont là trois visions du monde opposées et souvent contradictoires les unes par rapport aux autres. J'en suis très conscient et, au lieu de me rebuter, cette richesse paradoxale me semble nécessaire pour aborder les divers aspects de la réalité, qui seraient inexorablement mutilés par une seule et unique vision du monde. Ainsi, tout en croyant que le marxisme est l'instrument le mieux approprié pour aborder les rapports de production et de domination des ensembles sociaux, j'approuve entièrement les positions radicales de Karl Popper au sujet de l'épistémologie et de la prétendue pensée dialectique. Par ailleurs, dans le domaine de l'existence individuelle — ce fameux facteur humain qui fout la pagaille dans tout système bien ordonné —, tant le marxisme que la philosophie critique ont peu de choses à offrir pour enrichir les analyses phénoménologiques. De la même façon qu'il faut une variété presque infinie de romans pour satisfaire la diversité des vies humaines et des âmes des lecteurs, je suis aussi persuadé qu'il faut plusieurs théories pour arriver à penser les différents registres de réalité créés par l'esprit humain. Tant pis, ou tant mieux, si elles sont contradictoires.

Mon militantisme politique de cette époque n'avait déjà rien à voir avec la croyance religieuse à un système unique. Quand mes camarades du parti me reprochaient mon individualisme anarchisant, mes sympathies existentialistes ou ma fascination pour l'empirisme logique, il me plaisait déjà de leur réciter la formule alors à la mode, destinée à justifier même l'adhésion de catholiques au PC : « Le marxisme n'est pas un dogme mais un guide pour l'action. » Cette belle formule existe, certes, pour être proclamée uniquement pendant que le parti n'a pas encore pris le pouvoir ; aussitôt après la victoire, les choses changent et les dogmes deviennent des guides pour l'action. La même transformation se passe avec toutes les religions ou les idéologies ; il faut ainsi toujours se méfier un peu des partis, mais surtout se méfier beaucoup de tout pouvoir, quel qu'il soit. C'est d'ailleurs une des seules certitudes absolues qui me restent après une vie de réflexions et d'autoanalyses non dépourvues d'humour.

Le début de mon militantisme politique clandestin n'a aucunement été motivé par l'amour du prochain. L'idée même du prochain était assez vague dans mon esprit, et je suis persuadé que la plupart des militants d'alors n'avaient jamais approché la misère ni la pauvreté pour en savoir quelque chose. La révolte sociale venait d'abord du fait qu'on se trouvait dans un pays si désorganisé, avec une mentalité esclavagiste, et dont toutes les institutions étaient minées par la plus honteuse des corruptions et par le plus ouvert des népotismes. L'idée d'une révolution naissait avant tout d'un désir rationnel de tout moderniser, un peu comme une ménagère qui s'attaque à un logis trop sale d'abord par souci d'harmonie et d'hygiène, et non pas par pitié pour ceux qui y demeurent. Cela me paraît évident, d'autant plus que les organisations clandestines étaient surtout formées d'intellectuels, d'étudiants et de l'aristocratie syndicale liée au fonctionnariat public. Les vrais ouvriers et les paysans étaient alors profondément réactionnaires et conservateurs, dans un état total de soumission résultant encore de l'esclavage et d'un catholicisme moyenâgeux. C'est d'ailleurs sur cette ignorance et cette servitude que les forces obscurantistes s'appuyaient pour dénoncer les militants de gauche comme communistes, agents de Moscou ou suppôts du démon. Le sens de la révolte était ainsi bel et bien une réaction intellectuelle teintée de honte et d'un vague humanisme de façade. Les mots d'ordre de réforme agraire et de réforme des institutions sociales ne visaient aucun collectivisme, mais seulement la fin des oligarchies féodales et le début d'un système social moins cruel. Les étudiants en particulier se battaient pour des réformes de l'université, pour mettre fin au système absurde des chaires perpétuelles ; les professeurs titulaires étaient nommés à vie par un système de patronage du gouvernement, et ils continuaient à recevoir leurs salaires de façon viagère sans aucun besoin d'enseigner. C'était une sorte de titre aristocratique conféré aux amis du pouvoir et qui épuisait les ressources financières des institutions. Ainsi, durant les quatre années de ma licence de philosophie, je n'ai jamais rencontré aucun des professeurs titulaires, car soit ils étaient trop vieux, soit ils avaient d'autres emplois ailleurs. Les cours étaient tous donnés par des assistants à la pige, qui se contentaient de salaires misérables, et qui donnaient alors, à quelques exceptions près, des cours minables. Toute tentative de contestation sur cette situation bizarre était perçue comme une contestation des bases des institutions nationales, et donc qualifiée de communiste et d'athée. Cet anachronisme un peu surréaliste se répétait un peu partout, et les textes marxistes agissaient alors comme une bouffée d'air frais en suggérant que les choses pouvaient changer, que rien n'était éternel ou immuable. C'est ainsi que nous étions marxistes ou communistes, en voulant un pays moderne, plus juste et démocratique. Il est évident que la pression de l'impérialisme nord-américain, dans son soutien du statu quo et des oligarchies féodales, nous poussait souvent vers l'illusion soviétique ou vers le miracle chinois dont parlait Mao Tsé-toung. Mais en fait, il s'agissait plutôt d'un usage paradigmatique du marxisme, car, dans la pratique quotidienne, l'unique travail était celui d'éduquer les travailleurs pour qu'ils aident à exiger des réformes et la fin du féodalisme à la campagne. Nous nous amusions même à répéter que notre travail consistait à prêcher les vertus du capitalisme réel, car notre pays n'était pas encore sorti de l'étape précapitaliste dont parlait Engels. Le programme officiel du Partido Comunista Brasileiro considérait d'ailleurs comme prioritaire l'appui à la formation d'une bourgeoisie nationale, et tout mot d'ordre de révolution était jugé comme déviationniste ou provocateur.

Dans cette sorte de fête de la contestation et du désir de modernité, je cherchais aussi, évidemment, la chaleur de la camaraderie militante et une certaine forme d'appartenance. Mon individualisme solitaire avait encore un grand besoin de solidarité pour se renforcer et se préciser. L'action clandestine m'a ainsi reçu à bras ouverts et sans se poser trop de questions, comme une sorte de fraternité de l'insubordination. Le sentiment de faire partie de quelque chose de plus vaste, de plus noble aussi, tout en étant contre la médiocrité petite-bourgeoise m'a aussitôt captivé. Il est vrai que les problèmes n'ont pas tardé à apparaître, dans la mesure où je commençais à me sentir trop à l'étroit face aux petits despotes et à la rigidité du centralisme démocratique des décisions du comité central. Les nombreuses réunions, les efforts pour convaincre les diverses parties dans d'interminables discussions, la patience nécessaire pour le travail d'agitation et la fraternité un peu visqueuse qu'on se devait d'afficher entre camarades m'irritaient profondément. Je me demandais chaque jour si j'étais capable d'abandonner mes projets personnels et ma nature solitaire au profit de cette solidarité sociale qui me pesait tant. Et je regrettais souvent le temps perdu dans ces bavardages politiques qui n'aboutissaient pas à des actions concrètes. Je rongeais ainsi mon frein en me consacrant plutôt à l'action pure, et en fuyant autant que possible les discussions théoriques pour ne pas trop dévoiler mes penchants qualifiés d'individualistes et d'anarchisants. Dans l'action directe, il n'était pas question de ligne du parti ni de rigueur doctrinaire ; tant que je m'en tenais aux directives pratiques, et dans la mesure où je me montrais assez casse-cou, je gagnais ma place et l'estime de mes camarades. Et j'avais encore besoin de cette estime, tout au moins au début, pour me sentir quelqu'un à travers le regard d'autrui. Je renforçais alors ma carapace et mes convictions libertaires avec les moyens du bord, tout en me consacrant avec passion à ces nouvelles fictions qu'étaient la philosophie et les utopies sociales.

Parallèlement aux études et au militantisme, le travail au journal me permettait de ne pas perdre contact avec le réel palpable et de ne pas déifier le pauvre ou l'ouvrier. Les gens que je rencontrais dans les rondes nocturnes en compagnie du chauffeur et du photographe étaient à des années-lumière de la classe révolutionnaire dont on vantait les mérites dans les réunions partisanes. Plutôt que la solidarité de classe ou l'humanisme prolétarien, je trouvais plus fréquemment la rancune, la mesquinerie, une haine à fleur de peau entre les gens de la misère, ainsi qu'un attachement viscéral aux valeurs d'une autre époque. Mes expériences d'agit-prop dans les favelas et dans les colonies ouvrières me montraient bien qu'il y avait quelque chose de faux dans nos prémisses, que ce n'était pas de cette façon-là que nous allions faire avancer la cause de la révolution ni celle de la démocratie. Je me rendais aussi à l'évidence que, sans des crises radicales du genre de la grande marche de Mao en Chine, les pays du tiers monde resteraient encore longtemps dans leur bourbier. Mais je continuais, en tentant de ne pas trop m'attarder sur ces contradictions pour ne pas perdre l'estime de mes camarades, surtout que je commençais déjà à être perçu comme une sorte de tête brûlée.

Quand le coup d'État militaire et la dictature sont venus mettre un terme à ces illusions pour les vingt années suivantes, j'étais déjà bien mieux préparé à faire face à la solitude et j'avais moins besoin d'appartenances pour me sentir en sécurité. Non seulement ma vision du monde était plus claire, même si je conservais toutes mes précieuses contradictions, mais mes propres projets se dessinaient avec des contours plus précis. Le sens même de l'idée d'aventure s'était structuré de façon originale dans mon esprit : ce serait désormais une aventure intellectuelle, dans le domaine des idées, et le déracinement s'exprimerait avant tout de manière critique. Ceci serait naturellement accompagné d'autant de déplacements que possible pour garder le parfum d'exotisme de mes premières rêveries. Il ne s'agissait plus d'un simple désir de fuite à la recherche de la nouveauté, puisque j'avais découvert les réalités symboliques qui supporteraient mon amour de la fiction. Ce serait une aventure d'autant plus radicale qu'elle serait aussi spirituelle, et mes acquis philosophiques encore modestes me montraient déjà que je serais en mesure de meubler mon vide au fur et à mesure que passerait le temps. Curieusement, après un très long périple de tâtonnements parfois aveugles, je venais ainsi d'atteindre enfin ce que possèdent dès le début les jeunes gens issus de familles d'intellectuels ou d'artistes, et qui découvrent de bonne heure leur désir de se consacrer aux choses de l'esprit. En effet, mon sentiment initial de pure révolte s'était mué en conscience de soi en tant que conscience critique, et le sens de l'existence comme aventure gagnait une sorte de transcendance me permettant de dépasser la simple idée des défis physiques.

La lecture d'auteurs comme Sartre, Camus, Malraux et Merleau-Ponty avait à la fois élargi la brèche de ma rupture originale et l'avait étayée avec des concepts opérationnels pour penser l'existence. Je ne grattais plus la terre de mon esprit comme un aveugle, mais je commençais à l'explorer comme un mineur et parfois même à l'étudier comme un archéologue. En même temps, presque ébloui par la liberté naïve des penseurs présocratiques, je ne me sentais plus ridicule de partir de presque rien pour tenter de fonder mon droit à l'errance. Ma quête n'était ainsi pas le simple entêtement absurde de m'opposer, le simple étouffement qui me poussait à me débattre pour sortir d'un lieu écrasant. D'autres horizons s'ouvraient et m'attiraient, celui des langues, par exemple. Je m'étais contenté jusqu'alors du portugais et de l'espagnol, que je maîtrisais bien, et qui étaient des instruments assez fiables de pensée. C'était le moment d'aller plus loin, et l'apprentissage intensif de la langue française s'imposait comme une réelle libération de ma gangue étroite. Je pourrais alors lire mes auteurs fétiches dans le texte, mais aussi d'autres comme Nietzsche et Heidegger dans les jolies éditions de la maison Gallimard que je lorgnais avec convoitise sur les rayons de la Librairie Française. L'amour du lointain prenait ainsi de l'étoffe et devenait nostalgie de choses précises. J'écoutais avidement le récit des camarades qui avaient voyagé sur des terres étrangères, non plus comme de la fiction mais en éprouvant déjà une sorte de blessure liée à la dépossession. Après tout, c'était moi l'étranger depuis le début, et ces contrées lointaines me manquaient littéralement comme une sorte de patrie perdue.

Quand j'entends parfois les récits nostalgiques de certains immigrants qui évoquent leur pays d'origine, je ne peux pas m'empêcher de penser, avec un sourire ironique, qu'il s'agit là d'un sentiment très semblable à celui que je ressentais autrefois en entendant parler de Paris, de Rome ou de Moscou. Ainsi, curieusement, j'étais déjà à cette époque révolue une sorte d'immigrant, mais d'immigrant à l'envers, ce qui est le sens propre de l'âme du vagabond.

❑

L'interruption de mon engagement politique militant s'est faite de manière abrupte, car il s'agissait de sauver ma propre peau. Mais j'ai gardé le regret de n'avoir pu réaliser aucune de mes aspirations humanistes, ainsi que de ne pas m'être vengé de la prépotence des nantis et des militaires brésiliens. Aussi, je conserve le sentiment d'un immense échec accompagné de la pensée constante des misérables que j'ai rencontrés en chemin, des prostituées en particulier. Plus que les millions d'êtres abstraits des statistiques, ces gens simples sont devenus partie intégrante de ma conscience du monde, et ils ont souvent refait surface dans mes livres et dans mes tableaux, parfois transformés et parfois tels que je les avais connus. Et ils seront là jusqu'à la fin à m'habiter, à m'inspirer, peut-être aussi à me reprocher de ne pas avoir tenté d'être plus généreux de ma personne. Je crois que c'est avant tout devant eux, comme témoins imaginaires, que s'exerce mon être moral dans l'existence quotidienne.

7

Je me suis souvent demandé ce que serait devenue ma trajectoire de vie sans l'avènement du coup militaire et de la répression policière qui s'est ensuivie. Il me plaît de me poser ce genre de questions hypothétiques, qui commencent par des si, tout en sachant que dans la vie il n'y a pas de si ni de retours en arrière possibles. Mais la vie réelle m'intéresse peu quand je commence à rêvasser, et alors ces changements de scénario m'amusent durant des heures d'affilée en tant que voies ouvertes pour la fiction et pour les aventures virtuelles. J'agis souvent de la sorte avec les romans que je trouve mal ficelés, ou plus souvent encore avec les films, qui sont à mon avis généralement très mal construits. Le cinéma est un art mineur du point de vue symbolique, qui s'adresse justement à un public peu attentif aux exigences de la syntaxe narrative, à la cohérence de la causalité et aux limites des coïncidences. L'impact des images et de la musique sur le raisonnement a pour effet d'émousser ce dernier, en créant une sorte de spectacle global où les sens et le corps propre prennent le dessus sur l'esprit critique. Or, quand un passionné du langage discursif comme moi regarde un film, les failles narratives et les *deus ex machina* trop embêtants apparaissent à la surface du spectacle de façon évidente et déclenchent une sorte d'état d'alerte du raisonnement. Cela ne me rend pas insatisfait pour autant, car je n'en attends pas davantage des spectacles cinématographiques, surtout de ceux d'origine nord-américaine dont la forme assomme le spectateur pour cacher la pauvreté du contenu. Par contre, je m'amuse à explorer ensuite les avenues que le scénariste ou le metteur en scène ont laissées en suspens, de manière à créer d'autres issues possibles à la narration. Ces jeux mentaux me donnent de longs moments de fantaisies souvent originales, et ils constituent certainement des exercices considérables pour la création de fictions. Je suis bien moins indulgent quand il s'agit d'un roman, et il est assez rare qu'un livre mal écrit puisse me donner autant de plaisir solitaire ou m'ouvrir autant d'avenues intéressantes.

En ce qui concerne la vie réelle, cependant, j'avoue être un véritable fervent de ces exercices de reconstruction mentale, et je peux me perdre durant de longs moments à tenter d'imaginer la suite des événements après avoir effectué ici et là quelques changements dans la croisée des chemins. Je crois qu'il s'agit d'une habitude très ancienne, dont l'origine remonte à mon enfance, et qui s'est développée de manière tentaculaire au fur et à mesure que j'enrichissais mon stock de fictions, de structures narratives et d'expériences. Cela n'est pas non plus sans rapport avec ma façon de percevoir l'existence comme une œuvre personnelle, artificielle, se déroulant dans le temps, et de ce fait pouvant se dérouler selon plusieurs scénarios distincts. Malgré ma longue expérience dans ce type d'exercices expérimentaux, cela ne cesse de me divertir ni de m'enrichir. Il m'arrive ainsi de poursuivre méthodiquement certaines existences que j'ai rendues fictives, et ce durant longtemps, au point de ne plus savoir au juste, à un moment donné, s'il s'agit de faits réels ou de simples volutes de mes élucubrations. Souvent, ce sont de simples exercices pour passer le temps ou pour me relaxer, qui n'aboutissent pas à des réflexions complexes et qui ne me servent en rien pour mon travail littéraire. C'est en quelque sorte ma façon d'esquisser avec les récits, comme je le fais avec le dessin quand il s'agit de mes travaux plastiques. Il arrive qu'un dessin ou une série de croquis aboutisse à quelque idée d'ensemble pouvant donner naissance à un tableau. Mais généralement ce sont de simples exercices de coordination visuo-motrice pour maintenir bien huilées la fonction plastique et l'imagination visuelle. Quelque chose de semblable se passe avec mes fictions narratives. Par ailleurs, j'ai déjà pensé que cette attitude dépasse en quelque sorte la sphère des plaisirs imaginaires, et qu'elle peut avoir une fonction d'autodéfense ou d'exorcisme de la peur de l'inconnu. Je reconnais que ces rêveries ont joué dans le passé le rôle d'expérimentations significativement chargées d'affects lorsque je vivais des situations inconfortables, ou que je n'arrivais pas à venger dans le réel des affronts ressentis. Encore aujourd'hui, je m'en sers pour examiner les multiples facettes de situations nouvelles que je dois affronter, ou même pour m'offrir de petites douceurs vicariantes face à des échecs réels. Mais cette habitude mentale est loin d'être uniquement le désir de contrôle total du monde qui m'entoure par l'esprit, et elle dépasse l'aspect limité d'un simple mécanisme de défense. Elle constitue en réalité un lieu d'expérimentations et de découvertes essentiellement ludiques, du moins à partir du moment où j'ai acquis une meilleure maîtrise de mon existence réelle. Il se pourrait même que cette disposition pour les essais imaginaires soit la source primordiale de ma créativité littéraire, et je parlerai de cela plus tard quand il sera question de mes romans.

Pour en revenir au coup d'État et à ses conséquences sur ma survie personnelle, il est évident que ces événements ont fait l'objet de multiples investigations mentales, dont la plupart ne sont pas pertinentes ici. Mais ce revirement du destin a sans doute facilité de manière significative mon départ du Brésil ainsi que la concrétisation de beaucoup de mes souhaits les plus chers. D'une façon tout à fait paradoxale, le fait de me trouver soudainement coincé et sans autre issue possible que l'exil était l'aboutissement le plus désirable de la trajectoire suivie depuis l'enfance, un peu comme l'avait été mon départ vers l'internat. Il est vrai qu'entre 1964 et 1966 les choses se sont passées un peu plus dramatiquement qu'en 1954, et que les risques étaient beaucoup plus importants. N'empêche que cette coïncidence très convenable a réveillé le lecteur critique en moi, et elle a exigé une investigation acharnée au long de toutes ces années passées depuis pour mieux comprendre cet étrange cadeau des cieux. Je ressors cependant de ces innombrables réflexions sans grande trouvaille, et j'avoue que je dois me contenter de la simple coïncidence, ou de la fameuse surdétermination de facteurs dont parle la sociologie. N'empêche que si je regarde de façon rétrospective le projet d'homme qu'il me plaît d'être aujourd'hui, ce coup d'État et cette persécution policière ont été en fin de compte des coups de chance dans ma vie, sinon en provoquant, au moins en accélérant significativement la réalisation de certains voyages essentiels.

Sans le coup d'État, j'aurais continué à militer politiquement au Brésil, et je me serais embourbé encore et encore dans des activités sociales en dépit de ma nature solitaire. Est-ce que ma nature solitaire, introvertie, aurait cédé la place à une participation plus active dans les sphères publiques ou, au contraire, aurait-elle exigé son dû de manière opiniâtre ? Par quels subterfuges me serais-je alors défilé des charges dont on me disait capable, et qu'on avait l'air de s'attendre à me voir assumer ? Ma nature mélancolique se serait-elle contentée de l'agitation frivole des choses sociales ou se serait-elle révoltée, et de quelle façon ? Comment aurais-je fait pour continuer à cacher le rêveur impénitent si l'on me croyait taillé pour des réalisations pratiques ? Je n'arrive à répondre à aucune de ces questions, car l'homme que je suis devenu ne s'insère nullement dans ces ouvertures hypothétiques. Peut-être que je me serais adapté d'une quelconque façon, que je n'arrive pas à envisager aujourd'hui parce que la vie m'a fait radicalement autre, avec d'autres exigences et d'autres possibilités. Peut-être que les êtres humains sont plus malléables que ce que je les imagine être, davantage jouets des circonstances, et capables de s'adapter au point de devenir méconnaissables. Je n'en sais rien, et je n'arrive pas à me penser autrement que comme je suis devenu, même si dans mes exercices imaginaires j'arrive à transformer mes semblables de manière radicale, tout en gardant des aspects de base de leur identité primordiale. En tout cas, dans tous les scénarios me concernant, même les plus fantastiques, je finis par rompre les liens les plus agréables, que ce soit d'une façon discrète ou par des gestes assez délinquants, et je m'en vais. Non pas vers l'Europe, comme cela a alors été le cas, mais je m'en vais au loin, quelque part, au risque d'être fusillé.

Mais j'étais coincé. Le coup d'État est venu prendre par surprise les militants des organisations de gauche, et la clandestinité extrême exigée par la lutte armée n'avait presque pas été évoquée auparavant. Chacun devait alors survivre par ses propres moyens. Ceux qui disposaient de familles influentes pouvaient s'en tirer à bon compte, et c'était le sauve-qui-peut sans le moindre souci de solidarité prolétarienne ou partisane. Dans mon cas particulier, cette survie a été un peu moins facile car, dans ma naïveté romantique, j'avais cru à tout ce qu'on disait au sujet de cette fameuse solidarité. Je me souviens de mon sourire amer quand un des cadres du parti m'a conseillé d'aller me cacher dans la ferme d'un de mes parents ou chez des amis riches de ma famille. Nous étions à Belem, dans le nord du Brésil, et je n'avais pas un sou même si j'avais été envoyé là officiellement par le parti. Lui, par contre, avait les poches pleines et il possédait des papiers en règle ; pourtant, il s'est enfui avec les autres membres du comité régional en abandonnant leur jeune camarade endormi et laissé à lui-même dans une ville qu'il ne connaissait pas. Me cacher chez des parents riches… Quelle blague ! J'avais simplement oublié que j'étais un des seuls membres sans ressources ni famille riche dans mon groupe de militants, mais comment l'expliquer à ce type-là, qui s'apprêtait à me trahir, et dont les parents avaient des amis influents ?

J'étais donc coincé et obligé de me débrouiller tout seul. Qui plus est, lorsque je suis rentré à Rio de Janeiro, les anciens camarades évitaient de me rencontrer justement parce que je risquais constamment de me faire arrêter par la police militaire. Au moment de comparaître devant les enquêteurs du tribunal militaire, je me suis étonné de voir plusieurs autres camarades accompagnés d'avocats et de parents influents, pendant que j'étais seul dans mon coin, à fumer les cigarettes qu'on me donnait et sans trop savoir ce que j'allais devenir. Et je m'en fichais presque, ce qui a peut-être joué en ma faveur, du moins provisoirement. Mais je savais déjà ce qu'était la société de classes pour en avoir bien trop discuté pendant les réunions clandestines et, dans mon amertume, je me sentais presque soulagé que les choses se présentent ainsi en fin de compte. Le mot « camarade » ne signifiait pas en fait l'exercice de la camaraderie, et je ne perdais pas grand-chose dans l'échange. Par ailleurs, mes fréquentations des groupuscules qui prônaient la lutte armée contre la dictature m'avaient discrédité auprès des cadres du parti, en dévoilant enfin au grand jour mes tendances déviationnistes. Le parti prêchait la simple attente pendant que les cadres importants trouvaient refuge en Union soviétique, et il ne se gênait pas pour dénoncer même à la police toute déviation radicale de cet attentisme qui mettrait en danger le retour pacifique à la démocratie. Il a d'ailleurs si bien travaillé que la démocratie a mis plus de vingt ans à revenir, et encore aujourd'hui elle n'existe que pour les plus nantis de la société. Les militaires et les oligarchies ont eu vingt années de paix intérieure pour voler les coffres de la nation et toutes les fabuleuses subventions internationales qu'ils ne cessaient d'obtenir, au point que le Brésil a actuellement une dette extérieure qu'il n'arrivera mathématiquement jamais à payer.

Isolé, je tâchais de survivre selon mes moyens, en gardant un profil bas et en me tenant le plus possible à distance de la faculté de philosophie. Mais mon avenir en tant que professeur était scellé : avec un procès militaire sur le dos, je n'obtiendrais jamais mon diplôme final, ni la permission pour enseigner où que ce soit, surtout la philosophie. Et le journalisme me répugnait déjà à cette époque, comme option professionnelle, surtout un journalisme sous la férule de la censure. J'attendais donc, en continuant à rêver, en travaillant au journal la nuit et en donnant quelques cours privés, y compris des cours de français. J'avais acquis des bases de grammaire et de vocabulaire en potassant les fameux livres bleus que l'Alliance française utilisait alors dans le monde entier pour l'enseignement de la langue française. Je pouvais ainsi aider les débutants les moins débrouillards dans leurs premiers pas. Naturellement, mon accent et ma prononciation étaient plutôt fantaisistes, mais l'objectif était la lecture des livres et non la langue parlée. Dans la mesure où mes élèves commençaient à pouvoir déchiffrer des paroles de chansons françaises, ou même quelques romans faciles comme *L'étranger* ou *Le petit prince*, ma réputation de bon instructeur de langue gagnait du poids. Hélas ! j'ai eu l'occasion de me rendre compte du caractère presque comique de mes connaissances du français en arrivant à l'Université de Strasbourg, quelque temps après. Je lisais couramment et j'écrivais plus ou moins bien, mais pour ce qui était de parler…

À peu près à cette époque, et justement avec l'aide d'une de mes élèves de français, j'ai réussi à décrocher un emploi qui avait l'air d'un miracle. Elle m'avait rappris que la compagnie Air France cherchait un homme à tout faire pour son escale à l'aéroport du Galeão, dans une banlieue de Rio de Janeiro. On voulait un type jeune et assez costaud, pas trop idiot et se débrouillant un peu en français, car il travaillerait en contact direct avec les mécaniciens et les équipages étrangers. Ce n'était rien de très emballant, plutôt du travail dur avec de longs quarts de jour et de nuit, mais c'était un emploi régulier avec un salaire payé ponctuellement. Ce dernier point surtout était très alléchant, puisque la plupart des employeurs brésiliens avaient la sale habitude d'oublier les jours de paye sous toutes sortes de prétextes. Sans que je le sache, cet emploi allait jouer un rôle essentiel dans la possibilité même de mon départ du Brésil quelques mois plus tard.

Contre toute attente de ma part, ils m'ont pris. Le chef d'escale, un Français, et le navigateur de terre, un Russe, se sont tout d'abord montrés très étonnés qu'un jeune étudiant comme moi, en dernière année d'études de philosophie, accepte une position subalterne et surtout un travail manuel, et sans aucun avenir. C'était en effet incroyable, mais j'ai cru que j'avais réussi à leur vendre ma salade en évoquant la possibilité de pratiquer le français et de profiter des voyages à peu de frais que la compagnie offrait à ses employés. C'est seulement plus tard, quand mon besoin de partir est devenu pressant, que je me suis rendu compte qu'ils avaient flairé mon impasse dès le début, et qu'ils avaient de commun accord décidé de me donner un coup de main. Le Russe en particulier, Alexandr, une espèce de géant dont je me suis inspiré pour créer le personnage de Mindras, est devenu un bon ami avec qui je jouais aux échecs durant les heures creuses et avec qui je buvais tard dans la nuit après le départ des vols pour Paris. Sa famille avait fui le communisme, mais il réagissait un peu comme mon père : si un étranger ou qui que ce soit d'autre est poursuivi par les autorités militaires d'une dictature, il faut l'aider pour la simple raison qu'il est étranger et persécuté. Étrangement, ce Russe blanc, férocement anticommuniste, m'a appris ainsi que la vraie solidarité n'a rien à voir avec les options politiques mais uniquement avec les options spirituelles. À la veille de mon départ, il m'a même donné des conseils paternels pour mon exil ainsi qu'une de ses gigantesques vestes pour me protéger du froid en Europe.

Le travail était dur en effet. Il y avait trois vols par semaine, et chacun de ces jours nous travaillions presque vingt-quatre heures d'affilée pour assurer tout le support technique entre Paris, Santiago, Buenos Aires et Montevideo. Sans compter les charters qu'Air France organisait à l'intention des juifs argentins et chiliens désireux de se rendre en Israël. Outre établir le devis de poids et le plan de chargement des Boeing 707 sous la direction d'Alexandr, je devais aussi superviser le chargement des soutes, aider à transporter les valises et le fret, apporter les papiers d'identité des membres de l'équipage aux autorités de l'aéroport puis les récupérer, et donner un coup de main au comptoir quand la foule excitée et impatiente des passagers nantis affluait et se mettait à rouspéter. Les riches des pays pauvres sont très exigeants d'habitude, mais ils peuvent être insupportables quand ils s'en vont en Europe accompagnés de leur famille et de leur bonne. Tout était fait à la main à cette époque, y compris les tickets, le plein de kérosène et le chargement des soutes, et chaque compagnie s'occupait seule de ses avions et de ses passagers. Et puis, il fallait faire vite, car le moindre retard ou pépin technique était motif d'amendes et de demandes de pots-de-vin de la part des militaires et de la police. La corruption allait bon train, et les petits employés comme moi devaient se dépêcher au maximum, tout en se faisant discrets pour ne pas être assaillis à leur tour par les autorités en place.

Surtout, il fallait faire semblant de ne rien voir des trafics divers qui avaient lieu un peu partout dans l'aérogare, y compris le trafic de moteurs Boeing hors d'usage, que les compagnies nationales achetaient en cachette à l'étranger pour faire fonctionner leurs vieux jets.

C'était un travail dur, sans doute, très physique mais sans aucun effort intellectuel, et avec un salaire plus que convenable. Que pouvais-je demander de plus ? J'avais même parfois du temps libre pour me reposer ou pour lire un peu, car nos vols revenaient du sud en fin d'après-midi seulement. Et avec l'avantage qu'il ne venait à personne l'idée de relier cet employé subalterne à l'ancien étudiant gauchiste avec un procès sur le dos. Ce calme après les années de faculté me dégageait l'esprit, et c'est à cette époque que je me suis consacré à l'étude de l'œuvre de Franz Kafka. Les premières traductions de ses romans commençaient à paraître en portugais, et l'impact de la lecture de *La métamorphose* et du *Procès* m'a aussitôt poussé à me procurer ses œuvres complètes en espagnol pour ne pas devoir attendre les autres titres traduits. J'étais entièrement séduit par lui, aussi bien par ses œuvres de fiction que par ses journaux et ses lettres, et je ressentais le besoin de comprendre davantage l'origine de cette attraction qui demeure assez mystérieuse encore aujourd'hui. Même si je l'ai beaucoup étudié, et si je peux apprécier la distance qui sépare son monde spirituel du mien, il me fascine toujours comme une sorte d'abîme obscur. Mais c'est ainsi que fonctionne en général une grande œuvre d'art : la séduction demeure en dépit des différences ou même de l'antipathie qu'on peut ressentir face à la personne ou aux actions de l'artiste. Et le peu que Kafka a écrit, même s'il est souvent inachevé, restera comme un des corpus les plus significatifs de la fiction de son siècle.

Ces études sur Kafka ont abouti à l'écriture de mon premier livre, un essai publié quelques jours avant mon départ du Brésil : *Franz Kafka e a expressão da realidade**. Déjà en

---

* Rio de Janeiro, Editora Tempo Brasileiro, 1967.

l'écrivant, je me rendais compte que mon essai s'adressait plutôt à un public sud-américain, et qu'il restait bien en deçà des textes européens sur cet auteur. Après tout, je n'avais que vingt-deux ans ! Mais je l'écrivais plutôt pour moi-même, pour faire une sorte de synthèse de mes lectures et pour explorer l'influence que ces lectures avaient eue sur ma jeune personne. Je voulais aussi savoir si j'étais capable d'écrire sur un romancier de la même manière que j'écrivais mes travaux universitaires en philosophie.

Un éditeur ami d'un camarade du parti l'a aussitôt accepté et publié, mais il n'a jamais répondu à aucune de mes lettres et ne m'a jamais envoyé un seul centime. Je croyais simplement qu'il n'avait rien vendu, et qu'il m'avait oublié après mon départ pour l'étranger. À mon tour, j'avais oublié le livre et sa publication, sans toutefois cesser d'aimer Kafka, dont je relis périodiquement l'œuvre dans sa langue originale avec un plaisir toujours renouvelé. Curieusement, au début des années quatre-vingt, j'ai trouvé un exemplaire de mon livre chez un libraire de livres d'occasion à Montréal qui venait de recevoir un lot de vieux livres en provenance de Cuba ! Cet étrange périple m'a permis d'acheter mon propre petit essai, et de l'avoir enfin dans ma bibliothèque malgré la distance et malgré le temps. Plus étrange encore est sa deuxième vie presque quarante ans après son lancement. En effet, en consultant l'autre jour par hasard le site Internet d'une librairie au Brésil, voilà que je le trouve annoncé et toujours à vendre, à côté de la traduction brésilienne du *Pavillon des miroirs* ! S'agit-il d'exemplaires restants, non vendus après tout ce temps et gardés dans l'humidité des entrepôts pleins de rats d'un éditeur disparu depuis longtemps, ou s'agit-il au contraire d'une nouvelle édition refaite à la hâte par quelque opportuniste local pour profiter de mon succès en tant qu'écrivain canadien ? Difficile à savoir, car mon éditeur brésilien actuel n'est pas non plus très loquace pour répondre à mes demandes d'information, comme il est aussi très avare pour ce qui est des centimes qu'il devrait me verser en droits d'auteur pour la traduction. Mais les affaires se passent de cette façon en Amérique latine, et si un écrivain n'est pas un auteur de best-sellers, il ne mérite aucun respect. Il n'en demeure pas moins que je suis réellement étonné de voir resurgir ainsi du passé mon premier livre, comme pour me rappeler que je me trompe quand je prétends que mes projets d'écriture ont commencé avec *Le pavillon des miroirs*.

La bourse d'études offerte par le gouvernement français a été ma véritable planche de salut, et je ne sais toujours pas à qui je dois un tel cadeau. Mes copains de l'escale d'Air France m'avaient pistonné, je le sais, mais un vieux professeur de littérature française à la faculté de philosophie avait aussi accepté de contresigner ma demande. C'est ce dernier d'ailleurs qui m'a conseillé de demander une bourse en psychologie plutôt qu'en philosophie; selon lui, cela faisait plus sérieux, moins agitateur. Et avec l'avantage que je serais obligé de terminer d'abord la licence en psychologie avant d'entreprendre la maîtrise, ce qui en termes pratiques signifiait une bourse de deux ans et non pas d'une seule année. Nouveau changement de cap donc, pour nager avec le courant: je deviendrais psychologue.

Je ne croyais pas à la chance de décrocher une bourse, et j'attendais calmement en m'occupant de la vie et de l'œuvre de Franz Kafka. Je savais qu'au bout d'un an de travail, Air France m'offrirait un billet presque gratuit, comme c'était l'habitude avec tous les employés, et que je pourrais ainsi partir et ne plus revenir, simplement me perdre en Europe sans laisser de traces. Les copains de l'aéroport m'avaient promis de me trouver un passeport bricolé, juste pour pouvoir débarquer en Europe sans trop attirer l'attention, et, au besoin, ils me feraient monter dans l'avion même sans passer par le contrôle de police. Ce ne serait d'ailleurs pas la première fois qu'un clandestin s'en irait de cette manière. Voilà, j'avais enfin mon point de fuite très concret après des années d'incertitude et de vague à l'âme. Je n'avais pas d'idée précise sur ce que je ferais une fois en Europe, et je tentais de mettre un peu d'argent de côté pour être capable de gagner les pays de l'Est si je n'arrivais pas à rester en France. Très innocemment, je me disais qu'au moins là-bas on accueillerait un gauchiste comme moi sans faire trop de difficultés. Dans mon esprit, j'allais étudier, et je demanderais l'asile politique quelque part s'il le fallait. Je savais pertinemment que si je détruisais mon passeport brésilien, on ne saurait jamais où m'expulser. Une chose était claire : je partais à l'aventure et je ne manquerais pour rien au monde cette chance unique de faire comme dans les romans.

Durant cette dernière année au Brésil, je me suis surpris plusieurs fois à me promener dans les endroits de mon enfance, y compris le remblai et les rochers, près de l'aéroport. C'était comme une visite d'adieu pour me remplir les yeux d'images qui m'étaient chères. Je savais que je ne reverrais pas de sitôt ces lieux, même si je ne pouvais pas m'imaginer alors que ce serait un adieu pour toujours. Quand la nouvelle de l'obtention de la bourse est arrivée, elle m'a trouvé très serein et fin prêt pour le départ. Cette bourse facilitait les aspects pratiques du voyage, mais elle était aussi une bonne excuse pour expliquer mon départ. Je ne m'exilais pas du pays ; j'allais seulement étudier pendant quelque temps, et je reviendrais ensuite. Mais je savais qu'il n'en était rien, que je partais pour longtemps, et je m'en réjouissais secrètement dans mon âme de vagabond.

Comme promis, à l'approche de mes vacances annuelles, Air France m'a offert un billet pour Paris, émis par Alitalia. Le problème du passeport a aussi été résolu grâce à leurs nombreux contacts bureaucratiques, même s'il m'a fallu payer un gros pot-de-vin à l'agent de la compagnie quand celui-ci s'est rendu compte que mon procès militaire n'était pas fini. Mais la corruption aidant, tout a été arrangé, y compris le visa de sortie authentique, et les copains d'Air France à l'aéroport s'occuperaient de faire tamponner en douce mon passeport sans soulever des questions gênantes. Les militaires au pouvoir ne semblaient d'ailleurs pas voir d'un mauvais œil cet exode des opposants, qu'ils empêcheraient par la suite de revenir de l'étranger.

Enfin, une nuit, après les adieux d'usage, je me retrouvais dans un avion presque vide en direction de Rome, via Dakar. Je voyageais avec peu de bagages, comme je le souhaitais. J'avais laissé derrière les quelques livres que je possédais, mon petit essai sur Kafka ainsi que les liens peu ténus avec ma famille. J'abandonnais même mon diplôme de licence en philosophie que la faculté ne m'avait pas délivré ; heureusement que les autorités universitaires françaises se contentaient du simple relevé de notes de mes quatre années d'études en guise de certificat. Mais j'avais un passeport valable pour six ans, j'étais jeune, en bonne santé et passablement plus rêveur que la moyenne. Et je savais me débrouiller, y compris pour travailler comme manœuvre si le besoin se faisait sentir. La sensation d'euphorie de ne plus devoir m'inquiéter avec la police politique était là, certes, comme une sorte de soulagement. Mais le plus important, c'était l'ivresse de me sentir pour la première fois réellement détaché de mon passé, libre pour continuer à créer mon existence comme une œuvre personnelle, en tant qu'aventure spirituelle. Je ne pouvais pas alors m'imaginer l'étendue de cette entreprise, ni soupçonner son impact futur en termes de fonctionnement mental. C'est que je laissais aussi derrière ma langue maternelle, sans toutefois savoir ce que cela impliquait au juste pour l'usage de la pensée. Je croyais devenir le citoyen du monde que j'avais toujours souhaité être, sans savoir aussi qu'il me faudrait créer de toutes pièces ce citoyen-là, à partir des acquis nouveaux et sans pouvoir négliger les tessons de vie que je pensais abandonnés à jamais. Plutôt que la continuation de mes chers projets d'enfance, c'était là un authentique et radical début. Les mois et les années suivants allaient me faire réaliser à quel point mon passé serait continuellement présent dans mon existence, pour toujours et avec une actualité d'autant plus saisissante que ce passé était devenu mon seul ancrage dans une existence en mouvance. Au contraire des gens qui ne partent jamais de leur lieu d'origine, et pour qui le présent et le futur sont les moments clés de la vie, l'errant se déplace comme une sorte de mélancolique, mesurant chaque nouvelle expérience à l'aune du passé. Il dévitalise ainsi d'une certaine façon son présent et son avenir ; ses moments nouveaux et ses projets n'auront de poids que s'ils surpassent en valeur ce passé idéal devenu paradigmatique. Je croyais d'ailleurs avoir dit cette destinée de manière originale et libératrice dans *Le pavillon des miroirs*. Mais je dois me rendre à l'évidence que ce sujet continue à me hanter même après avoir servi de toile de fond à chacun de mes romans. Ce sera ainsi jusqu'à la fin, car c'est la condition que j'ai choisie comme étant la mienne, et c'est aussi celle qui me permet le mieux de continuer à développer mes bonnes aventures.

❑

Je me souviens des deux années passées à Strasbourg comme d'une sorte de séjour en villégiature. Cela ressemble aussi, mais en beaucoup mieux, au temps que j'ai passé à l'internat. J'étais logé et nourri, et les repas des restaurants universitaires me semblaient tout à fait exquis, sans commune mesure avec ceux de Rio de Janeiro. Les allocations de la bourse étaient très modestes, mais elles me permettaient de survivre sans trop de peine, même s'il fallait que je rationne le tabac et l'alcool les fins de mois. Et la bibliothèque municipale de Strasbourg est un véritable coffre au trésor pour les lecteurs avides et carencés venant des pays du sud. Je me gavais donc de romans les journées durant. Les exigences universitaires n'étaient pas très grandes, et après des années d'études de philosophie, je n'avais pratiquement aucun effort à offrir pour bien réussir en psychologie. En fait, la psychologie est une sorte d'amalgame mal ficelé et peu critique d'idéologies diverses, avec des bribes de physiologie et de statistiques pour l'apparence scientifique, sur un fond assommant de religiosité psychanalytique. Or, après m'être exercé à la logique et à lire Kant ou Hegel — sans compter les pirouettes rhétoriques pour me débrouiller parmi les diverses tendances marxistes —, les textes de Freud et même les élucubrations lacaniennes me paraissaient un jeu d'enfant. Les cours de psychopathologie, donnés pourtant par un excellent professeur, avaient plutôt l'air de délicieux cours de littérature sur des personnages fantastiques. J'avais ainsi tout le loisir de me consacrer à la lecture de romans sans aucune culpabilité. On avait le droit d'emprunter plusieurs livres à la fois et, dans la mesure où je choisissais les livres de la Pléiade, je pouvais avaler les œuvres complètes de Zola, de Dostoïevski ou de Balzac sans trop devoir sortir de mon lit. Ceci me convenait parfaitement, puisque mes vêtements brésiliens n'étaient pas très adaptés à l'hiver alsacien et je me souviens que je grelottais continuellement dehors. Je suis certain que ces deux années constituent la période où j'ai le plus lu de toute ma vie, et elle a ainsi cristallisé définitivement mon penchant pour les réalités imaginaires. Je vivais d'ailleurs comme dans une bulle, en dehors du monde : je sortais pour aller aux cours indispensables, pour me rendre au restaurant universitaire tout proche, pour quelques séances à la cinémathèque universitaire et pour échanger les livres à la bibliothèque. C'était un vrai délice, sans que j'aie eu à m'occuper de ce qui adviendrait par la suite, car le temps était réellement suspendu jusqu'à la fin de la maîtrise. J'évitais de penser à cette échéance, me disant qu'une solution se présenterait d'elle-même une fois que je serais rendu là ; je me disais aussi que j'avais raison de me gaver de lectures, justement parce que je ne savais pas ce que l'avenir me réservait en matière de travail. De toute manière, ce n'était pas du pur vagabondage, ni du gaspillage de la bourse d'études, puisqu'en plus de la maîtrise je ressortirais de là aussi avec une bonne connaissance de la langue et de la culture françaises. J'ai d'ailleurs découvert à cette époque des auteurs qui sont devenus importants pour moi, comme Marcel Aymé, Alphonse Boudard, Francis Carco, Blaise Cendrars, Céline, Gide, et Elsa Triolet, en plus de Camus, de Malraux et de Sartre que je connaissais déjà un peu. Mais je n'ai jamais été capable de m'intéresser à l'univers de gens comme Marcel Proust, Paul Claudel, Marguerite Duras ou même Gustave Flaubert, ni au formalisme vide du nouveau roman. C'est sans doute une question de personnalité ou de manque de sophistication…

La bibliothèque était aussi bien fournie en romans étrangers, et je me souviens d'avoir lu à cette époque les grands auteurs nord-américains comme Faulkner, Hemingway, Caldwell et Steinbeck en particulier. Mais aussi des représentants russes du réalisme socialiste, comme Pilniak,

Fadeïev et Cholokhov, que je contrebalançais par la lecture beaucoup plus intéressante des Victor Serge, Ilya Ehrenbourg, Jan Valtin, Arthur Koestler et Boris Pasternak. J'étais, et je suis resté encore aujourd'hui, un lecteur hétéroclite, avant tout curieux des mondes nouveaux qui ressemblent au mien. Je lisais ainsi de tout, peu soucieux de la qualité littéraire des œuvres, mais en cherchant plutôt leurs possibilités de me faire rêver ou de me transporter vers des tranches extrêmes de vie. J'ai alors relu avec plaisir *La montagne magique* de Thomas Mann, l'œuvre de Hermann Hesse et celle de Knut Hamsun. Ma découverte importante a été cependant le théâtre de Sartre, et *L'être et le néant* que je considère comme un des textes fondamentaux de la philosophie contemporaine. Il me permettait de mettre un peu d'ordre théorique dans ma façon d'être, tout en me poussant à plus de rigueur dans mes nombreuses critiques de l'idéologie psychologique. D'ailleurs, de tout ce que j'ai étudié à cette époque à l'université, seules les œuvres de Jean Piaget me semblaient avoir une valeur certaine du point de vue de la connaissance humaine, et cette opinion n'a fait que se renforcer au long de mes années de pratique de la psychologie. Pour ce qui est de la psychopathologie des psychoses, j'étais déjà persuadé qu'elle relevait essentiellement de la neurophysiologie et non pas des relations humaines. J'allais plus tard soutenir ce point de vue dans ma thèse de doctorat en psychologie à l'Université de Montréal, mais en m'attirant les foudres des professeurs d'orientation psychanalytique. Tels des bigots adorateurs du pape, la plupart des cliniciens de cette époque ne juraient que par la sainte famille de Freud, de Klein, de Lacan, de Mannoni et d'autres idoles tombés presque en oubli aujourd'hui. C'était durant la triste époque où l'on prétendait sans aucune honte que les enfants autistiques et les schizophrènes étaient ainsi devenus à cause de la froideur de leur mère (qu'on disait *schizophrénogènes*!), comme si une mère avait la capacité de faire d'autre dégât que simplement emmerder ou culpabiliser sa progéniture. La connaissance de la phénoménologie me permettait ainsi de ne pas trop m'irriter de ces modes mystiques d'une religion se prétendant science. J'avais déjà fait mes premières armes critiques en relation au marxisme, et je n'avais aucune fascination pour les illusions totalitaires ; je naviguais alors avec un certain sens de l'humour parmi ces croyances, tout en me gardant de trop m'exposer pour être certain de décrocher le diplôme.

Une autre découverte m'a beaucoup plu : celle du test de Rorschach, qui m'a aussitôt captivé parce qu'il ressemblait tout à fait au jeu des taches d'encre sur le buvard auquel je jouais dans mon enfance. J'ai utilisé souvent ce test au début de ma pratique de psychologue, y compris pour obtenir mon doctorat. Et si je l'ai même enseigné avec passion à une certaine époque, je n'y ai jamais cru de façon absolue. Ce scepticisme venait justement du fait que j'étais excellent pour l'interpréter, et que je le faisais d'une façon presque magique. J'arrivais ainsi à étonner mes étudiants avec la profondeur des élucubrations que je dégageais des protocoles comme un prestidigitateur qui sort des lapins d'un chapeau. Sauf que c'était une sorte de jeu imaginaire à partir de quelques règles précises, assez semblable à mes jeux de rêverie ou à mes associations d'images en regardant les volutes de fumée sortant de ma cigarette. À l'époque de ces pratiques interprétatives, je soupçonnais déjà que les tests projectifs fonctionnent un peu à la façon des vaticinations des cartomanciennes, et qu'ils dépendent surtout du flair du praticien et très peu de l'instrument utilisé, que ce soit le test de Rorschach, les lames du tarot ou le marc de café. Mais je n'osais pas alors poursuivre mon analyse sur cette pente raide, de peur de voir s'écrouler toute la crédibilité de mon travail de psychologue. Ce n'est que plus tard, après avoir abandonné le domaine de la psychopathologie adulte pour celui de la psychologie du développement, que je me suis enfin permis de me rendre à l'évidence. J'étais très compétent avec le test de Rorschach justement parce que j'avais plus de flexibilité imaginaire pour jouer avec les formes et avec les mots que la plupart de mes collègues. Et comme le fonctionnement mental des psychotiques est très facile à prédire — justement à cause de la pauvreté spirituelle créée par la maladie —, un clinicien avec plein d'imagination et d'expérience dans le domaine risque peu de se tromper dans ses classifications. Mais dès qu'on a tenté d'utiliser cet instrument ou tout autre test dit projectif avec des sujets normaux, l'échec a été total; ces tests n'aidaient aucunement à distinguer les personnalités humaines, à moins d'avoir recours aux plus grotesques des réductions. N'empêche que je me suis énormément diverti avec ces jolies planches colorées, qui servent comme les cieux floconneux à imaginer toutes sortes de jolies choses, de monstres et de massacres.

Voilà grosso modo ce que j'avais rapporté de mes cours de psychologie. Mais cette sorte de soupe idéologique ne me dérangeait pas. L'important, c'est que j'obtenais une maîtrise d'une université prestigieuse, et que j'avais perfectionné ma connaissance de la langue française. Le temps passait, et bientôt il faudrait trouver un moyen pour continuer mes aventures. J'avais entre-temps visité quelques pays de l'Est et, sincèrement, je ne me voyais pas y vivre. Mon idée du socialisme était celle d'un monde d'enthousiasme et d'ouverture d'esprit, ce qui contrastait fortement avec la morosité grise, avec la révolte sourde et amère des populations vivant sous les régimes soi-disant socialistes. En Tchécoslovaquie d'ailleurs, la révolte populaire contre le gouvernement était assez explosive, et j'avoue que j'ai été assez perplexe de constater que les gens dans les rues exigeaient le retour pur et simple du capitalisme. Pour un Latino-Américain comme moi, c'était le monde à l'envers, tout comme l'étaient les révoltes étudiantes de mai 68 en France. Je n'ai jamais pu comprendre au juste les revendications des étudiants français, ni le motif de leur malaise. Je me suis ainsi senti entièrement extérieur à ce mouvement même si j'étais un témoin oculaire des événements. Quant au capitalisme que les gens souhaitaient à l'Est, cela me paraissait une absurdité. Je voulais bien qu'ils s'en prennent à leurs dictatures bureaucratiques, mais le mot d'ordre de retour au capitalisme sonnait comme une simple provocation, et il faisait transparaître davantage la déchéance de ces prétendues démocraties populaires. Ma perplexité et mon ignorance d'alors étaient partagées par beaucoup d'intellectuels européens. Il était difficile de se faire une idée juste de l'état du monde quand les ouvriers défilaient à l'Est en se réclamant de l'Église catholique, pendant qu'on brandissait des photos du Che, de Ho Chi Minh et de Lénine en France et en Allemagne. Je restais seul et confondu au milieu de cette confusion, en pensant que la dictature brésilienne dont personne ne parlait était quelque chose de bien plus important. Pourtant, cette dictature-là était mon problème le plus pressant au fur et à mesure que passait le temps et qu'approchait la fin de ma bourse.

Qu'est-ce que je pouvais faire pour continuer à survivre ? Il était impossible d'obtenir un permis de travail en France après avoir bénéficié d'une bourse d'études. Même après avoir été accepté au doctorat de troisième cycle en psychologie, ma demande de renouvellement de la bourse a été refusée, et on m'a bien averti à la préfecture de police de Strasbourg qu'à la fin de la bourse j'aurais trente jours pour quitter le territoire français. Il y avait alors un climat généralisé de méfiance envers les étudiants étrangers, car on les disait plus ou moins responsables des troubles de mai 68 ; après l'expulsion de Daniel Cohn-Bendit vers l'Allemagne, toute une série de rafles et d'expulsions expéditives d'étrangers avaient été effectuées, y compris d'étudiants angolais et mozambicains envoyés directement dans les geôles de Salazar.

Un cadre du PCF rencontré à Strasbourg m'a offert de m'envoyer en URSS, mais en dernière instance seulement, car lui-même n'aurait pas voulu vivre là-bas. Des copains brésiliens qui avaient des familles influentes se décidaient à rentrer au pays, pendant que d'autres se faisaient envoyer de l'argent pour continuer leur séjour à leurs propres frais. Tandis que, moi, j'attendais sans trop savoir que faire, mais j'étais déterminé à tout faire pour que l'on ne m'embarque pas dans un avion pour le Brésil. Cela peut paraître très dramatique lorsque raconté ainsi et vu de loin, mais en réalité je vivais cette situation un peu comme un jeu, et j'attendais avec sérénité, en ajournant jusqu'au dernier moment mon entrée dans la clandestinité. Ne possédant rien et disposé à l'aventure, je n'avais en fait rien à perdre ; la conscience de cette situation ouverte me remplissait d'une certaine exaltation en dépit de mes démarches infructueuses. Qui plus est, comme la pratique de la psychologie n'existait pas comme telle au Brésil, j'ignorais qu'on pouvait aussi travailler quelque part comme psychologue, et je n'arrivais pas à concevoir quel type de travail pouvait découler de ce bouillon mi-philosophique, mi-physiologique que j'avais acquis en guise de maîtrise. Seuls les tests d'intelligence ou le Rorschach pouvaient à la rigueur avoir un usage pratique, mais où ?

C'est alors qu'un autre de mes nombreux petits miracles a eu lieu. Dans une soirée d'étudiants bien arrosée, un camarade de classe m'a confié qu'il venait du Canada, plus particulièrement d'une région où l'on parlait français, et qu'il connaissait peut-être une solution pour mon problème. Je n'avais qu'à écrire à une certaine adresse dans sa région, car peut-être qu'on m'engagerait comme psychologue. C'était au sanatorium Ross, à Gaspé, dans la province de Québec, au Canada. Ses propos semblaient relever de la fabulation, mais il insistait en disant qu'il ne mentait pas, et que si je ne me plaisais pas à cet endroit, je n'aurais qu'à m'en aller dans une autre ville. Les autres copains présents abondaient dans le même sens, et nous avons fini par boire encore à la bonne nouvelle, jusqu'à ce que tout le monde soit un peu ivre.

Dès le lendemain, j'ai composé une lettre de présentation et je l'ai envoyée, avec une copie de mon relevé de notes, à l'adresse magique, sans toutefois grand espoir de jamais recevoir de réponse. Quel ne fut pas mon étonnement de recevoir par retour de courrier une lettre officielle d'engagement du fameux sanatorium Ross, avec toutes les informations nécessaires pour que j'obtienne aussi mon acceptation par la Corporation des psychologues de la province de Québec, ainsi que mon visa de travail à l'ambassade du Canada à Paris. La lettre indiquait en chiffres clairs que mon salaire annuel serait de six mille dollars, alors que j'arrivais à survivre en France à cette époque avec environ quatre-vingts dollars par mois ! Comme on ne donnait aucune précision sur le travail que j'allais faire, j'ai cru qu'il s'agissait d'un genre de sanatorium comme celui de *La montagne magique*, et je me réjouissais déjà d'une aventure à la Hans Castorp, avec des conversations philosophiques comme celles qu'ont Naphta et Setembrini. J'étais aux anges.

La veille de mon départ, en remerciant mon camarade canadien pour son merveilleux tuyau, j'ai failli avoir un choc.

— Mais c'était une blague ! s'est-il exclamé, complètement incrédule. Tu ne vas pas à Gaspé ! Ce n'est pas possible, mon vieux. C'est le bout du monde… Qu'est-ce que tu vas faire là ?

Je lui ai assuré que oui, je partirais bientôt, et que j'avais même déjà échangé mon billet de rapatriement au Brésil pour un aller simple vers Montréal dans une petite agence de voyages discrète. Je lui ai aussi rappelé mon problème, et il a paru trouver qu'en effet, entre l'URSS et Gaspé, lui aussi aurait sûrement choisi Gaspé. Mais il ne semblait pas convaincu, et me regardait d'une drôle de façon. Il croyait se souvenir qu'il s'agissait bel et bien d'un hôpital psychiatrique, et qu'il s'appelait sanatorium parce que c'était un ancien hôpital pour tuberculeux, mais il était incapable de m'en dire davantage. De toute manière, je ne pouvais pas me tromper, puisque c'était le grand édifice en haut de la colline, et Gaspé n'était pas une si grande ville, où l'on pouvait se perdre.

J'ai eu le plaisir de retrouver ce copain vingt-huit ans après cette conversation, au cours d'un vernissage de mes tableaux à Québec, quand j'étais déjà un écrivain établi. Nous avons beaucoup ri de cette rencontre du passé à Strasbourg, où ma vie allait prendre un tournant radical simplement à cause d'une soirée bien arrosée. Comment expliquer ces coups du hasard, si à propos et si convenables qu'ils m'irriteraient comme des coïncidences improbables s'ils étaient dans un roman ? Je crois plutôt que ces occasions arrivent quand on part à l'aventure et qu'on n'a pas grand-chose à perdre. On a, certes, plus de chances de se casser la figure que de réussir, et c'est pourquoi les gens préfèrent en général les voies les plus sûres et les chemins les plus fréquentés. Mais ces coups du sort arrivent ; il faut seulement être disponible, pas trop encombré et ne pas hésiter.

Je n'oublierai jamais mon voyage à Gaspé, car il est resté fixé dans mon esprit avec des ressemblances avec celui de Hans Castorp. C'était en juillet, par des journées magnifiques. Une fois à Montréal, je me suis rendu à la Gare centrale afin d'acheter un billet pour Gaspé ; j'espérais arriver au plus vite, puisqu'il ne me restait presque plus d'argent. Le guichetier m'a demandé si je voulais une couchette, et je lui ai répondu que non, bien sûr, car j'allais seulement à Gaspé. J'avais oublié de regarder les distances sur la carte. Le train était déjà parti, et il n'y avait pas d'autre départ avant le lendemain. Je déambulais par les rues du centre de Montréal, complètement abasourdi par la taille des automobiles et par l'impression de richesse qui se dégageait de tout. Je n'avais jamais vu rien de pareil, et je m'étonnais d'être ainsi arrivé dans une vraie métropole capitaliste de cette Amérique du Nord pleine de gringos. Dans un bar, on m'a servi une Labatt 50, et j'ai aussitôt aimé ce pays où la bière n'était pas fade comme celles que l'on trouve en France. J'allais l'aimer davantage en sirotant du rye à même la bouteille durant mes longues soirées gaspésiennes. Le lendemain, le voyage a duré presque vingt heures d'affilée. Le contrôleur m'a rassuré en me disant que je ne risquais pas de rater ma gare, car Gaspé était le terminus, et que le train serait alors vide. Après une nuit à dormir assis, je voyais défiler les petites gares les unes après les autres, dans un décor de rêve. Le pays était immense, pratiquement vide d'habitants, mais le train avançait à pas de tortue, presque comme s'il cherchait son chemin. Je ne voyais pas de villes ni de villages, mais uniquement des gares isolées en pleine campagne, où attendaient quelques taxis et de rares voyageurs. Le jour déclinait, le train se vidait en effet, et toujours pas de ville à l'horizon. Dans mon imagination romanesque, je me demandais s'il n'y avait pas là, enfoui dans une sorte d'asile en ruine, un médecin fou qui se serait fait passer pour le directeur d'un sanatorium dans le but de m'attirer dans un guet-apens pour ses expériences frankensteiniennes. Le contrôleur m'assurait que tout allait bien, je relisais ma lettre d'engagement, et je me souvenais du fonctionnaire aimable de l'ambassade à Paris qui m'avait, lui aussi, sorti d'une impasse. Après mon examen physique chez un médecin, au moment de remplir le questionnaire, le fonctionnaire m'avait vu hésiter. C'est qu'il y avait là des questions délicates, du genre : « Avez-vous déjà appartenu à une organisation clandestine ? »; « Avez-vous déjà été membre d'un parti communiste ? »; « Avez-vous déjà fait l'objet d'une arrestation par la police de votre pays ? »; « Avez-vous fait l'objet de procédures judiciaires dans votre pays ? » Des questions délicates, de nature à faire hésiter un jeune psychologue de bonne famille comme moi, d'autant plus que je n'étais pas certain de ce que ces Canadiens avaient pu trouver dans le passeport que j'avais payé comptant deux années auparavant. Il avait souri et m'avait simplement dit de cocher tous les « non » de la colonne, que ce serait plus vite fait que de s'arrêter à réfléchir à chaque question.

La nuit tombait, on ne voyait rien de plus par la fenêtre du train, et je pensais toujours à ce fonctionnaire de l'ambassade. Quel étrange pays, ce Canada ! Se pouvait-il qu'il existât vraiment ? En pleine nuit, la gare de Gaspé était déserte. J'ai dû appeler plusieurs fois l'hôpital avant qu'on sache de quoi il s'agissait. On m'a demandé d'attendre là, car quelqu'un viendrait me chercher. En effet, trois quarts d'heure plus tard, un grand gaillard encore très jeune est arrivé, en s'excusant du fait qu'on ne savait pas quand j'arriverais, et que le seul médecin du sanatorium était absent ce jour-là. Mais que ça ne faisait rien ; il m'emmènerait et me trouverait une chambre dans le pavillon des infirmières. Il a mis mes valises dans le coffre de l'auto et nous sommes partis.

— Et vous ? Travaillez-vous à l'hôpital ? lui ai-je demandé, croyant qu'il était le chauffeur du sanatorium.

— Oui, je suis le directeur général.

Et c'était vrai. Il était le directeur général et trouvait tout à fait naturel de donner un coup de main à un jeune employé arrivé de l'étranger. Drôle de pays que ce Canada, où un homme jeune comme lui pouvait déjà être directeur de quoi que ce soit ! J'avais l'impression que j'allais m'y plaire.

❑

Je suis resté seulement six mois à Gaspé. Malgré l'immense beauté des paysages et l'accueil chaleureux des gens, ce n'était pour moi qu'un lieu de passage dans mon long voyage vers moi-même. En dépit de la courte durée de ce séjour, je pourrais raconter beaucoup d'histoires intéressantes sur ces valeureux Gaspésiens qui me faisaient tant penser aux personnages de Knut Hamsun, dans le nord de la Norvège. Et il m'est arrivé à diverses reprises de regretter de ne pas m'y être établi pour longtemps. C'est toujours ainsi quand il s'agit de chemins pleins de promesses mais que je n'ai pas empruntés. Je me demande alors quelle aurait été la suite de ma vie et quelles auraient été mes aventures. Certains soirs, après avoir beaucoup bu, pendu à ma pipe, il m'arrive de rêver à ces bribes d'existences non vécues; les découvertes que je peux ainsi faire me laissent parfois réellement surpris. Dommage, on n'a qu'une seule vie, et cette seule liberté qui nous engage et qui nous ferme tant et tant de chemins désormais à jamais mystérieux.

8

Je crois que la frustration de ne pas avoir pu faire mon doctorat en France m'a poussé à m'inscrire à l'université dès que j'ai été bien établi en ville. J'avais d'abord opté pour McGill, car j'escomptais apprendre l'anglais comme bénéfice secondaire à la psychologie ; mais, dans cette université, on était trop expérimentaliste à cette époque et éloigné de la psychologie clinique, alors que je n'éprouvais aucun intérêt pour le comportement des rats de laboratoire. Je suis donc allé à l'Université de Montréal. J'ai plus tard regretté d'avoir perdu quelques années de travail intellectuel pour obtenir ce diplôme de doctorat qui ne m'a rien apporté de concret et ne m'a pas permis d'avancer dans mes réflexions. J'aurais mieux fait de faire un doctorat en philosophie ; au moins je me serais amusé à étudier de façon intensive ce que par la suite j'allais quand même continuer à étudier par plaisir. Mais, à cette époque, il semblait que les études avancées en psychologie allaient m'ouvrir des portes intéressantes ; et comme je travaillais en psychiatrie, cela m'a paru alors la meilleure option. En réalité, déjà peu de temps après avoir obtenu mon doctorat, et jeune professeur titulaire à l'Université du Québec, je démissionnais de mon poste pour revenir au simple travail clinique dans un hôpital, où j'avais la chance de travailler uniquement à temps partiel. Mon année d'enseignement universitaire a suffi pour me convaincre que je ne saurais passer toute ma vie à me consacrer à la psychologie. Je ne croyais pas assez au sérieux des théories psychologiques et je trouvais la dépendance des étudiants trop difficile à supporter.

Une curieuse déception m'est restée après mes quelques années de travail en psychiatrie : les fous et la réelle folie sont bien plus fades que mon imagination ne les avait dépeints. Alimenté comme je l'étais par la littérature, je m'attendais en fait à tout un monde de ténèbres, peuplé de monstres et de spectres aux pulsions dévastatrices, ainsi qu'à une sorte de créativité déchaînée et biscornue. Je croyais vraiment que l'esprit des malades mentaux était la scène de spectacles terrifiants, un peu comme l'univers des peintures de Hyeronimus Bosch ou de William Blake. Et dès mes débuts auprès des schizophrènes les plus délirants, je m'attendais, non sans une pointe d'envie, à entendre leurs récits fabuleux. Quand ils gardaient un silence en apparence buté, je supposais que c'était parce qu'ils étaient trop captivés par ce monde intérieur de richesses et d'horreurs infernales. Comme il s'agissait en général de malades mentaux qui avaient commis des crimes parfois horribles, j'associais indûment ces actes monstrueux à une activité mentale tout aussi effrayante. Hélas ! ma connaissance ultérieure de ce monde aliéné et mes nombreuses entrevues avec ce genre de patients m'ont bien montré combien j'étais dans l'erreur en croyant qu'ils possédaient une richesse mentale de quelque type que ce soit. Au contraire, leur monde, y compris leurs délires ou leurs hallucinations auditives, est d'une pauvreté et d'un dépouillement affreux, sans aucune mesure avec les représentations qu'en fait l'art. La maladie mentale a le curieux effet de vider les sujets qui en sont atteints, justement de la richesse psychique qui pourrait leur venir en aide contre leurs spectres et leurs fantômes. Elle les abandonne alors dans un monde d'une immédiateté sans significations complexes, où ils sont de simples jouets de pulsions comme les nôtres mais devenues impossibles à transcender.

Cette déception a contribué à mon abandon de la psychopathologie au profit de la psychologie du développement. Par ailleurs, le domaine de ce qu'on appelle les névroses ou les troubles d'adaptation ne m'a jamais paru assez captivant, car je l'ai toujours perçu comme étant essentiellement celui des troubles de la volonté. En effet, je n'arrive pas à concevoir ces formes de déséquilibre existentiel autrement que comme des expressions d'une faiblesse morale chez des sujets par ailleurs normaux, quand il s'agit tant de difficultés affectives que du contrôle des appétits (obésité, toxicomanie ou perversions sexuelles). Et je ne me voyais pas côtoyer ce genre d'individus pour tenter de les aider avec des béquilles existentielles forgées par mon imagination. Encore aujourd'hui, quand j'entends parler d'adultes normaux qui ont besoin de recourir aux services d'un psychologue, je ne peux m'empêcher de penser qu'il s'agit de gens moralement dépendants à la recherche d'une vie surprotégée et bien fade. Je me demande alors à quoi leur sert la richesse de l'existence, y compris avec ses moments difficiles, s'ils n'ont pas envie de la vivre avec toute l'intensité et les risques qu'elle leur offre.

Le travail clinique auprès des enfants présentant des difficultés de développement et de leurs familles me paraissait, au contraire, plus noble, avec des résultats palpables et supporté par des assises théoriques moins farfelues que la psychopathologie. Avec l'avantage que je pouvais y consacrer le temps que je voulais. C'est que j'avais déjà découvert à cette époque la véritable passion de ma vie, et l'exercice de la psychologie ne pouvait qu'être un simple gagne-pain.

Aussi loin que remonte ma mémoire, j'avais toujours dessiné. Je dessinais n'importe quoi, avec passion, sans toutefois montrer un talent particulier. Ce n'était pas important, car seule l'activité avait un intérêt à mes yeux, et je n'ai jamais attaché une grande importance au produit final de ces jeux graphiques. À l'internat, par exemple, j'aimais illustrer mes cahiers de petits croquis, et je m'en donnais à cœur joie dans mes graffitis obscènes ou satiriques sur les murs des toilettes. Mes premiers gains comme artiste ont d'ailleurs été des cigarettes, en échange de dessins de femmes nues ou de copies de photos commandés par des amateurs. À l'époque, il n'y avait pas de revues comme *Playboy* ou *Penthouse* pour faire rêver les adolescents ; tout au plus circulaient en cachette quelques revues sur le nudisme aux photos d'une qualité bien médiocre, que les élèves les moins imaginatifs s'arrachaient pour stimuler leurs fantaisies au moment des masturbations.

Je me souviens d'en avoir copié quelques-unes sur commande, et je suis fier de ces débuts artistiques modestes mais chargés de passion. Ensuite, à l'université, je fournissais quelques caricatures de gros bourgeois à haut-de-forme et complet trois pièces, ainsi que de militaires ventrus pour les posters gauchistes qui tapissaient les murs de la faculté. Ce n'était rien de très spectaculaire ni de très recherché, mais simplement de l'art éphémère d'agit-prop pour les masses. J'avais fréquenté sporadiquement les ateliers libres de modèle vivant à l'École des beaux-arts de Rio de Janeiro avant d'entrer en philosophie, plus pour lorgner les filles nues que réellement pour apprendre à dessiner. Aussi, j'ai suivi durant une année un cours de dessin publicitaire donné par le père d'un de mes camarades de classe, mais sans grand enthousiasme pour les représentations des bouteilles de Coca-Cola dégoulinantes de fraîcheur. Il s'agissait uniquement alors d'un passe-temps anodin, d'une activité captivante qui me divertissait sans autre but que le plaisir immédiat de laisser courir le fusain sur le papier.

La découverte de la peinture et de la gravure dans les musées français m'a au contraire fortement secoué, et mes premières vraies tentatives de travailler le dessin ont eu lieu à Strasbourg dans les intervalles entre deux lectures. Plus importantes encore que ces débuts timides ont été les heures consacrées à étudier les livres sur les peintres et sur la peinture que la bibliothèque possédait en grand nombre. Je me souviens surtout de la paix immense et du silence régnant dans ma tête pendant la contemplation de ces reproductions de tableaux. Cette sensation, celle du silence en particulier, si différente du brouhaha constant durant les lectures m'a aussitôt séduit, comme si j'avais besoin de plages de conscience vides pour me reposer de tant de langage et de narrations obsédantes. En réalité, seulement l'acte de dessiner ou de peindre, et la contemplation d'œuvres plastiques ont cet effet bienfaisant de faire cesser le bavardage et les histoires dans mon esprit. Par un curieux miracle, quand je me consacre à ces activités, tout mon monde imaginaire s'arrête comme dans un théâtre de mimes, cédant la place uniquement à des images statiques aux mouvements extrêmement ralentis. La temporalité s'interrompt, et la musique elle-même disparaît de ma sensibilité auditive. Cela est si marqué qu'il m'arrive de savoir que j'ai fait jouer diverses cassettes de musique durant la séance de peinture, sans toutefois me souvenir de les avoir entendues. Je mets ainsi de la musique par pure habitude, pour avoir une sorte de bruit de fond au début du travail, ou encore pour imprimer une certaine ambiance de rythme selon le genre de tableau que je m'apprête à exécuter. Mais à la rigueur, n'importe quel bruit ferait l'affaire, y compris celui de la tondeuse à gazon du voisin ou le vrombissement des chasse-neige. De toute façon, peu après que j'ai commencé à travailler, le silence s'installe dans mon esprit jusqu'à la fin de la séance, entrecoupé seulement de petites interruptions sonores durant les pauses que je fais pour bourrer une nouvelle pipe. Et ce silence m'est précieux ; il m'apaise et il me permet de mieux apprécier les images qui peuplent ma conscience d'une façon encore plus importante que ne le font les histoires. Les images sont aussi plus radicales, plus fascinantes, comme si j'étais davantage et originellement un être d'images statiques. Je crois que les histoires comme telles se déroulant dans mon esprit sont des acquis tardifs, plus reliés à la fermentation issue de la lecture, et avec une signification peut-être un peu défensive pour me protéger du monde des images statiques. Elles sont, certes, la source de grands plaisirs, mais semblent être une construction secondaire sur un fondement de scènes immobiles. Je n'arrive pas à mieux dire cette dichotomie, mais je sais que les images sont primordiales, se situant dans un registre plus archaïque de l'être. Sauf qu'elles ont été comme harnachées *a posteriori* justement par la puissance structurante d'un langage venu tardivement. Et dès que le silence s'installe, les voilà à nouveau agissantes selon leur manière propre d'être. Même les images acquises plus tard dans la vie se rangent dans cette sphère psychique sans nom précis mais combien réelle, comme si c'était là leur lieu propre de stockage et d'action. Et depuis cette source, elles peuvent me hanter ou me charmer, sans trop de risque de se faire déranger par les narrations verbales. J'ai du mal à mettre en mots cette réalité des images parce que la psychologie n'a jamais décrit cette sorte de reliquaire dont je parle, et qui n'a rien à voir avec le concept absurde d'inconscient parce qu'il est justement bien plus conscient que tout le reste ! Et d'une force telle de conscience que je me sers souvent du langage narratif pour le biffer de mon champ actuel de pensée. Je tenterai un jour de mieux dire cela, cette sphère psychique qui se dérobe entièrement au langage, et qui de ce fait se dérobe aussi à la parole descriptive. Il suffit de mentionner ici que ce domaine est peut-être bien plus important qu'il ne paraît pour l'origine de mon attrait ultérieur pour les histoires et les fictions.

Ainsi, dès que j'ai fini de rédiger ma thèse de doctorat, et rassuré par le diplôme et par ma position de psychologue, je me suis attelé sérieusement à la tâche d'apprendre le dessin. L'obtention de ce titre universitaire a sans aucun doute joué un rôle libérateur dans ma vie, comme si j'avais alors payé une sorte de dette symbolique et obtenu enfin le droit de me consacrer à ma partie démoniaque. C'est d'ailleurs peut-être aussi parce que je voulais un doctorat, n'importe quel doctorat, que j'ai choisi le chemin de la facilité en faisant un doctorat en psychologie. Je ne le savais pas aussi clairement à cette époque, mais je ressentais le besoin de prouver au monde et à mes spectres, par le biais d'un titre prestigieux, que je n'étais pas la graine de potence du regard accusateur de ma mère. Quelque chose de cet ordre-là, car le soulagement que j'ai éprouvé alors était sans précédent, même si l'usage du titre ne m'a jamais vraiment importé. J'ai gardé le diplôme dans un tiroir, j'ai donné l'hermine qui l'accompagnait à mon jeune fils pour qu'il se déguise en Indien, et je n'y ai plus pensé. Seule la pratique du dessin comptait dorénavant, après bien sûr le soulagement d'avoir démissionné comme professeur au département de psychologie. Je crois que je suis même le seul professeur titulaire qui ait jamais démissionné sans motif apparent de cette université, et mes collègues professeurs ont alors évoqué l'hypothèse d'une crise dépressive pour expliquer mon geste absurde. Mais je flottais en plein bonheur à l'idée que j'allais pouvoir augmenter substantiellement ma présence dans les ateliers que je fréquentais déjà à la School of Art and Design du Musée des beaux-arts de Montréal. Je me souviens que, le jour même de mon départ de l'université, je suis allé me procurer un ensemble de ciseaux et de gouges destinés à me faire la main dans la gravure sur bois.

Je me sentais curieusement libéré, enfin prêt à affronter le monde des images statiques qui m'avait toujours paru un peu diabolique, et que j'avais jusqu'alors tenu harnaché et à distance par le pouvoir du langage. Et, en effet, je me suis consacré à cette partie essentielle de mon âme durant les vingt années suivantes, de manière presque exclusive au point de délaisser passablement le monde des romans et des théories. Quand je pense à cette transformation radicale de mes projets, je dois me rendre à l'évidence que cela peut paraître très étrange, absurde même, et apparenté à une sorte de dérangement mental quelconque. Si un de mes anciens patients de l'institut Philippe-Pinel ou du pavillon Albert-Prévost m'avait raconté une histoire semblable, je n'aurais pas hésité à croire à une forme de dissociation, de personnalité limite ou à de la pure simulation. Pourtant, c'est bien ainsi que tout s'est passé, sans angoisse et tandis que je gardais les pieds bien ancrés sur terre pour ne pas mettre en danger ma survie et le confort matériel des miens. L'effet de bizarrerie vient cependant du fait que j'abandonnais partiellement une carrière de psychologue pour me consacrer à l'art ; le contraire n'aurait pas paru aussi dérangeant. Cela s'explique par la réputation des deux domaines, et malheureusement la plupart des gens sont si frustes et ils manquent tellement d'audace qu'ils préféreraient absolument le choix de la psychologie à celui des arts plastiques. Naturellement, connaissant ces dispositions d'esprit si répandues, j'ai gardé le secret pour moi. J'étais déjà habitué à mes mondes multiples depuis mon enfance, et ce changement radical de cap ne me faisait pas peur. Sauf que je ne pouvais pas alors m'imaginer qu'il s'agissait cette fois d'un projet existentiel absolu, de la durée d'une vie entière. Tout au début, cela avait l'air du simple départ vers une nouvelle aventure, et cela me satisfaisait d'autant plus que les voyages réels que je ne cessais de faire commençaient à manquer de saveur. Je me disais qu'il s'agissait d'une aventure d'un nouveau genre et assez dépaysante, pour aller traquer dans leur propre élément les images obsédantes qui m'ensorcelaient depuis toujours. Je déployais donc de nouvelles carapaces, de nouveaux masques au quotidien pour ne pas devoir expliquer cette vocation soudaine. Je me rendais bien compte que, dans mon entourage, les gens avaient tous des trajectoires de vie plutôt homogènes, partant d'un point A pour tenter péniblement d'arriver au point B à la fin de leur vie, si possible avec une pension de retraite et l'admiration de leurs supérieurs. Ma transformation, au contraire, avait quelque chose de scandaleux, comme ces proclamations tardives d'une homosexualité pressante, ces aveux inopinés d'une conversion religieuse foudroyante et du désir d'entrer dans les ordres, ou encore comme ces citoyens ordinaires et effacés qui un beau jour se mettent une balle dans la tête après avoir liquidé leur famille. C'est que je ne voulais pas m'adonner à un simple passe-temps comme d'autres se mettent à jouer au golf ; du jour au lendemain je devenais peintre, pour de vrai, et mon travail de psychologue se réduisait à un simple gagne-pain, ou tout au plus à un violon d'Ingres. Les risques de cette nouvelle aventure ne me faisaient pas peur, bien au contraire ; ils donnaient plutôt l'aval à la réalité de l'aventure. Et puis, j'étais toujours dans mon domaine privilégié et rassurant de la fiction, un milieu familier loin du réel fade où la carrière de psychologue risquait de m'emprisonner. J'avais lu sur cette sorte d'aventure existentielle, en particulier dans le roman *L'envoûté* de Somerset Maugham, et je savais qu'elle était possible. Cette fois, je possédais la rente de Larry, le personnage du *Fil du rasoir*, sous la forme d'un job à temps partiel, et je ne serais pas désespéré pour ma survie comme l'avait dit être Van Gogh dans ses lettres à son frère Théo. Impossible donc de me tromper. Et le domaine de la peinture avait aussi l'avantage de m'obliger à faire un long et rigoureux apprentissage qui garantissait que je ne m'ennuierais pas de sitôt. En fait, je me souviens d'avoir décidé de suspendre mon jugement sur ce choix pour les dix années suivantes, tout comme je l'avais fait avec succès quelques années auparavant, au moment de choisir la philosophie plutôt que la médecine. Tant pis pour la cohérence. J'avais prouvé haut la main mes possibilités bourgeoises, et je redevenais le vagabond que j'avais toujours été. L'interlude de mes longues études universitaires n'avait été qu'un rituel de passage, une sorte de courbette aux frustrations de mon père pour que je puisse devenir un adulte à ma façon. Et je l'avais derrière moi, en me disant : « Bon débarras ! »

Il serait trop long de raconter ici en détail cette découverte de mon moi véritable, ou du moi qui me plaît le plus, à travers la peinture. Je compte peut-être un jour y consacrer un livre entier. Ce livre-ci parle du monde du langage, et je vais devoir survoler mes trente dernières années de peinture d'une manière bien superficielle. Il suffira de dire que j'ai délaissé le monde de la narration au profit du silence des images. Je lisais encore, naturellement ; comment faire autrement avec un tel passé ? Mais je lisais peu, et surtout je lisais de la poésie. Au contraire du mouvement transitif, temporal de la prose, la poésie — celle que j'aime, bien sûr — consiste à traduire des images statiques ou des scènes par des mots, de manière à déclencher des états d'âme et des visions dans l'esprit du lecteur. La poésie est ainsi beaucoup plus apte à accompagner l'art visuel et même à inspirer des créations d'images. J'ignore si les autres peintres réagissent comme moi au sujet de la poésie, mais elle me sert souvent comme source d'inspiration, non pas uniquement à travers les images qu'elle déclenche dans mon esprit ; l'acte même de lire des poèmes me permet de couper les ponts avec les narrations mentales et me met dans un état propice pour m'abandonner aux images qui me viendraient à la conscience. Ainsi, sans l'avoir décidé de manière volontaire, dès que je me suis consacré sérieusement au dessin et à la peinture, je me suis vu de plus en plus attiré par la poésie dont j'avais fait peu de cas jusqu'alors. Tout a débuté par la découverte de l'œuvre graphique et poétique de William Blake au début de mon doctorat, quand je m'efforçais aussi d'apprendre l'anglais. Blake est ensuite devenu un compagnon de route formidable, qui ne cesse de m'émerveiller et de m'inspirer même si nos mondes sont radicalement différents. Je me suis mis ensuite à la poésie de Coleridge, à celle d'Auden et à celle de Milton, toutes si riches en images semblables parfois à celles de mes tableaux. Plus tard, j'ai redécouvert Nietzsche, mais cette fois comme source de figures et de visions que j'arrivais à faire apparaître sur le papier. J'ai alors exploré aussi Gottfried Benn, Émile Verhaeren, César Vallejo, Miguel Hernandez et le magnifique Pablo Neruda. Curieusement, je connaissais depuis longtemps la poésie des Brésiliens Manuel Bandeira et Carlos Drummond de Andrade, qui évoquent plutôt le rythme de l'existence et qui ne m'avaient pas inspiré d'images auparavant. Mais dès que je me suis donné la permission de fouiller dans mon propre trésor d'images mentales, ces deux poètes se sont aussi mis de la partie pour exciter mon imagination non verbale. La même chose s'est passée avec les poèmes de Nazim Hikmet, de Dylan Thomas ou de T. S. Elliot, par une sorte de mécanisme psychique dont je ne suis pas arrivé à cerner la nature.

L'apprentissage des langues à l'âge adulte a ceci d'intéressant que le plus difficile consiste en la maîtrise de sa première langue étrangère. Cette rupture initiale de nos propres habitudes langagières nous oblige à revoir les structures grammaticales et étymologiques de notre propre langue, et elle nous met ainsi en état de réception ou d'appétit envers d'autres idiomes possibles. Dans mon cas, c'était la langue française, car le portugais et l'espagnol sont trop proches pour que l'on puisse parler de langues réellement étrangères. Le portugais est d'ailleurs pratiquement un des nombreux dialectes ibériques, comme l'est le galicien, dont la phonologie est plus proche du portugais parlé au Brésil que celle du portugais du Portugal. Et puis, par les chansons et par l'accent de nombreux immigrants, j'étais habitué depuis longtemps à la prononciation de l'espagnol. Or, une fois le français acquis, il me fallait absolument aussi l'anglais. L'apprentissage des langues ressemble aux voyages très dépaysants, et la connaissance de plusieurs idiomes est une condition indispensable pour l'amoureux du lointain. Sans compter que les langues étrangères nous permettent aussi de mieux nous déguiser et de mieux cacher nos origines. Ainsi, à cette époque, je lisais surtout des romans et des poèmes en anglais, mais davantage guidé par la forme de la langue que j'étudiais que par le contenu. Cette activité devenait une sorte d'ersatz pour satisfaire mes besoins de parole et de narration pendant que je me consacrais de façon primordiale aux images dessinées, gravées ou peintes. Mais je ne l'ai pas fait délibérément, et je n'étais pas conscient de tout ce processus. Je constate aujourd'hui que cela s'est passé de cette manière et pas d'une autre, et je suis persuadé que ce n'était pas un effet du pur hasard. Je délaissais le contenu des narrations au profit de la forme, car il était surtout question de formes dans la nouvelle activité qui me passionnait. Le contenu narratif des histoires cédait aussi la place parce qu'une narration beaucoup plus intéressante et actuelle était en train d'avoir lieu dans ma vie et dans mon atelier. Cela ressemblait un peu à ce que j'avais déjà vécu au moment de la menace de la répression policière, quand la lecture avait un peu cédé la place à la réelle excitation de la vie non fictive.

Une fois les bases de la langue anglaise maîtrisées, je me suis mis à relire mes auteurs et mes romans préférés en anglais, pour pratiquer l'idiome en compagnie de mes thèmes familiers. C'était encore une façon de privilégier la forme, même si à chaque nouvelle lecture des livres qui me sont chers j'en approfondis toujours un peu plus la compréhension. Cette habitude de lire en anglais s'est d'ailleurs installée de façon presque définitive à cause aussi du prix abusif des livres en français. Quand j'ai commencé à travailler au Canada, je ne possédais aucun livre ; j'avais uniquement quelques vêtements dans ma valise. Il m'a fallu tout acheter à neuf, me meubler un peu, acquérir une automobile pour aller au travail, sans compter l'argent mis de côté pour les voyages. Or, ce que je désirais le plus, c'était me procurer des livres, me monter une bibliothèque, ne serait-ce que pour pouvoir souligner les passages les plus significatifs ou écrire des notes en marge des textes. Les livres en anglais coûtant beaucoup moins cher que ceux en français, peu à peu je me suis retrouvé avec une bibliothèque d'abord constituée de livres en anglais. L'évolution s'est poursuivie dans le même sens, à tel point qu'aujourd'hui un tiers de mes nombreux livres sont en anglais, un autre tiers en allemand, et le troisième tiers composé d'ouvrages en portugais, en espagnol et en français. Cette proportion correspond d'ailleurs assez bien au pourcentage habituel de livres que je lis dans chacune de ces langues jusqu'à présent. Je trouve pertinent de le signaler pour mettre en relief le fait que mes lectures durant plus de vingt ans ne semblaient absolument pas me destiner à devenir un écrivain de langue française. On verra la suite.

Pendant ce temps, et de manière purement ludique, je me suis consacré à la lecture d'ouvrages sur la logique formelle. Pourquoi pas, si j'avais tout mon temps et s'il fallait que je me repose de l'activité très physique que constitue le dessin sur grandes surfaces ? Je regrettais de ne pas avoir pu approfondir mes connaissances sur la logique après la simple introduction durant les quatre années de philosophie. La découverte du *Traité de logique* de Jean Piaget m'a alors poussé à chercher plus loin, du côté des traités d'Alfred Tarski et de Hans Reichenbach. Dans mon travail comme psychologue du développement, j'avais un réel besoin de stimulations abstraites pour ne pas me sentir rouillé mentalement, surtout que le quotidien des évaluations des jeunes enfants commençait déjà à m'ennuyer. Je croyais qu'une connaissance approfondie de la logique pourrait m'ouvrir d'autres horizons au delà des simples théories de Piaget. J'ai ainsi poursuivi systématiquement ces études durant quelques années, parallèlement à mes autres lectures, même si je me suis vite rendu à l'évidence que la logique mathématique est un produit de l'intelligence et non pas une de ses sources. Tant pis, je satisfaisais ma frustration ancienne et cela me faisait passer le temps durant les heures creuses à l'hôpital, pendant que les collègues de travail échangeaient des banalités. Ensuite, j'ai simplement abandonné cette voie ; même si elle est très jolie et cristalline, elle ne semblait me conduire à rien d'autre qu'à des formalisations ludiques, à des syllogismes algébriques et à des tables de vérité pour lesquelles je n'ai jamais trouvé aucun usage. Mais j'ai poursuivi mes études sur le développement de l'enfant de manière très rigoureuse et approfondie, au point de pouvoir l'enseigner des années durant aux médecins résidents en pédiatrie, et ce, jusqu'à mon départ de l'hôpital. Cette partie publique de ma vie en tant que psychologue à l'hôpital Sainte-Justine a d'ailleurs été un véritable succès professionnel qui a duré vingt-deux ans. Quand je la décris comme un simple gagne-pain, cela ne veut pas dire que j'y étais oisif et endormi. Ce n'est pas dans ma nature d'être oisif ou endormi, et « simple gagne-pain » signifie uniquement que je n'y mettais pas autant de passion existentielle que pour la peinture. Autrement, j'aurais assommé mes patients et mes camarades de travail.

Une fois que j'ai été content de mon anglais, je me suis attaqué à l'étude de la langue allemande. C'était sinon la langue maternelle de mon père, du moins la langue de sa bible. Et je voulais posséder une bible semblable à la sienne pour ma collection de bibles, mais aussi pouvoir la lire. Dans la vie réelle, le véritable déclencheur de ma furie germanique a été le fait d'entendre une jolie femme me lire au lit et en allemand « Le chant de la mélancolie » de Nietzsche. Je possédais une édition bilingue d'*Ainsi parla Zarathoustra* — mon livre fétiche —, et je souffrais en silence de ne pas pouvoir lire le texte original. À ma demande, un peu surprise mais voulant me faire plaisir, elle s'est prêtée à l'exercice avec sa prononciation douce et enivrante du nord de l'Allemagne. Du coup, je venais de trouver la femme de ma vie, et aussi le courage de m'attaquer à l'étude de l'allemand jusqu'à le posséder comme mon père aurait voulu le posséder sa vie durant. C'était une de ces coïncidences étranges et pourtant si humaines, que la langue que je souhaitais le plus parler soit en même temps celle de cette adorable sœur jumelle qui m'accompagne depuis dans toutes mes aventures comme une vraie camarade de route. Avec son aide et ma capacité de m'absorber entièrement dans une tâche intellectuelle passionnante, j'ai aussitôt fait des progrès importants. J'ai alors vite délaissé aussi l'anglais pour ne plus lire qu'en allemand, ce qui s'est traduit en pratique par les centaines et centaines de livres que j'ai commandés jusqu'à ce jour par la poste en Allemagne. Tout d'abord, naturellement, je me suis jeté sur mes romans préférés, qui s'accumulent ainsi en plusieurs exemplaires et en plusieurs langues sur mes étagères. Ensuite sont venus des auteurs magnifiques de la littérature germanique dont j'ignorais tout jusqu'alors : Klaus Mann, Arnold Zweig, Siegfried Lenz, Hans Fallada, Ernst Jünger et Peter Weiss entre autres. Et ce n'était pas tout, car je pouvais dorénavant posséder aussi l'œuvre complète de certains auteurs qui me sont chers et dont on ne trouve pas facilement tout en traduction, comme Anna Seghers, Erich Maria Remarque, B. Traven, Bertolt Brecht, Franz Kafka, Hermann Hesse, Theodor Plievier, Ilya Ehrenbourg et même Jorge Amado. Hé oui, j'ai possédé l'œuvre complète de Jorge Amado en allemand avant de pouvoir me la procurer en portugais, ce qui relève presque du blasphème quand je raconte ça à d'autres Latino-Américains comme moi. La vieille bible en caractères gothiques gras et menaçants est venue à son tour enrichir mon trésor depuis les boutiques de livres d'occasion en Europe, tout comme les Nietzsche en plusieurs éditions datant du début du siècle, et dont je me suis inspiré pour que Max Willem fasse des faux dans *L'art du maquillage*.

Cette passion allemande ne m'a plus jamais abandonné, même lorsque ensuite je me suis mis en tête d'apprendre un peu le russe. Il y a sans doute des liens profonds m'attachant à la langue allemande, qui remontent aux paroles de mon père entendues en bas âge et à tout son monde de rêves et de regrets relatifs au pays mythique et enneigé de ses origines. Et je peux partager cette passion avec mon épouse, un peu comme si je m'étais plus ou moins attaché à son propre pays, mais en restant comme elle, un immigrant en pays étranger. C'est quelque chose dans le même ordre d'idées, mais à la fois si complexe et attendrissant qu'il est difficile de l'exprimer verbalement. Quelque chose aussi de très paradoxal et qui rejoint ma chère confusion existentielle, puisque, comme mon épouse, je ne me vois pas du tout vivre en Allemagne. Malgré tout, nous lisons avec plaisir et régularité les journaux et les magazines allemands, et j'en sais sans doute plus sur cette société que sur ce qui se passe du côté anglophone du Canada. Mais c'est ainsi d'être un errant : il ne faut pas s'encombrer de la volonté de tout rendre cohérent, sinon on risque de tuer les mystères les plus agréables des rêves quotidiens.

Je peignais et je gravais donc durant ces deux décennies, tout en poursuivant le passe-temps des langues et de la logique pour ne pas perdre le don de la parole. Au travail, je conservais un profil bas ; je ne travaillais qu'à temps partiel, et j'ignore ce que mes collègues pensaient de ma discrétion et de mon esprit critique face à cette profession qu'ils trouvaient si importante. Quelques médecins qui soupçonnaient mes ressources cachées m'accusaient d'être sinon paresseux, du moins fort peu ambitieux. Mais je gardais mon cap en silence puisqu'en sortant de l'hôpital — et souvent même durant les heures de travail, en plein milieu d'une ennuyeuse réunion de service — j'étais assailli par mes images mentales d'un éclat éblouissant.

Si je me souviens bien, mon seul travail de création littéraire durant ces longues années a été l'invention de personnages fictifs pour les tournois d'échecs avec mon épouse et mes deux fils. J'ai toujours été un amateur du jeu d'échecs, même si l'activité incessante dans mon esprit me condamne à ne jamais pouvoir dépasser un degré très modeste de compétence dans le jeu. Or, je souhaitais entraîner mes fils à ce jeu depuis qu'ils étaient très jeunes, pour leur transmettre cette passion mais surtout pour avoir de bons adversaires sans devoir me rendre dans les clubs spécialisés comme je le faisais autrefois. Mon épouse est d'une nature très joueuse et d'une logique exemplaire, et elle a appris les rudiments du jeu assez vite. Mais les deux jeunes enfants qui jouaient déjà passablement bien pour leur âge avaient besoin de plus de stimulation pour se prêter à de nombreuses parties successives. Par ailleurs, ils n'aimaient pas perdre, et je ne souhaitais pas les laisser gagner tout le temps pour ne pas leur donner de mauvaises habitudes. C'est ainsi que j'ai eu l'idée de créer nos olympiades d'échecs. J'ai d'abord inventé un pays imaginaire pour chacun de nous ; ceux des deux garçons avaient une histoire, une carte géographique en couleurs de grand format, et même des éléments mythologiques et des conflits guerriers spécifiques, de façon à renforcer leur sens d'appartenance et leur fierté nationale. Ensuite, il a fallu créer une équipe de joueurs aguerris pour chacun de ces quatre pays. Mais là encore, il fallait que ce soit crédible, et chacun des joueurs avait son nom, ses caractéristiques physiques et sa propre histoire consignée dans le livre officiel de notre société intermondiale d'échecs. Naturellement, tout au début, les enfants aimaient plus les aventures que le jeu d'échecs ; j'ai alors, avec leur aide, inventé un passé assez original pour chacun des dix ou douze champions de chaque équipe. C'était une bande de gaillards entre la horde sauvage et les douze salopards, parce qu'ils ne voulaient à aucun prix que leurs champions aient l'air de couilles molles. C'étaient donc des anarchistes, des repris de justice, des bagarreurs, des faussaires, des poseurs de bombes ou des révolutionnaires professionnels, mais ayant tous la passion absolue, presque assassine du jeu d'échecs. Il m'a fallu ainsi inventer parfois de longs récits, assez drôles et farfelus par ailleurs, avec des noms créés de toutes pièces comme Mindras, Makar, Mandarine, Maroussia, Yovanovick, Zacarias, Gorvic, Cotshi, Fuank, Jeremiah Loco, Korvus Schwartz, Kropotkine ou Pitagore. Des gens au passé sinistre, tous très costauds et agressifs, et les femmes très belles et indépendantes, bien au goût des deux garçons à cette époque. Ceux qui connaissent mes romans se rendront aussitôt compte que ces mêmes personnages ont ensuite émigré de nos olympiades d'échecs pour devenir de vrais personnages de romans, quelques-uns d'entre eux ayant même gardé leurs façons d'être originales. Mais à ce moment-là je ne ressentais aucune envie de créer des histoires, j'avais uniquement le goût de jouer aux échecs. Or, avec des pays si intéressants et des joueurs si hauts en couleur, nous jouions sans cesse des parties successives, chacun de nous devant défendre l'honneur d'au moins six champions à chaque olympiade. Cela peut paraître bizarre mais, en l'espace de plusieurs années, tous les quatre, nous avons disputé plus d'une trentaine d'olympiades et des tournois commémoratifs, ce qui donne des milliers de parties âprement disputées, parfois depuis tôt le matin jusqu'à tard dans la nuit chaque week-end. J'ai ainsi eu mes adversaires aux échecs ; mes deux garçons sont devenus d'excellents joueurs, assez bien cotés officiellement, à un tel point que j'ai craint qu'ils ne décident de délaisser les études pour se consacrer uniquement au jeu. Voilà le pouvoir de la fiction ; ce n'étaient plus de simples parties d'échecs consécutives, mais bien des olympiades où il y allait de l'honneur de leurs champions. Nous nous amusions avec des mondes imaginaires, et la science du jeu progressait sans que je doive insister pour qu'ils se perfectionnent. Je garde encore précieusement les cahiers officiels de notre fédération, avec les biographies et les minutes des tournois, qu'on s'amusait à tenir dans des villes étrangères, dans des quartiers pas toujours fréquentables par le commun des bourgeois.

❏

Vers le début des années quatre-vingt-dix, j'étais déjà un peintre bien établi, avec des centaines de tableaux et des milliers de dessins et de gravures à mon actif. Les problèmes d'identité ne se posaient plus depuis longtemps, puisque je me sentais un voyageur aguerri dans l'aventure des arts plastiques. Je savais aussi que cette passion ne saurait se laisser épuiser dans une seule vie, et cette certitude me procurait une immense sérénité. J'avais alors conçu l'extravagant projet de peindre une grande danse macabre comme celles d'autrefois en Europe, que je voulais la plus grandiose jamais réalisée. Depuis les recherches historiques et les dessins préliminaires, jusqu'au montage des supports et la peinture proprement dite, l'exécution de cette grande fresque de quarante panneaux a pris plusieurs années. Au contraire de la peinture de tableaux isolés qui maintient l'esprit créateur toujours en alerte d'une œuvre à une autre, la réalisation d'une longue série de ce genre ne m'a pas mobilisé l'esprit avec la même intensité. Je m'étais attelé à une tâche de longue haleine, dont l'exécution était souvent un simple travail manuel après le travail créateur initial des nombreux croquis préparatoires. Sans que je m'en rende compte, cela me laissait dans une sorte de disponibilité intellectuelle, et ce, pour la première fois depuis une vingtaine d'années de travail acharné de peintre. Il s'agissait d'une sorte de piège dans lequel je me suis laissé tomber malgré moi, comme si les suites narratives qui n'avaient pas baissé la garde pendant toutes ces années d'abandon se réveillaient. Ainsi, dès le début de cette période de relaxation de mes efforts créateurs, la littérature a entrepris son travail subversif en offrant des tentations successives à mon esprit aventurier. Je me suis rendu compte du processus uniquement quelques années après, quand il était déjà trop tard pour retrouver ma sérénité initiale. C'est aussi que je croyais avoir dompté une fois pour toutes cette partie de moi dominée par le langage et par la réflexion théorique. J'étais persuadé qu'elle était définitivement confinée au rôle de passe-temps, et que les choses en resteraient là jusqu'à ma mort. Pourtant…

Plusieurs éléments ont contribué à cette sorte de coup d'État spirituel de la littérature contre la peinture. Je parle de coup d'État, ou plutôt de tentative de coup d'État suivie d'une très longue révolution, et l'image n'est absolument pas trop forte même si ce n'est qu'une image. Attention, les psychologues amateurs, monsieur Kokis ne croit pas réellement être le théâtre d'opérations de forces mystérieuses ! Maintenant, la paix revenue après de longues négociations, beaucoup de concessions et de peine, j'arrive avec le sourire aux lèvres à saisir l'histoire de cette guerre intérieure, fratricide. Cette période de conflits intrapsychiques a duré presque les dix années suivantes, et l'écriture du présent livre est d'une certaine façon ma tentative de circonscrire l'impulsivité de ma conscience narrative dans un lacis de lois et de théories, pour que ma sérénité ne soit plus jamais troublée d'une pareille façon. Je le fais à travers le langage, car les images plastiques que je chéris tant ne sont pas en mesure de se défendre par leurs propres moyens quand le peintre est trop hanté par les récits. En mettant à nu, ou du moins en exposant au grand jour la mécanique des romans, je crois que j'arriverai à les démystifier assez pour qu'ils se comportent avec plus de civilité à l'avenir. Et aussi, pour que l'écrivain en moi respecte davantage ma passion de la peinture.

La source du problème se situe dans cette multiplicité avide d'identités forgées depuis l'enfance dans ma vie spirituelle. À mes yeux, un peintre ne devrait jamais répondre à des arguments par le langage, mais uniquement par des images, ou par des coups de poing si la situation l'exige. Un romancier ne devrait jamais dessiner ou peindre ses personnages, mais uniquement parler d'eux dans l'abstraction des figures du langage. Leur monde à chacun d'eux serait moins troublant. Or, je partais de si loin dans mon enfance et je ne pouvais pas faire autrement que d'être un peu gourmand, histoire de rattraper le temps perdu ; le temps perdu de mon père et celui de nombreux autres étrangers qui sont allés réclamer leur dû dans les métropoles du monde. Mais il y a aussi mon esprit ludique, cette curiosité sans bornes du petit enfant que je m'efforce de ne jamais trahir, pour ne pas m'enfoncer dans le monde de la mort des adultes repus.

Voilà que, depuis longtemps déjà, j'avais une dent contre les théories psychologiques qui prétendent expliquer le processus de création chez les artistes. Freud a lancé le bal avec ses textes simplistes et remplis de totalitarisme, et il a été ensuite suivi allègrement par une multitude de pauvres types incapables de créer quoi que ce soit d'original, mais dont la prépotence ne connaît aucune limite. Et il ne faut pas oublier tous ces petits scribouillards des journaux, sans aucune culture, mais qui se prennent aussi pour de grands exégètes ou de grands herméneutes. Dans toutes ces théories, l'artiste est perçu comme une sorte d'aliéné, au sens original du terme, c'est-à-dire un dépossédé agissant comme un pur instrument de forces qui le dépassent, soit névrotiques, soit proches de la déficience intellectuelle. Le peu d'habiletés langagières ou le peu d'intérêt pour la narration des artistes plastiques a pu donner du poids à cette impression, même si la réalité des faits est très différente. Il suffit de lire les lettres de Van Gogh, les textes de Rouault, de Beckmann ou de Kokoschka, ou encore les poèmes de Michel-Ange pour que cette impression se dissipe. Mais les psychologues et les critiques d'art de tout acabit ne se laissent pas convaincre facilement ; leur fascination pour l'artiste est trop profonde, et elle agit sur eux comme une source inépuisable d'envie et de désir de contrôle.

Durant l'exécution de ma danse macabre, je jouais alors avec l'idée d'écrire à mon tour un texte foudroyant contre ces philistins de cabinet, dans lequel je décrirais au contraire la richesse du processus de création et les niveaux supérieurs de conscience qui font paraître l'artiste comme s'il était une sorte d'inadapté. Cette idée me trottait dans l'esprit de manière vague, sans me pousser à des recherches ni à des projets précis.

Pendant cette même période où je me trouvais dans une sorte de disponibilité, la lecture de trois ouvrages apparemment sans rapport les uns avec les autres est venue sceller mon sort. Le premier est la magnifique autobiographie romancée du peintre, écrivain et dramaturge allemand Peter Weiss : *Esthétique de la résistance*. Il y est question mieux que nulle part d'exil, de créativité et de combats sociaux. C'est une œuvre gigantesque, complexe et de lecture exigeante, et qui implique justement une concentration et un abandon totaux du lecteur. En la lisant, je pensais à ma propre trajectoire, et je m'amusais à imaginer de quelle manière je m'y serais pris pour parler des événements de mon passé. Le deuxième livre a été une véritable trouvaille affective au sujet d'une enfance et surtout d'un père qui me rappelaient vaguement ma propre enfance et mon propre père. Il s'agit du délicieux récit autobiographique de l'écrivain français Cavanna, *Les Ritals*. Je me divertissais beaucoup à suivre ses péripéties comme étranger en France ; mais ce livre me renvoyait aussi à ma propre enfance, dans une sorte de chaîne de rêveries et de souvenirs qui n'avait pas l'air de vouloir cesser même après la fin de la lecture. Partout, dans l'autobus, pendant que je marchais, même pendant que je peignais, des images et des scènes de mon propre passé se sont mises en branle de façon on ne peut plus amusante. Des histoires entières, des tournures de phrases oubliées, des mots cocasses perdus depuis une quarantaine d'années me revenaient tout frais à l'esprit, avec une actualité saisissante comme si je n'avais jamais cessé de parler ou de penser en portugais. Sans suspecter la gravité de cette fièvre, je me laissais aller volontiers à ces rêveries, et je me permettais même d'accentuer le processus par des efforts supplémentaires de mémoire et par des associations libres. Cela me semblait relever du simple plaisir du souvenir. Dans cet état d'ébullition narrative et sans que je sois ancré dans la passion d'un tableau spécifique, le troisième livre a agi comme une dose massive de cocaïne langagière : *Voyage au bout de la nuit*, de Louis Ferdinand Céline. La prose de Cavanna m'avait déjà énormément charmé, en me faisant penser à celle de Blaise Cendrars que j'aime beaucoup. Mais armée par cette relecture du roman de Céline — qui m'avait simplement plu autrefois, sans plus —, ma conscience narrative ne s'est plus contrôlée et elle a décidé que le temps était venu pour un putsch définitif contre le gouvernement des images. Non seulement la narration se mettait au travail pour que ça parle continuellement dans mon esprit, pour que s'enfilent coquettement les souvenirs et les idées dans un joli collier au fil de la syntaxe, mais aussi — quelle perfidie ! — elle se faisait un devoir de raconter aussi la peinture par le langage. Oui, raconter, dominer, posséder, contraindre l'acte plastique à se soumettre aux exigences de la parole. En fait, j'avais volontairement conçu cette forme de trahison en pensant à écrire contre les détracteurs de l'artiste, et j'ai alors suivi mes impulsions littéraires le plus innocemment du monde. À ce moment-là, même la plus grande vanité sur terre n'aurait pas pu me faire imaginer ce qu'un geste d'apparence aussi anodine pouvait contenir en termes de conséquences désastreuses et de frivolités mondaines.

Tout en continuant ma danse macabre, je me suis soudain retrouvé en train de jeter des notes sur des bouts de papier pour ne pas oublier les petites trouvailles verbales qui me venaient à la conscience. Je me disais que c'était un pur divertissement excité par la verve de Louis Ferdinand, dont je relisais aussi avidement les autres romans. J'ai ensuite repris Cavanna et plusieurs romans de Blaise Cendrars, mais aussi

Marcel Aymé, sans trop savoir ce que je cherchais au juste. C'était d'autant plus curieux que je ne lisais pas en français à cette époque, et même depuis très longtemps déjà. Mais les idées venaient en français et non pas en anglais ou en allemand, comme cela aurait dû normalement se passer. Non pas en portugais, bien sûr, car je ne pratiquais jamais ma langue maternelle. Mais en français ? Est-ce que Céline à lui seul était capable d'une telle intoxication ? Je ne m'encombrais pas de questions techniques à ce moment-là ; j'étais entièrement absorbé par des contenus, par des souvenirs et par des argumentations destinées à décrire la richesse du monde mental de l'artiste.

Comment aurais-je pu parler de l'artiste en général, si la seule conscience artistique à ma disposition était la mienne, et si dans celle-ci la question de l'errance était fondamentale ? La question de l'errance débutait par le lointain dans l'enfance, dans mes premières tentatives de devenir moi-même, et elle aboutissait à un artiste immigrant prêt à entrer dans la cinquantième année de sa vie. Un artiste dont les œuvres étaient imprégnées de passé et si peu d'avenir. Et puis, comment parler de création plastique sans aborder les matériaux du peintre, d'où il retire beaucoup du plaisir quotidien ? Sans compter l'amour et la sensualité des corps, si présents dans ma vie depuis l'enfance, ou encore mes penchants théoriques et mes lubies narratives... Il y avait trop à dire d'un seul coup, car j'avais gardé le silence et empêché la parole de se déployer durant trop longtemps. Si j'ouvrais les digues du langage, je risquais de provoquer une inondation. Pourtant, me disais-je, pourquoi pas, si la danse macabre avance bien, et si une petite mise en ordre discursive ne fait de mal à personne, surtout à moi, avec tant d'identités et presque de vies entières superposées. Je repensais au livre de Peter Weiss et à celui de Cavanna, et je me demandais si j'étais capable d'en écrire un assez personnel, à mi-chemin entre la puissance du premier et la tendresse du deuxième.

Je me suis mis à la rédaction de ce qui allait devenir *Le pavillon des miroirs* d'une manière très peu rigoureuse. J'empilais les feuilles éparses écrites au crayon au fur et à mesure que les idées et les souvenirs se présentaient, je triais ici et là, et je cherchais à garder ou à inventer les scènes sans trop m'encombrer avec la cohérence de l'ensemble. De cette façon, j'ai vite fait d'achever un long manuscrit très hétéroclite de plus de mille pages. Je ne savais pas où je voulais aller, ni même que j'allais encore transformer et reprendre le tout pour aboutir à un roman. Je tenais absolument à la partie théorique au sujet de la créativité et du fonctionnement mental de l'artiste, mais je ne pouvais pas non plus abandonner les jolies scènes de l'enfance ou de la visite au bordel, lesquelles n'avaient rien à voir avec la créativité. Et à mesure que j'avançais dans l'écriture, je voyais pour la première fois à quel point j'étais étranger dans ce pays, même après plus de vingt ans. J'avais tellement vécu dans le cocon de mes rêveries et de mon atelier que je n'avais pas pris conscience du caractère artificiel de mon intégration. Je tentais alors de mieux comprendre cette réalité, me comparant à d'autres étrangers moins bien adaptés que moi, ceux qui gardaient une nostalgie corrosive de leur pays d'origine et un ressentiment amer envers le pays d'accueil. Le thème de la mort aussi prenait une partie substantielle du texte, sans toutefois que je puisse l'explorer comme il le méritait. En fait, un seul livre n'était pas assez pour tout dire, et mon manuscrit étouffait comme un affamé qui tente de se gaver d'un seul coup.

Au moment de mettre mes notes au propre, toujours à l'aide du crayon, j'ai compris que je faisais face à un grave problème de cohérence d'ensemble. Devant un matériel si abondant et composite, il me fallait absolument un projet, quelque chose du même genre que les structures préparatoires de mes tableaux. Sinon il serait impossible d'y voir clair. Pour la première fois donc, j'ai pensé à cet ensemble disparate de notes en tant qu'embryon de livre à organiser, mais aussi en tant que livre pouvant un jour être publié. Cette constatation non dépourvue de vanité m'a rendu à la fois fier et très critique devant le travail accompli ; je me voyais déjà en tant qu'auteur en train de signer des exemplaires du livre dans un lancement, et je percevais enfin toutes ses lacunes, telles qu'elles m'irritaient quand je les trouvais dans les livres des autres. Je lisais pourtant Nietzsche à cette époque, et si j'avais maintes fois souligné sa mise en garde aux solitaires dans mes diverses éditions de ses œuvres, j'étais bien loin de réaliser que je l'oubliais entièrement dans mon accès de bavardage. C'est que la peinture n'a pas la bonne presse et la renommée de la littérature ; j'avais beau être un peintre établi, beaucoup plus rigoureux dans mon domaine qu'un écrivain d'un premier livre, je savais qu'un livre publié pourrait même m'aider en servant de publicité à l'ensemble de mes tableaux. La réalité allait dépasser mes expectatives les plus extrêmes, au point que le livre allait devenir presque une boursouflure publicitaire, et j'allais ensuite me souvenir de la mise en garde de Nietzsche quand il serait déjà trop tard.

D'écriture en écriture, j'ai réussi à donner un semblant de forme à mon manuscrit, tout en l'élaguant substantiellement au long de ce travail. Il perdait son caractère polémique et ses développements philosophiques pour se réduire chaque fois davantage à une sorte de roman. Un roman à thèse, certes, presque autobiographique aussi, mais pas tout à fait cela non plus. La dynamique et l'économie propres du texte m'obligeaient à apprendre à mentir et à faire plutôt de la fiction, même dans les passages où les choses que j'avais réellement vécues me hantaient pour que je les garde telles qu'elles avaient été. J'apprenais ainsi à naviguer selon le courant autonome d'une narration romanesque plutôt que de vouloir à tout prix le contraindre, et je découvrais, émerveillé, qu'il s'agissait du même processus que durant mes rêveries solitaires. Jusqu'à ce moment-là, tous mes textes écrits avaient été des rapports de consultations psychologiques, des comptes rendus de procédures de diagnostic, des histoires de cas cliniques de familles ou des projets de protocoles de recherche. J'écrivais d'ailleurs de trois à cinq de ces rapports par semaine, et je le faisais depuis un quart de siècle. La cohérence des faits rapportés, leur véracité et la logique interne des arguments étaient les éléments primordiaux de ces textes, qui n'avaient d'ailleurs aucune commune mesure avec la pure fiction. Qui plus est, ces rapports étaient parsemés de jargon technique et ils devaient se conformer à des schèmes classiques de présentation pour être facilement recevables par les médecins. Mon écriture était ainsi trop ancrée dans une prose très peu littéraire, et il me fallait faire beaucoup d'efforts pour aller contre mes propres penchants au moment d'inventer des scènes ou des personnages, tout en prétendant les avoir réellement rencontrés dans mon passé. Je savais pertinemment qu'il ne s'agissait pas d'une autobiographie, mais ces scrupules de vérité factuelle ont été ce qui m'a donné le plus de travail, et ce qui m'a obligé à faire plus de corrections parfois avec une certaine angoisse.

Au début, j'allais ainsi dans toutes les directions, un peu à l'aveuglette. Mais dès que je me suis mis à établir des schèmes et à penser aux structures formelles d'espace et de temps, le travail a commencé à porter ses fruits. Une fois établie l'idée de l'alternance temporelle entre les chapitres et la décision d'utiliser deux voix, le tour était joué. Je savais alors que j'avais un livre entre les mains, même si j'ignorais encore comment le décrire, car ni Peter Weiss ni Cavanna n'avaient appelé leur livre « roman ». À cette époque, j'avais encore besoin d'être rassuré par des appellations qui me laissent aujourd'hui totalement indifférent.

Je l'ai appelé « roman » malgré tout, car le titre *Le pavillon des miroirs* était à lui seul garant des anamorphoses et de son mensonge essentiel. Une fois le manuscrit enfin dactylographié dans sa forme finale, et avec l'approbation de mon épouse et de mes deux garçons devenus adultes entre-temps, je l'ai envoyé à presque tous les éditeurs d'ici, et même à quelques-uns en France. En fait, je ne croyais simplement pas qu'il serait un jour publié, car l'aspect trop personnel du texte me sautait aux yeux. Je me disais que Peter Weiss et Cavanna étaient des types connus, d'où l'intérêt qu'on pouvait avoir pour leurs réflexions existentielles. Mais un peintre inconnu comme moi... J'éprouvais surtout un grand soulagement d'avoir pu le mener à terme pour m'en débarrasser et retourner tranquillement à ma vie silencieuse de peintre. Si les éditeurs ne voulaient pas du livre, tant mieux ; après tout, ils étaient les meilleurs juges. Quant à moi, j'avais vécu une sorte d'aventure, et il était temps de passer à un autre jeu. Et, en effet, les éditeurs le refusaient de façon unanime. Ceux de la France, à qui j'avais envoyé une lettre présentant le livre, me priaient de ne pas envoyer de manuscrit, jamais, et ils promettaient de ne renvoyer aucun paquet non préalablement sollicité. Cela voulait dire qu'ils allaient le jeter à la poubelle. Ceux d'ici me retournaient souvent mes paquets sans même les avoir ouverts, glissés simplement dans d'autres enveloppes en compagnie de lettres standardisées de refus. Ou ils avaient peut-être feuilleté au hasard quelques pages, et me conseillaient d'aller voir ailleurs. Un seul d'entre eux a jugé bon de m'envoyer une lettre disgracieuse, en exprimant son déplaisir d'homme de lettres devant ma piètre tentative de narration. Voilà, c'en était fait de ma vanité littéraire ; et à force de lire et de relire mon propre manuscrit je leur donnais presque raison. Après tout, qui d'autre que moi avait donc besoin de ces pages-là, quand il y avait déjà tant et tant de bons livres encore inconnus dans les librairies ?

Sauf que la passion narrative ne se laissait pas décourager par si peu. J'avais pris l'habitude d'écrire dans mon atelier quand le mal de dos m'empêchait de continuer à travailler sur les énormes panneaux de la danse macabre ; et l'écriture m'avait tenu compagnie dans ces moments d'ennui et de fatigue. Par ailleurs, sans que je m'en rende compte tout à fait, l'exercice de la mémoire et des faits de langage avait pour ainsi dire ouvert des brèches assez substantielles dans mes rêveries, et je me retrouvais parfois réellement inondé d'histoires, de souvenirs et d'idées pour d'autres livres. J'avais tout de même joué à ce jeu littéraire durant presque deux ans, et une bonne habitude s'était formée. Il n'était pas facile de me débarrasser de cet amas de narrations du jour au lendemain. Même que j'ai joué avec l'idée d'écrire une sorte de best-seller mi-romantique, mi-pornographique, pour appâter un quelconque éditeur et le faire ensuite accepter mon *Pavillon*. En réalité, j'avais pas mal appris durant ces premiers essais d'écriture, tant en écrivant qu'en comparant mes textes avec ceux d'autres écrivains, et je savais qu'il serait possible de jouer une nouvelle aventure, en tant que faussaire cette fois. Le thème du faussaire me fascinait déjà depuis longtemps, puisqu'en fin de compte qu'est-ce que j'avais fait de ma propre vie sinon inventer des vies d'emprunt, des vies totalement étrangères à la vie que mes origines me réservaient. Et cette liberté, surtout après l'exil, a un parfum à la fois de gratuité et d'artificialité qui fait inévitablement penser à la tricherie, au faux et au mensonge. J'avais d'ailleurs parlé de cette question dans mon livre sans toutefois l'approfondir. Non pas que cette création existentielle dont j'étais fier me dérangeât ; je connaissais déjà toutes ses implications et son caractère artistique, et surtout je n'étais pas capable de concevoir pour moi une autre sorte de vie que la mienne. Mais j'étais conscient que ma voie était peu commune, ne serait-ce que par les questions qu'on osait parfois me poser au sujet de mon donjuanisme existentiel.

Je m'amusais ainsi avec l'idée d'un nouveau roman pour passer le temps libre, et dont l'essence ne serait pas son contenu mais sa pure apparence. Le faux en peinture m'intéressait surtout par ses aspects techniques, et je savais qu'en l'absence de ces difficultés matérielles, un faux en littérature serait immensément plus facile à réaliser. Le journal d'une prostituée repentie, par exemple ; ou, mieux encore, celui d'une belle de jour. Ne m'avait-on pas déjà tant de fois sondé pour savoir si je n'acceptais pas de rédiger des thèses de doctorat contre de l'argent ?

Sur ces entrefaites, j'ai lu un jour un compte rendu d'un livre publié par une maison d'édition au nom tout à fait singulier : XYZ ! Voilà le bout de la ligne, me suis-je dit, le vrai terminus pour mon roman. Si ces gens-là me le refusaient, j'aurais fait le tour de l'alphabet, et ce serait comme un augure me commandant de renoncer à mes lubies littéraires. Quelques jours plus tard, j'apportais en personne mon manuscrit à leurs bureaux, quelque part dans un immeuble qui ne payait pas de mine, rue Ontario. C'était en plein hiver, avec de la neige partout, et je venais de gaspiller ainsi un après-midi normalement dédié à la peinture. Décidément, ce *Pavillon*-là commençait à m'emmerder, et ces XYZ allaient en finir avec lui une fois pour toutes. Je n'y ai plus pensé.

Vers le mois de juin, un coup de téléphone à la maison. C'était le directeur littéraire des fameux XYZ ! Il voulait d'abord savoir si j'avais déjà signé avec un autre éditeur, et il s'excusait poliment du délai pour répondre à ma demande d'examen du manuscrit. Comme un bon faussaire, je n'ai pas menti ; j'ai fait ce que l'on appelle en tauromachie une véronique, c'est-à-dire l'esquive la plus simple du torero avec la cape. Non, pas encore, je n'avais encore rien signé, même si j'étais en contact épistolaire avec plusieurs maisons d'ici et de l'étranger. Je possédais en fait plein de lettres de refus d'éditeurs, et il n'était pas bienséant de lui en dévoiler la teneur. Sauf qu'il était vraiment décidé à me publier, et il voulait me rencontrer séance tenante pour m'offrir un contrat d'édition. Il s'est aussi assuré que j'étais bel et bien Brésilien d'origine ; mon accent montrait que j'étais étranger, mais il avait l'air d'aimer beaucoup le brésilien dans toute l'histoire. Psychologue par-dessus le marché, avec un doctorat… Bien, très bien ! Nous nous sommes donné rendez-vous.

Notre rencontre a été très cordiale. Après quelques conseils judicieux sur la forme et des demandes pour élaguer encore substantiellement le livre, de façon à écarter pratiquement toutes mes réflexions théoriques, XYZ l'a publié. Lors du lancement, au printemps de 1994, où je fêtais aussi mes cinquante ans, j'ai pu compter sur la présence de beaucoup de mes collègues, tous très surpris par cette nouvelle inopinée. Les psychologues et les médecins se demandaient ce que j'avais en tête pour vouloir écrire un roman, et les peintres croyaient qu'il s'agissait plutôt d'un manuel de peinture. J'avais jusqu'alors réussi à maintenir strictement séparés et secrets les deux versants de ma vie ; personne à l'hôpital ne savait que je m'occupais surtout de peinture, et les artistes avaient à peine une vague idée de ma situation, sachant simplement que je travaillais quelque part pour subsister. C'était le début d'une longue période d'exposition publique, où j'allais me rendre compte jusqu'à l'écœurement que beaucoup de gens sont fanatiquement plus intéressés par la vie privée des auteurs que par leurs livres.

Dès l'automne suivant, avec une avalanche de prix littéraires consacrant *Le pavillon des miroirs*, je devenais un grand écrivain de langue française. Un grave conflit existentiel débutait alors, car j'entrais malgré moi dans une nouvelle aventure que je n'avais pas choisie en tant que telle. Du moins une aventure dont j'ignorais tout et qui serait en conflit ouvert avec ce que j'avais de plus précieux, la peinture. Jusqu'alors, je pouvais dire comme Zarathoustra, « je suis celui qu'il me faut être ». Et voilà qu'une autre sorte d'être verbal et littéraire s'imposait dans ma vie comme un vrai démon cette fois, accompagné de prix et d'honneurs, et sans égards à mes bonnes habitudes de simplement peindre tableau après tableau. J'allais d'ailleurs m'inspirer de cette impression démoniaque quelques années plus tard pour créer la figure de Lucien, un des personnages principaux de mon roman *Le maître de jeu*.

9

Maintenant, après tant de temps écoulé et tant d'efforts d'écriture, j'arrive à mieux comprendre le sens de ce premier livre, ce *Pavillon des miroirs*. J'avançais sans difficulté dans ma danse macabre, cette sorte d'œuvre majeure pour la postérité, et il était question d'achèvement et de mort dans ma vie. De mort et de transfiguration. Je reviendrai plus loin sur la question de la mort, cette question maîtresse qui est là, au centre de tout, depuis le début, à la fois comme origine et comme moteur de mon activité incessante. Il suffit de rappeler pour le moment que je pratiquais la peinture de manière très intensive depuis longtemps, et que j'avais accumulé une quantité appréciable d'œuvres pouvant servir de garantie à cette identité forgée de toutes pièces. J'étais alors en paix, une sorte de paix de cimetière, au point de me consacrer au monument de la danse macabre. Cela n'était pas aussi clair dans mon esprit que ce l'est maintenant, mais il s'agissait quand même d'une sorte de formidable mausolée pour enfermer mes angoisses d'identité. Le peintre, entrant enfin dans sa vieillesse, tel un jeune intellectuel déposant sa thèse de doctorat, s'attaquait à une machine de cette envergure pour démontrer qu'il possédait à merveille son métier : plus de deux cent cinquante personnages, dans toutes les positions et de tous les points de vue possibles, avec une maîtrise absolue de la forme et des couleurs. C'était une domination plastique totale des figures de la mort. Mais peut-on jamais la dominer autrement que par ses figures ? Et que viendrait-il après la fin de cette danse macabre ? Quel défi le peintre trouverait-il pour continuer à braver — ou à fuir — la camarde, la réelle, celle de la mort en vie de tous les jours ?

Sans tout à fait m'en rendre compte, j'étais coincé de nouveau ; j'étais dans une impasse beaucoup plus importante que celles de mes aventures antérieures. Il me fallait affronter d'autres défis, d'autres risques pour ne pas m'embourber dans mon propre académisme. Comment faire pour aller encore plus loin dans l'art du dessin si j'avais atteint ce sommet-là ? M'attaquer à la contrefaçon me paraissait être le seul débouché valable pour continuer dans la même voie plastique, puisque je n'avais pas les grands murs publics d'un Siqueiros ou d'un Orozco à ma disposition. La bêtise omniprésente de l'art abstrait me fermait les portes des commandes monumentales, et m'empêchait ainsi d'aller plus loin, au delà des tableaux de chevalet. Et la bande dessinée ne m'a jamais semblé un média suffisamment complexe pour que je m'y consacre. En outre, je manquais d'espace dans mes entrepôts après tant d'années de production intensive. On a beau vendre un tableau sur dix ou vingt de peints, et en détruire plusieurs, il faut quand même conserver un certain pourcentage de ceux qui restent. Et cela fait un amoncellement menaçant au fil des ans, une charge lourde, comme un boulet existentiel dont la matérialité nous rappelle sans cesse qu'on est en train d'accumuler plutôt que de vivre.

Cette multitude d'invendus est paradoxale dans le sens qu'elle ne fonde pas l'identité de l'artiste. Le fait de la création est entièrement contenu dans l'acte singulier de créer, et il ne se manifeste qu'à chaque instant actuel du travail artistique proprement dit. Seuls les artistes sur le déclin se contentent de l'œuvre passée ou de la répétition de leurs trouvailles antérieures. Le public n'y voit que la gloire, mais l'artiste sait le mal qui le consume, il se souvient sans cesse de tant et tant d'autres artistes du passé devenus incapables de se renouveler. Une fois le mystère de l'art dissipé, l'art disparaît comme par enchantement, et l'artiste reste seul, vide et désespéré. Et s'il ne se débat pas alors comme l'étranglé au moment de l'étouffement, ce sera sa fin. Il lui faut une issue, d'autres risques, même le semblant d'une aventure sous le déguisement d'une amourette ridicule, sinon il pourrit. Combien de fois n'a-t-on vu des artistes ou des intellectuels vieillissants s'amouracher de fillettes pour tenter de contrer leur déchéance par des érections improbables, par le regard admiratif des autres débris, quand ce n'est par les moues d'adoration des nymphettes choisies ? Cette quête de jeunesse n'est pas un désir de chair fraîche, car l'artiste sait pertinemment que la vraie sensualité ne s'accompagne jamais d'immaturité. Elle est plutôt le désir absurde de rafraîchir la chair propre, dans l'espoir de rafraîchir aussi son existence, de combattre la mort par des combats au lit. C'est un désir de pure apparence, après tout, comme ils s'en rendent vite compte devant la grotesque image spéculaire que leur renvoie le réel. Ou alors ils en prennent conscience par le lourd châtiment qu'ils subissent en tentant de faire plaisir à leur fontaine de Jouvence. Dans les cas les plus pathétiques, les pauvres déchus finissent accablés, avec de jeunes enfants sur les bras, parfois même pondus par des poulettes successives quand ils ont déjà un âge vénérable. Si je m'étends sur ce thème, c'est parce que l'image de ces épaves me semble bien à propos pour illustrer mon cas particulier, l'impasse où je me trouvais. N'ayant jamais eu une nature à prédominance sensuelle, et n'ayant de ce fait jamais envisagé mon sexe comme un outil de connaissance, cette vocation de vieux beau m'était épargnée. Mais on doit se rappeler par un exemple aussi commun que cette impasse existentielle peut mener à des excès, souvent à la fois opiniâtres et irrationnels.

Un autre élément important à considérer dans mon choix de bifurquer provisoirement vers l'écriture se trouve dans les caractéristiques propres à l'œuvre de représentation plastique. Comme je l'ai déjà signalé, le dessin et le tableau sont muets. On utilise de façon erronée la métaphore de la lecture d'un tableau ou du décodage des signes spécifiques à un temps donné que le peintre inclut dans les œuvres. L'œuvre magistrale d'Erwin Panofsky ou celle d'E. H. Gombrich sur le symbolisme des peintures de la Renaissance ou du baroque ont souvent été mal comprises et indûment extrapolées, au point que l'idée de la lecture d'une œuvre plastique est devenue une bêtise à la mode. Les critiques d'art et d'autres littérateurs s'en donnent à cœur joie dans ce genre de spéculations, et ils arrivent ainsi même à attribuer un semblant de fondement de tradition à la pratique de l'art conceptuel ou aux puérils bricolages qu'on appelle les installations. Mais il est devenu impossible de discuter un point théorique de cette nature à une époque où la métaphore et la métonymie, ces fallacies par analogie, sortent de la sphère de la fiction et de la poésie pour tenir lieu de raisonnement logique. J'ai parfois tenté d'expliquer ces notions élémentaires à des gens assez érudits, pour me rendre aussitôt compte que leur façon de raisonner était déjà trop imbibée de culture journalistique, et qu'ils n'arrivaient plus à se passer des images analogiques. Ce syncrétisme — Piaget le démontre bien — est antérieur de plusieurs années à l'avènement de la pensée rationnelle abstraite, et il constitue pourtant la base de beaucoup de récits véhiculés chaque jour par les médias de masse.

J'étais ainsi seul au milieu d'une multitude d'images, à un moment de ma vie où il était question de mort et de transfiguration. Le besoin d'un sens global et de directions pour me penser après ma longue route se faisait ressentir de manière cruciale, et seul le langage peut mettre ce type d'ordre. J'aurais pu, certes, me contenter de soumettre ma trajectoire à une analyse rigoureuse, comme celles que j'appliquais à mes patients dans mes rapports psychologiques. J'étais d'ailleurs coutumier de ce genre d'exercices à propos de mes actions. Comment aurait-il pu en être autrement avec ma longue pratique du récit imaginaire ? Mais cela n'était pas suffisant pour tracer la continuation de ma route. Ma route pouvait d'ailleurs continuer telle qu'elle était, pour aboutir à une sorte d'académisme à partir de mes propres tableaux. J'étais malgré tout assez conscient des difficultés à venir, ne serait-ce qu'en voyant chaque jour l'amoncellement croissant de mes œuvres au point que je n'arrivais plus à pénétrer dans mon entrepôt. Je me surprenais aussi à rêver d'un magnifique incendie, accidentel et totalement indépendant de ma volonté, qui viendrait m'enlever ce bagage trop lourd. Une fois tout devenu cendres, j'aurais pu simplement recommencer sans plus m'encombrer avec le restant de mon œuvre passée. Sauf que ce n'aurait pas été un vrai commencement, mais un simple recommencement dans la même direction, avec le risque supplémentaire que je me mette à tenter de refaire les tableaux envolés en fumée. Et j'étais trop habitué à la lucidité pour me laisser glisser dans la mauvaise foi de manière aussi simpliste. Ainsi, cela devient évident, il n'était pas uniquement question de mort et de transfiguration dans mon impasse, mais aussi de mémoire, d'amoncellement de souvenirs et du non-sens que constituait justement cette masse inerte de moments de vie et de traces d'actes artistiques.

Il me fallait revoir beaucoup de choses laissées en suspens durant les vingt années de peinture, cette peinture qui me renvoyait continuellement à ma condition d'étranger dans ce pays. Curieusement, j'avais choisi d'être un étranger, un errant, et voilà que mes images, mes couleurs et mes personnages appartenaient indiscutablement à ce passé que je me targuais d'avoir dépassé. Pire encore, j'étais depuis longtemps déjà conscient de la mauvaise foi qui me faisait prétexter que mes tableaux paraissaient exotiques parce que je venais d'ailleurs. Or, si cet ailleurs était si important, qu'est-ce qui m'empêchait d'y retourner ? Les immigrants qui se plaignent de leur pays d'accueil mais qui ne s'en vont pas de là m'ont toujours paru des champions de la mauvaise foi. Et j'avais en effet cette possibilité de revenir au Brésil depuis que la dictature militaire avait cédé la place à un gouvernement moins autoritaire. On avait même proclamé une amnistie et le Parti communiste était dans la légalité.

Mes prétextes ne tenaient plus devant le réel ; il me fallait soit adopter une mauvaise foi évidente, soit m'avouer mon échec ou ma vieillesse. Ou bien tenter de me fonder à nouveau selon de nouveaux mythes. Qui dit mythes dit aussi langage circulaire, éternel retour, retour transfiguré aux sources, que ce soit dans le langage religieux ou dans le langage philosophique, comme le dépassement dans la dialectique hégélienne. Il me fallait quelque chose de ce genre, car la prosaïque pensée logique ne ferait rien d'autre que trop me décevoir de mon présent et de mes perspectives d'avenir. Si au moins j'étais un peintre illustre, je pourrais évoquer cette gloire et passer le restant de mes jours à dépenser ma fortune. Mais dans ma solitude rigoureuse, j'avais aussi oublié de devenir riche pour combler mes vieux jours. Il fallait donc continuer le voyage, trouver d'autres lointains pour alimenter ma nostalgie du large après que mon art plastique fut devenu si palpable et familier. N'importe quoi, pour tenter de retrouver le mystère qui se dérobait de ma peinture au fur et à mesure que j'avançais dans cette longue danse macabre. J'avais jusqu'alors fait tourner les tessons de mes identités autour des miroirs de mon existence, et ils produisaient des images complexes, d'une symétrie radiale fulgurante dans mon kaléidoscope imaginaire. Mais les tessons commençaient sinon à blesser, au moins à pâlir.

L'appel à la mémoire et l'écriture du *Pavillon des miroirs* ont joué ainsi le rôle de la narration du voyage mythique du héros dans le temps circulaire de la mythologie. Il me fallait dire ce voyage et non plus seulement le faire, car mon héros vieillissait comme tous les héros après leurs aventures ; il était seul avec sa conscience et cette solitude lui pesait. Même l'art du dessin, que je croyais autrefois inépuisable ou inatteignable, s'abandonnait désormais à ce héros fatigué, presque blasé dans sa sagesse.

Les Grecs anciens distinguaient deux sortes de créateurs : le démiurge et le créateur de la *poïèsis*. Le démiurge était le créateur artisan, le fabricant proprement dit des choses, comme l'a été Yahvé dans l'Ancien Testament en pétrissant l'homme avec la glaise du sol. Il lui donne ainsi vie, actualité, mais il ne lui confère pas un sens. Le deuxième créateur, celui de la *poïèsis*, est celui qui confère la raison d'être, le *logos*, et qui imprime ainsi un sens à sa création ou à ce qui a été créé par d'autres. Il lui impose un ordre comme l'a fait Yahvé tout au long de ses apparitions subséquentes dans l'Ancien Testament, pour corriger sa bévue initiale d'avoir créé Adam et Ève sans trop préciser ce qu'ils devaient faire. Des deux types de créateurs, seul le deuxième, celui du *logos* et de la *poïèsis*, c'est-à-dire celui de la parole, peut instiller une signification héroïque, et il le fait par le récit circulaire du retour aux sources, par la saga après l'aventure réelle. C'est donc lui qui me manquait pour ennoblir mon amas de pigments devenus tableaux.

Il fallait alors que je raconte les périples pour me rappeler les risques, que je me souvienne de ce que j'avais fait pour rendre plus réel le parcours et meubler ainsi mon inactivité. La meubler, mais aussi tenter de lui redonner un sens et de nouveaux défis. Il fallait que je me dise ma trajectoire héroïque, comme d'autres s'inventent des exploits sportifs de jeunesse, des veillées familiales magnifiques ou un passé national glorieux quand les mythes et les idéologies paraissent rouillés. Et pour le faire, seule la fiction pouvait m'aider ; mais il fallait que ce soit une fiction englobant ma mélancolie, mes hésitations, mes ambivalences et cette peur essentielle de l'échec qui est le moteur de mes passions. Un héros trop héroïque n'aurait pas fait mon affaire, car il n'aurait ouvert aucune voie pratique à la transfiguration et à d'autres aventures. Un héros parfait aurait été la fin des temps, et j'avais besoin de revenir à la vie, non pas de me suicider de façon grandiose comme l'a fait Empédocle sur l'Etna.

Il était ainsi question de tout cela pendant que je travaillais à ma danse macabre. Mais pourquoi la langue française ? On m'a tant de fois posé cette question que j'en suis venu à penser que les Canadiens français n'aiment vraiment pas leur langue. La question en elle-même est justifiable, car je pouvais écrire en quatre autres langues. Mais elle m'est posée avec tant d'insistance et avec un tel étonnement que je suis obligé de croire qu'eux-mêmes ne choisiraient pas leur langue maternelle si le choix leur était donné. Sinon pourquoi cette surprise ? À moins que ce ne soit à cause du mépris quotidien avec lequel cette langue des vaincus est traitée dans la presse, à la radio et à la télévision, et même dans la vie sociale. Mais je suis étranger, je viens du tiers monde, et le français est pour moi la langue d'une longue tradition libertaire, la langue des grands écrivains qui m'inspiraient dans ma jeunesse, et non pas la langue d'aucun peuple vaincu ou opprimé. J'ignore aussi pourquoi on prétend partout qu'il s'agit d'une langue difficile. Pour paraphraser encore une fois l'écrivain Pessoa, dont le portugais était comme le français pour moi, une langue apprise sur le tard, je dirai que cela m'offense les sens de voir les gens capables de maîtriser tant de technologie inutile, tout en restant incapables de maîtriser la langue française. En fait, il n'y a aucune langue plus difficile qu'une autre, mais bien des caractéristiques propres aux divers idiomes, des idiosyncrasies qu'il faut accepter pour pouvoir profiter de certaines qualités, comme on accepte les aspects moins agréables de nos êtres chers. Il est vrai que la langue française exige une rigueur logique supérieure à celle de beaucoup d'autres langues, qu'elle tolère mal les simples juxtapositions du langage oral, et que le décalage entre la langue écrite et la langue parlée est plus accentué qu'en portugais brésilien, par exemple. Mais en réalité, mes seules difficultés dans l'écriture du français viennent de l'usage des prépositions, qui sont arbitraires comme les genres dans toutes les langues. Je me trompe aussi dans les expressions idiomatiques et dans l'usage de la virgule. Ce dernier aspect, la ponctuation, mais surtout l'usage de la virgule, au contraire des règles claires du portugais ou de l'anglais, est l'objet d'un cafouillis épouvantable en français. Je l'ai découvert à travers les deux correcteurs de chacun de mes livres, qui changent d'ailleurs de livre en livre. Parfois ils n'arrivent pas à s'entendre entre eux, et ils vont dans des directions opposées face aux mêmes phrases. Sans compter qu'ils éprouvent en général une sorte de répugnance ou d'impulsion destructrice quand ils rencontrent les points-virgules, les ellipses, les phrases relatives ou toute phrase incluant plusieurs propositions. J'ai même dû faire face à une correctrice qui détestait la voix passive ! Or, comment un type comme moi, qui aime philosopher et aborder plusieurs aspects d'une même question, pourrait-il s'en sortir sans un minimum de complexité formelle ? Il est vrai que mes récits peuvent parfois paraître touffus, mais je suis persuadé que cela vient plutôt du contenu que de la forme. En tout cas, j'arrive souvent à éviter le gâchis des corrections abusives, et l'expression finale garde un peu de la saveur de la parole de l'étranger que je suis. Par contre, tout cela ne devrait pas poser de grandes difficultés pour les gens dont le français est la langue maternelle s'ils ont un minimum d'instruction ou l'habitude de lire.

Je crois que le noyau de la réponse à la question du pourquoi de la langue française réside dans le fait qu'elle est la langue que je parlais le plus fréquemment, même si elle était moins lue. J'ai fait l'apprentissage de la langue française en écrivant mes rapports psychologiques, certes, mais la création littéraire ne se limite pas au fait de savoir écrire correctement ou à la capacité de bien rapporter les événements dont on a été témoin. Je crois plutôt que le pouvoir de la parole vivante, de la langue parlée est bien plus important pour la narration, et dans mon cas la langue parlée était le français. J'ai déjà mentionné à diverses reprises mes rêveries et mes narrations imaginaires, mais je n'ai peut-être pas mis assez l'accent sur le fait que le véhicule de ces bavardages silencieux est bel et bien la langue française parlée. Et puis, même en étant un solitaire, je me parle tout seul, tout le temps, et parfois même avec un ton de voix audible. C'est une drôle d'habitude que je conserve depuis toujours et qui m'a maintes fois causé de la gêne en public. Il y a quelques jours, cependant, arrêté à un feu rouge au volant de mon auto, j'ai remarqué que le chauffeur d'une autre automobile me regardait discuter avec moi-même d'un air admiratif. Je me suis alors rendu compte que les nouvelles technologies m'étaient pour une fois favorables. Cet homme-là, avec son téléphone portable à la main, m'enviait sans doute car il croyait que, moi aussi, je parlais au téléphone, mais avec un de ces systèmes sophistiqués qu'on n'a pas besoin de tenir à la main. Depuis cet incident, je ne surveille plus mes monologues ni mes gestes, et je me laisse aller en toute impunité. Mais c'est un fait que mes créations spirituelles se font surtout par le langage parlé avant de se soumettre à la rigueur du langage écrit. Je ne sais pas pourquoi c'est ainsi, ni si la même chose se passe chez les autres écrivains. Or, la langue française est devenue ma langue parlée par excellence, même si certaines expressions typiques ou certains usages vernaculaires dans d'autres langues peuvent se glisser tels quels dans mes soliloques. Je garde naturellement la bâtardise de mon accent, de mes confusions idiomatiques, de mes emprunts divers — comme la tendance très latino-américaine de créer facilement des adverbes au besoin —, et surtout je conserve intacte ma prosodie. Cette dernière est, d'ailleurs, la principale responsable de mes difficultés avec la virgule française, car mon rythme ou ma façon de découper les phrases, en somme ma musique verbale est restée essentiellement celle de la prosodie et donc de la ponctuation brésiliennes. On m'a aussi fait remarquer que mes difficultés avec l'accentuation de certains mots français découlent de ma prononciation restée défectueuse dans le cas de quelques sons ou phonèmes français absents de la langue portugaise. Cela ne me tracasse pas, bien au contraire, et me rappelle plutôt que je peux me flatter d'une assez bonne réussite dans l'art du camouflage quand je m'y applique. À un tel point que si je décidais aujourd'hui de me cacher sans passeport dans plusieurs pays du monde, les autorités locales ne sauraient jamais où m'expulser, tant ma richesse phonologique est devenue complexe avec les ans. Par contre, où que je sois, je ne manque jamais de percevoir la prosodie d'un Brésilien quand je le croise, et cela même si je ne saisis pas le sens exact de ses propos entendus au passage. Je l'ai en fait passablement perdue, cette prosodie mi-chantante, mi-geignarde, presque à la façon d'une caresse, et je ne me souviens d'elle que lorsque je corrige la ponctuation de mes phrases. Même quand je m'efforce de l'imiter en l'exagérant, je reste toujours bien en deçà de ses aspects expressifs.

L'écrivain portugais Vergilio Ferreira, dont j'admire beaucoup les nombreux écrits, a dit dans l'un de ses journaux que changer de langue, c'est vendre son âme au démon. Je crois qu'il a entièrement raison, même s'il voit cela comme quelque chose de néfaste, de non souhaitable. Il était un des grands maîtres de la langue portugaise, et celle-ci servait à merveille la nature de ses propos. Dans mon cas particulier, au contraire, comme je ne possédais pas cet idiome noble qu'était le sien et comme je devais me contenter du portugais assez limité de mon entourage, l'affaire avec le démon ne me faisait aucunement peur. L'amour de la langue portugaise n'était pas quelque chose de bien répandu dans mon temps, même à l'université; il fallait écrire correctement de manière purement instrumentale, logique, et toute recherche formelle qui n'était pas simplificatrice était soupçonnée d'archaïsme. En plus, l'édition était pauvre, et les abondantes traductions espagnoles qui nous parvenaient de Buenos Aires ou de Madrid nous rappelaient notre carence culturelle. Il me fallait alors sortir du carcan de cette langue en train de se créoliser, tout comme il fallait que je voyage à l'étranger si je souhaitais côtoyer les théories explicatives du monde, y compris de notre propre monde tropical. Qui plus est, nos écrivains étaient pour la plupart trop régionalistes, et ils avaient surtout la campagne et les séquelles de l'esclavage comme thèmes de prédilection. Jorge Amado vendait bien mais, après ses grands romans sociaux de jeunesse, son monde était devenu un monde de pures fables folkloriques à grand succès, avec un mélange d'érotisme, de mysticisme et de sensualité alimentaire sans aucune commune mesure avec la réalité du pays. Les écrivains de la vie urbaine étaient et sont demeurés médiocres, sans la transcendance nécessaire pour créer des œuvres universelles à partir de leur situation singulière. C'est donc avec plaisir que je vendais mon âme au démon contre les aventures du monde au loin. Et au contraire aussi de Faust, je ne me suis jamais repenti et je n'ai jamais souhaité que le moment présent s'arrête et demeure à jamais. Dans ce sens, le démon du large a trouvé en moi un disciple complice et bien débrouillard, car depuis le début j'étais avide de contenus pour pouvoir me remplir à loisir sans trahir quelque liturgie ou divinité que ce soit. Aussitôt que je me suis rendu compte que mes textes sortaient facilement en français, je me suis attelé à la tâche de perfectionner cette langue, de la même manière que je l'avais fait avec l'anglais et avec l'allemand, pour qu'elle devienne un outil privilégié de débauches et de plaisirs pour mon démon intérieur. D'ailleurs, quand on s'étonne du fait que j'ai si bien réussi à apprendre cette langue, et que je cherche tant à la soigner, je réponds que c'est parce qu'elle n'est pas ma langue maternelle mais bien ma langue maîtresse, et on fait naturellement bien plus attention à sa maîtresse qu'à sa propre mère.

Curieusement — et l'exemple de Joseph Conrad parmi d'autres le démontre —, l'écriture de fiction dans une langue étrangère donne une grande liberté à l'esprit de l'écrivain, en ôtant beaucoup du sérieux, des habitudes et des inhibitions qui accompagnent parfois l'usage de sa langue maternelle. Cela devient une sorte de pur jeu, et l'on puise alors dans le dictionnaire et dans la grammaire sans aucun scrupule, quitte à se faire ensuite rappeler à l'ordre par les correcteurs ou les puristes.

L'écriture de mon premier roman m'a aussi obligé à faire face au thème de la langue comme choix de vie, aussi bien qu'à l'exil et à mon donjuanisme existentiel. Aidé par la rigueur de la syntaxe, j'en ai alors profité pour mettre un ordre — ou du moins un début d'ordre — dans des aspects jusqu'alors négligés ou mal rangés de ma propre histoire. En apparence, rien de concret ne change quand on raconte quelque chose. La parole n'a pas le pouvoir de transformer le réel en tant que tel, dans sa matérialité même. Mais la mise en forme narrative introduit le *logos*, elle est *poïèsis*, et ce qui semblait être le fruit du hasard ou d'une fatalité aveugle peut acquérir un sens personnel, une signification spirituelle. L'errance devient ainsi voyage initiatique par cette curieuse métamorphose que subissent les événements et les décisions s'agençant en récit. Ce miracle de la signification nouvelle n'en est pas un, bien sûr, comme l'ont bien montré de nombreux philosophes d'orientation phénoménologique. Il s'agit uniquement d'une sorte d'harmonisation de notre façon transitive de penser les contenus de la mémoire, les événements qui nous entourent et les actes qu'il nous plaît de commettre. Cela se fait un peu à la façon des instruments d'un orchestre. Certes, un musicien nouvellement arrivé pourrait fort bien se mettre à jouer d'autres rythmes ou d'autres mélodies, et rester ainsi dans un état de déséquilibre continuel, extérieur à sa propre nature. Ou bien il peut s'adapter, faire sien le rythme qu'il entend, choisir d'être syntone avec sa propre façon d'être et la suite mélodique de son existence. Cette harmonisation est la prise de conscience des projets initiaux — dont on ignorera souvent les causes premières — et des moyens qu'on a pris ensuite pour les faire progresser. On deviendra alors de plus en plus et de mieux en mieux celui qu'on désire être, ou celui qu'on ne peut pas ne pas être. Le chaos devient ainsi ordre, harmonie, à travers cette prise de conscience de notre nature profonde et du choix que nous avions fait de notre personnage. Par ce processus de mise en scène de notre être devenu conscient et volontaire, nous pouvons alors en accentuer les figures qui nous plaisent le plus, mettre l'accent sur d'autres variations qui viendront consolider nos positions, et de cette façon travailler désormais à continuer l'aventure de notre vie avec plus de rigueur et d'élégance. À ce stade, l'homme devenu lucide est alors capable de forger aussi les masques et les costumes de scène pour à la fois mieux protéger son intimité et exprimer au monde celui qu'il a choisi comme être-pour-autrui.

Décrite de la sorte, la démarche d'actualisation de soi peut avoir l'air d'une vaste imposture. Cette impression vient de la longue tradition judéo-chrétienne qui considère l'être humain comme doté d'une âme toute faite dès le début de sa vie — et même pour l'éternité ! —, laquelle s'exprimerait de façon authentique ou dissimulée selon les dispositions morales de la personne en question. Cette conception essentialiste de l'âme humaine est trop ancrée dans notre culture et dans l'éthique occidentale en dépit du fait qu'elle est en contradiction évidente avec l'expérience humaine au long de l'histoire et au long d'une vie individuelle. L'âme immuable n'existe tout simplement pas. Chaque être humain crée plutôt son âme propre selon sa situation de départ et les avatars successifs de celle-ci, selon la rigueur qu'il y met et selon sa capacité de prise de conscience de soi en tant que récit se déroulant dans le temps. Il s'agit donc d'un travail réellement assez semblable à celui de la création artistique, et ceci indépendamment des résultats obtenus ou des points de départ. Certaines personnes se laisseront surtout guider par le hasard, tandis que d'autres tenteront d'imprimer des aspects personnels de volonté et de projets au long de leur vie. Naturellement, je parle ici des cas les plus communs, où un minimum de liberté existe pour que l'être humain puisse acquérir un statut d'être humain. La misère absolue, les grandes carences ou les situations extrêmes de souffrance empêcheront l'individu d'atteindre les niveaux minimaux de conscience qui caractérisent notre espèce. Mais dès que ces seuils de conscience sont atteints, l'être humain percevra le développement de son âme et de son existence à la façon d'un romancier tissant la trame d'un récit avec plus ou moins de rigueur. On peut même observer ce processus de façon expérimentale au cours de certaines psychothérapies, quand le thérapeute agit en tant que logos auxiliaire pour la mise en ordre d'une existence aliénée (hors d'elle-même), désorganisée. Il s'agira alors, dans la plupart des cas, d'une mise en forme artificielle, à la façon d'une prothèse ou d'une béquille existentielle, pour permettre au sujet de poursuivre son existence malgré tout. Mais dans les cas normaux, c'est le sujet lui-même qui agit comme metteur en scène de son propre personnage, en accentuant ceci, en modifiant cela, et créant ses propres masques et déguisements pour devenir de plus en plus celui qu'il souhaite être à ses propres yeux et aux yeux du monde. Quand ce travail est fait dans la lucidité d'un projet précis, on ne saurait parler de dissimulation mais bien de simulation paradigmatique.

Je rappelle ces éléments de phénoménologie pour mettre en relief l'impact sur ma propre vie de ce travail de mise en forme à travers un récit globalisant. Même si j'étais depuis longtemps coutumier de ces introspections, je les menais de manière purement mentale, sans me soumettre à la rigueur et à l'ordre d'une langue écrite. Cette découverte du texte écrit m'ouvrait ainsi le chemin insoupçonné de nouvelles aventures tant dans la conception de mon propre être que dans l'acte de la lecture de romans. En effet, du fait que je tentais d'apprendre moi aussi à écrire des romans, ma vieille habitude de transformer les histoires lues gagnait des dimensions formidables, car il était aussi désormais question de forme, de voix narrative et de temporalité interne de ces transformations ludiques. Je me hâtais alors de relire mes romans préférés, à la recherche de l'élan créateur de ces écrivains et du projet personnel que chacun d'eux était en train de vouloir imprimer à ses textes. Je découvrais ainsi que les histoires qui m'avaient toujours fasciné comportaient d'autres dimensions cachées, accessibles uniquement aux compagnons de métier. Ce côté cuisine de l'œuvre m'avait toujours attiré quand il s'agissait de peinture ou d'arts plastiques en général ; voilà que je commençais aussi à y avoir accès dans les œuvres écrites. C'était le début d'une nouvelle aventure, tout aussi longue et mystérieuse que celle de la peinture et qui, étrangement, donnait à mon activité de peintre une jeunesse nouvelle et de nouveaux risques à prendre.

Dans un livre fondamental, mon ancien professeur et compagnon de travail Henri F. Ellenberger* aborde entre autres thèmes ce qu'il appelle les maladies créatives. Il s'agit de profondes crises existentielles déclenchées par de réelles maladies physiques, où la personne aurait frôlé la mort, ou les accompagnant. Avec la guérison, cette familiarité avec la fin de l'existence permet au sujet de secouer ses vieilles habitudes de vie et de pensée, presque comme s'il était devenu un autre que son ancien moi. Cette sorte de maladie est à la source des transformations ressenties par Hans Castorp, le personnage de *La montagne magique* de Thomas Mann. Ellenberger relie ces crises à divers cas de changement radical de perspective chez des hommes de science, accompagnés parfois de nouvelles conceptions théoriques. Sans prétendre avoir eu une rupture aussi extrême que celles qu'il décrit, je crois tout de même avoir vécu une déstabilisation de ce genre à l'époque de l'écriture de mon premier roman. Sa mise en forme constituait d'ailleurs l'aboutissement d'une longue réflexion silencieuse au sujet de mes choix de vie, et il me plaît de penser que ma gigantesque danse macabre a pu agir comme une sorte de maladie paralysante durant une longue période. Ensuite, j'arrivais à mieux me penser en tant qu'étranger et en tant qu'aventurier, mais à un niveau de réflexion supérieur à ceux que j'avais l'habitude d'atteindre dans mes simples rêveries.

---

* *The Discovery of the Unconscious*, New York, Basic Books, 1970.

❑

Le succès de ce premier livre, surtout pour quelqu'un dont le but principal dans la vie n'était pas celui de devenir un écrivain, peut donner une fausse impression au sujet du métier d'écrire. En effet, cela peut signifier qu'il est très facile d'écrire un roman, que le premier venu en crise existentielle sera capable d'en faire autant. Il suffirait d'avoir un peu vécu des événements sortant de l'ordinaire et de raconter alors ses expériences avec un minimum d'artifice.

Il n'en est rien. D'abord, je crois comme Umberto Eco qu'on n'écrit pas des livres à partir du réel, mais bien à partir d'autres livres. Ainsi, seule la passion de la lecture et la fréquentation d'innombrables romans peut former une conscience narrative digne de ce nom. Souligner ce point me paraît fondamental à une époque comme la nôtre, où l'autofiction et la confession impudique sont à la mode. Je pense surtout à des livres écrits par des femmes, qui ne se gênent pas pour étaler des récits obscènes sous le couvert d'un moralisme de pacotille. L'apparence gracieuse ou l'allure angélique de ces auteurs est un ingrédient indispensable à la renommée de ce genre de production et au succès des ventes à un public — constitué en majorité d'autres femmes ! — en quête de fantasmes onanistes. En effet, une fille moche qui se fait violer par son oncle ou un bas-bleu sans attraits qui couche avec son professeur ne font pas des best-sellers. La vie de call-girl d'une fille de bonne famille, jolie comme une poupée, et qui doit vendre son corps parce qu'elle n'arrive pas autrement à satisfaire sa nymphomanie a meilleure presse que celle de la pauvre putain presque clocharde du coin de la rue. Même si l'on croit à la masse de choses vécues ou expérimentées que prétendent véhiculer ce genre d'ouvrages, ceci ne fait pas encore de la littérature. L'étiquette littéraire peut donner bonne conscience aux acheteurs, surtout quand ces livres sont publiés par des maisons d'édition de renom, en leur faisant croire qu'ils sont de réels lecteurs de fiction et non pas de simples voyeurs. Mais quand ils ne se font pas recycler dans le show-business, ces auteurs disparaissent généralement du champ des lettres sans laisser de traces.

Je parle de ces écrits féminins ridicules, prétendument réalistes, mais ils ne sont pas la seule expression de la méprise qui consiste à confondre le réel avec les romans. Même quand les faits vécus par le narrateur sont profondément émouvants ou épouvantables, s'il n'y a pas un réel effort de transcendance et d'universalité, nous restons toujours dans le domaine du témoignage, de la confession ou du fait divers. Ainsi, je crois que des auteurs fort respectés, comme Élie Wiesel ou Imre Kertesz, entre autres, restent confinés dans cette catégorie restreinte en dépit de leurs prix Nobel. J'ai parfois l'impression qu'ils ont trouvé une vache à lait dans l'univers concentrationnaire, quand ce n'est pas dans la souffrance même des victimes juives, et que le restant de leur vie est dédié à bien traire cet animal pour que ne se tarisse pas la lactation. À cet égard, je ressens beaucoup plus de respect pour la valeur de simples mémorialistes comme David Rousset ou Robert Antelme, qui ne se servent pas de leurs expériences extrêmes de la même façon que le font les fillettes gracieuses mais débauchées.

Le point en question ici est celui de la différence entre la fiction et la confession, ou plutôt de la façon de transcender les expériences qui me sont personnelles pour que le lecteur soit en mesure de penser sa propre vie. Car le lecteur de fictions n'est pas un simple spectateur, un voyeur qui désire épier par le trou de la serrure pour se délecter de scènes osées ou d'extrêmes humiliations. Chacun a le droit légitime de s'informer sur tout, bien sûr. Mais est-ce que cela aboutit nécessairement à une fiction de qualité ? L'exemple des journalistes qui se mettent à écrire des scènes de guerre est d'ailleurs bien instructif à ce propos ; ils ont beau saupoudrer leurs récits çà et là d'un peu de romantisme ou de sensualité, ils n'arrivent pourtant pas à faire mieux que les histoires vécues publiées dans *Paris Match*. D'ailleurs, le fait que la littérature est pauvre en écrivains pratiquant le journalisme montre bien qu'on n'écrit pas à partir des événements bruts. On citera souvent Hemingway pour se défendre, tout en sachant qu'il n'y a rien de journalistique et pas de sensationnalisme dans ses romans. L'œuvre de fiction, le roman en particulier, doit être en mesure de mobiliser la conscience narrative du lecteur et non pas ses bas instincts, pour l'amener à recréer le texte qu'il lit en fonction de son univers existentiel ou mental propre. Quand l'expérience rapportée est si unique, si singulière et exotique que le lecteur reste en marge du texte, nous ne sommes pas encore sortis du pathétique ou du grotesque pour accéder au domaine de la fiction.

Un autre élément majeur qui distingue la fiction de la confession est la manière dont l'auteur se cache tout en feignant de se dévoiler. Et c'est parfois dans l'exercice même de la dissimulation, dans l'effort d'un auteur pour effacer les traces d'aspects trop personnels dans ses romans qu'il transcende son expérience singulière et atteint ce que j'appelle l'universel concret. Je croyais que ceci était connu de tous ceux qui s'occupent de littérature ; quel n'a pas été mon étonnement quand des lecteurs avides sont venus me demander d'étaler encore d'autres détails de ma vie privée. Ils repartaient vraiment déçus quand je leur apprenais que non, que j'avais inventé toutes mes histoires, qu'il s'agissait de fictions forgées de toutes pièces pour que mes récits soient plus intéressants, mais que ce n'étaient pas non plus de simples mensonges ni de la tricherie. D'autres croyaient me connaître intimement à partir de la simple lecture de mes romans, comme si plus d'un quart de siècle de pratique de la psychologie n'était pas assez pour m'apprendre à me dissimuler. Quelques-uns de ces lecteurs me regardaient alors comme si j'étais un vrai fraudeur et non pas un artiste du camouflage. Des filles se disaient amoureuses de moi après la simple lecture de mes livres, et j'ai même reçu une demande en mariage d'une inconnue passablement riche et très cultivée. Que peut-on faire quand les gens sont incapables d'imaginer que le clown peut être mélancolique ou la putain, une simple femme d'affaires ?

Il m'a fallu beaucoup réfléchir à toutes ces questions pour aborder mon deuxième roman. J'entrais enfin dans l'atelier comme un bon démiurge, prêt à mettre la main à la pâte pour apprendre alors le métier d'écrivain. Les articles de la presse ne proclamaient-ils pas que j'étais une grande voix nouvelle de la fiction francophone ? J'allais tenter de relever ce défi, tout en sachant que ce ne serait pas si facile que ça de continuer uniquement à tricher.

❑

Pour mon deuxième roman, j'étais parti justement de l'idée d'une tricherie, soit celle d'une prostituée écrivant son journal intime pour embellir la triste réalité de son travail quotidien. J'avais l'intention de garder la technique des deux plans narratifs qui m'avait bien servi dans le premier roman, et qui seraient non pas ceux de l'enfant et de l'adulte, mais bien celui de l'imaginaire et celui du réel. Mais j'ai vite abandonné cette perspective d'apparence sécurisante pour chercher une structure plus originale, car elle calquait trop la formule gagnante du premier et je voulais des risques. À ce moment-là, le désir de devenir un écrivain n'était pas encore clair dans mon esprit, et je restais dans le domaine de la bravade. Il fallait surtout que je me confronte à l'hypothèse avancée par les critiques selon laquelle j'étais un grand écrivain, ou tout au moins un écrivain prometteur. Mon attitude avait des aspects presque suicidaires eu égard à l'écriture, comme si je cherchais soit à réussir haut la main, soit à échouer lamentablement pour ne plus m'en encombrer.

J'ai conservé l'idée de la jeune prostituée rêveuse comme une sorte de défi, puisqu'il me paraissait très difficile de me mettre dans la peau d'une femme pour créer un personnage crédible. Et pour augmenter davantage la mise, j'ai voulu réécrire une tragédie de jeunes amoureux dont la structure ressemblerait à celle de *Roméo et Juliette*. L'absurdité de l'entreprise me séduisait par ses aspects de pure fiction, sans aucun rapport avec ma propre sensibilité amoureuse. Et réussir à créer une histoire d'amour de ce genre, se passant dans les bas-fonds d'une ville tropicale, sans qu'elle soit ridicule, me paraissait relever du miracle. J'avais continuellement en tête le film mielleux *Orphéo Negro* comme une sorte de garde-fou contre toute velléité touristique ou carnavalesque, à un tel point que j'ai simplement sauté les jours du carnaval dans mon roman. Il me fallait quand même le carême pour faire contraste avec leurs amours juvéniles. Le titre, y compris le tilde du nom du personnage masculin, était presque une provocation pour me rappeler le besoin de transcender ma condition d'étranger et tenter d'atteindre l'universel. J'allais peut-être passer le restant de mes jours à parler de vagabondages, mais je ne voulais surtout pas que *Le pavillon des miroirs* devienne ma vache à lait. J'étais même très content de tous ces risques que je semais sur ma route.

Je me souviens bien de mes préparatifs concrets pour le début de l'écriture, et qui sont par la suite devenus des habitudes constantes de roman en roman. Il fallait d'abord que j'imagine entièrement l'histoire, dans tous ses détails, y compris les lieux, les personnages et chaque scène avant de commencer à rédiger. En réfléchissant après coup sur l'origine de cette façon peu usitée d'écrire — les écrivains que je connais me parlent de leur totale disponibilité d'esprit devant la page blanche —, j'en ai découvert deux sources possibles. D'abord, je n'ai jamais ressenti l'angoisse du vide devant une toile blanche, car je n'attaque un tableau qu'après l'avoir étudié minutieusement par un bon nombre de croquis préparatoires. Souvent, ces dessins préparatoires sont si précis et achevés qu'ils peuvent être considérés à juste titre comme des œuvres indépendantes. Il m'est aussi arrivé de graver les croquis préparatoires sur du bois pour mieux analyser et prévoir les plages de clair-obscur et les effets de lumière. Par ailleurs, j'ai presque toujours une bonne idée d'ensemble du tableau achevé, pour l'avoir maintes fois contemplé ou peint en imagination avant de passer à la toile. Au moment de passer au travail d'exécution, je connais en général les couleurs que je vais employer, et je fais au préalable les mélanges de pigments pour une séance entière, sans presque jamais me tromper. Au contraire de ce qui est devenu une règle dans l'art contemporain, je ne crois pas aux accidents comme source première dans la réalisation d'un tableau. Il m'arrive, certes, de profiter à l'occasion d'accidents heureux, mais j'ai tendance à les éviter pour rester fidèle à mon inspiration initiale. Ce besoin d'avoir le contrôle total sur mes actions et sur mon environnement peut paraître absurde ou appauvrissant; c'est pourtant lui qui m'a tiré de situations difficiles dans la vie réelle, et c'est lui qui est à l'origine de la rigueur de mes œuvres plastiques et littéraires, même s'il ne correspond pas aux stéréotypes romantiques de l'artiste impulsif et génial. Le goût des accidents me paraît être le propre des gens frivoles, qui ne prennent pas de grands risques, et qui peuvent ainsi s'en aller nonchalamment, puisqu'ils ne risquent pas de perdre grand-chose en chemin.

L'autre source de cette façon très rationnelle et méthodique de procéder pourrait être ma longue habitude de travail psychologique auprès des très jeunes enfants et de leurs familles. Au contraire de ce que font les cliniciens travaillant avec des adultes, il est impossible de prendre adéquatement des notes en présence d'un petit enfant qui joue. À la fin de ma carrière, j'étais capable d'examiner en détail le développement d'un petit tout en gardant tous les éléments dans ma mémoire, et de n'utiliser les protocoles imprimés des tests qu'une fois la séance terminée. Par cette disponibilité totale, je pouvais me concentrer sur les activités et sur la personne du patient, sans perdre sa collaboration même dans les cas les plus difficiles. De la même façon, étant souvent obligé de communiquer des mauvaises nouvelles aux parents, je ne me voyais pas en droit de prendre des notes durant la séance, de façon à garder une qualité constante de présence et d'écoute devant leur peine. Cette longue habitude professionnelle a sans doute contribué à ma manière de concevoir ce deuxième roman, laquelle s'est cristallisée pour les créations suivantes. Il ne s'agit cependant pas ici d'un effort mental ou d'une qualité supérieure de mémoire, mais bien de la cohérence avec un schéma théorique de base, tout comme cela se passe dans un examen protocolaire. La maîtrise de la structure du roman me permet ainsi d'être disponible aux vicissitudes de son parcours, tout comme la maîtrise du protocole d'examen me permettait d'être disponible à la singularité de chacun de mes petits patients. Et je souhaitais que cette deuxième tentative d'écriture soit plus organisée, qu'elle obéisse à un plan rigoureux; je saurais ainsi si le métier d'écrivain convenait à ma nature. Car cette histoire d'angoisse devant la page blanche, ou devant quoi que ce soit d'ailleurs, risquait de m'agacer trop, et si le métier d'écrire s'avérait exaspérant, il n'était pas fait pour un type comme moi.

Je me suis aussi procuré du bon papier ligné, de ces feuilles où la plume glisse avec facilité et en s'accompagnant d'un petit crissement agréable, histoire de me garder dans la même ambiance du trait de l'aiguille à graver sur une plaque apprêtée pour l'eau-forte. J'ai une longue habitude du plaisir sensuel de la manipulation des outils de travail, et je n'allais pas me passer d'elle en dépit du caractère purement verbal de l'écriture. L'encre pour mes stylos se devait aussi d'être agréable à la vue, suffisamment sombre mais sans les reflets violets de l'encre noire qu'on achète d'habitude. Je l'ai donc mélangée à parts égales avec de l'encre verte, pour obtenir une sorte de gris froid qui garde l'intensité et la variation des gestes de la plume, tout à fait comme dans mes dessins à l'encre et au lavis. Je possède plusieurs stylos, aux plumes bien sablées et usées sur des papiers épais, et j'ai décidé de les utiliser aussi pour l'écriture. Ils avaient l'avantage d'être bien connus par ma main et d'être de calibres différents, ce qui est un atout certain pour les longues séances de travail ; lorsqu'on varie les stylos, la main se fatigue moins et la tête peut alors avancer sans s'endormir. Tout cela peut paraître trop pointilleux, mais j'avais entièrement raison de procéder ainsi. Après dix romans, je travaille toujours de cette façon, et il m'arrive d'écrire jusqu'à huit heures d'affilée sans trop m'éreinter. Par ailleurs, comme mes pipes, les stylos servent de sablier pour contrôler la durée de la séance d'écriture : quand les pipes choisies et préalablement bourrées sont fumées, et que tous les stylos sont vides, il est temps d'arrêter et de sortir la bouteille de vodka pour célébrer la besogne abattue.

Après ces années de métier d'écrivain, je suis arrivé à penser que ce travail est autant un travail manuel qu'un travail purement mental. Certes, c'est par la pensée que les idées s'enfilent selon la syntaxe pour former le collier du texte, mais l'exécution manuelle, la position du corps, une pipe qui tire bien ou mal, le flux de l'encre dans le stylo ou la qualité du glissement de la plume sur le papier ont aussi une grande importance dans l'avancement actuel de l'écriture sur la page. Ces petits détails peuvent me déranger parfois davantage qu'un bruit extérieur ou un souci quelconque. En effet, quand les idées commencent à défiler dans mon esprit et que l'écriture se met en branle, j'ai la nette impression que ma main écrit toute seule, à toute vitesse, des heures durant, pendant que les yeux suivent un peu en arrière pour tenter de lire ou de deviner ce qui apparaît magiquement sur le papier. C'est semblable à ce qui se passe avec un dessin, qui est par ailleurs toujours exécuté à la fois avec la main, avec l'avant-bras et même avec le mouvement de l'épaule. Je me réjouis donc chaque fois d'avoir bien choisi les outils qui me convenaient le mieux. Il va sans dire que mes rares tentatives d'écrire à l'aide de ma vieille Olivetti manuelle ou du clavier de l'ordinateur ont été vite abandonnées à cause de l'incompatibilité absolue entre la pointe de mes doigts et mon âme créatrice. Aussi, je suis incapable d'écrire lettre par lettre ; mon écriture se fait par mots entiers, dessinés comme des entités distinctes, et parfois même par des phrases entières aux mots presque collés. Cela vient sans doute du fait que, n'ayant pas appris la dactylographie quand j'étais jeune, je dois me contenter de taper avec deux doigts ; mais il est bien trop tard pour changer, et j'adore mes outils de dessin. Qui plus est, je ne reconnais pas ma voix propre quand elle apparaît sous les traits des caractères d'imprimerie, et ceci a quelque chose de profondément désagréable, de mécanique et de dépersonnalisant. Lorsque j'ai fait deux versions du texte manuscrit, je le tape à l'ordinateur. J'arrive alors à corriger le tout de manière impersonnelle, car la parole s'est détachée de moi, presque comme s'il s'agissait du texte de quelqu'un d'autre. L'élaguer et même l'amputer de larges morceaux ne me pose plus aucun problème, puisque mon démon s'est alors déjà envolé vers d'autres sources d'inspiration.

Je me suis assis et j'ai écrit *Negão et Doralice* d'un seul trait, en trente jours environ. Durant cette période, le plus important a été de ne pas me laisser détourner de l'écriture par aucun détail de la vie quotidienne. Rien ne m'intéressait, j'étais entièrement au service de mon texte. Cette habitude aussi est restée pour les romans suivants : un travail suivi et intensif jusqu'à l'achèvement d'au moins la première version manuscrite. Il me faut entre un et deux mois pour écrire chaque livre ; seul le *Kaléidoscope brisé* a nécessité trois mois, à cause de sa grande complexité formelle. Cela m'a paru une éternité, car lorsque la nuit arrive et que la séance est finie, le flot d'idées dans ma tête ne respecte pas la douleur de la main ni la fatigue des yeux ; c'est alors que la vodka, le rhum ou le scotch — selon le thème du livre du moment — entre en jeu pour les calmer, pour leur dire d'attendre le lendemain en toute tranquillité et de me laisser me reposer.

Je n'ai pas choisi cette façon d'écrire très vite, dans un état de disponibilité absolue tant que le livre n'est pas terminé. Elle correspond à ma nature profonde, et se manifeste dans mes travaux plastiques, dans les bricolages que je suis obligé de faire dans la maison et même dans ma manière d'agir dans la vie en général. Je suis, au contraire, d'une nature apparemment très paresseuse. Je peux passer des semaines, voire des mois entiers sans rien faire, complètement absorbé dans mes rêveries, dans mes images mentales ou dans les histoires que je me propose d'écrire. Étonnamment, ces périodes d'oisiveté apparente sont les moments les plus féconds pour la créativité ; c'est durant ces rêveries d'allure désœuvrée que l'esprit organisateur des choses symboliques se manifeste. Une activité constante ne fait que se reproduire et se répéter, empêchant le cerveau de se renouveler, de contempler d'autres possibilités qui n'apparaissent pas de prime abord à la conscience. J'évite même de lire des livres trop importants pour moi durant ces accalmies, pour ne pas dévier de mes propres penchants ni être attiré par des thèmes pourtant fascinants mais qui ne me hantent pas. Il m'arrive parfois d'étendre ces périodes au delà de certaines limites, au point de rester trop ensorcelé par mes créatures mentales et d'avoir un peu de difficulté à revenir à l'action. C'est parce que cette création invisible et silencieuse indûment prolongée devient si parfaite, si achevée, que toute tentative de l'extérioriser sur la toile ou sur le papier mènerait à un échec. J'ai ainsi appris à conserver ces créatures mentales dans un équilibre précaire, entre un état optimal d'organisation mais pas encore complètement achevées ; la pulsion de les exécuter peut alors être assez forte pour rompre l'inertie et me pousser au travail concret.

Une fois que je suis mûr pour l'activité, je me sens entièrement possédé par celle-ci, et je travaille alors avec un grand enthousiasme et sans effort jusqu'à l'achèvement de l'œuvre. Cela se passait déjà ainsi avec les tableaux, et je n'ai pas été surpris de voir que l'écriture obéissait à un rythme semblable. Une fois que je m'assois pour écrire, le livre est prêt dans ma tête, et il est bien rare que je change quoi que ce soit d'essentiel au contenu. Il s'agit alors d'une simple mise en forme, laquelle s'est accélérée inévitablement au fur et à mesure que je gagnais en habileté comme écrivain. L'aspect intéressant de cette activité fébrile est que je la concentre pendant les mois d'hiver, entre décembre et février uniquement, ce qui me permet de passer les moments les plus froids de l'année assis bien au chaud. L'écriture est ainsi restée confinée à une plage de temps bien précise, et elle n'envahit pas mon atelier de peinture l'année entière.

Negão et Doralice est une tragédie urbaine, du genre de celles qu'écrivait Nelson Rodrigues ; celui-ci est, paradoxalement, l'écrivain brésilien que j'aime le plus : un mélange tropical de Bukowski et de Dostoïevski, avec un esprit à la fois kitsch et ironique pour se moquer de la misère. Sauf que Rodrigues est profondément réactionnaire, d'un moralisme désuet et paternaliste bien au goût des couches petites-bourgeoises brésiliennes au bord de la misère. De ce fait, il a su capter plus que tout autre écrivain l'âme rancunière et mélodramatique des gens simples. Je voulais, au contraire, créer une fable héroïque pour exprimer la souffrance des misérables, et montrer combien même leurs petits coins de bonheur sont piétinés par les puissants. J'avais été témoin de cette misère et de cette prépotence, et le défi était celui de créer une histoire qui ne soit ni mielleuse ni trop héroïque.

Je me suis rendu compte dès le début que j'étais incapable de concevoir un personnage principal féminin qui soit assez crédible ; par conséquent, j'ai centré le noyau du roman sur le personnage de Negão. Il serait si captivant que son éclat jaillirait en miroir sur sa Doralice pour la mettre en valeur ; je me disais que si elle était la bien-aimée d'un type pareil, ce n'était même pas la peine de la décrire en détail, elle était évidemment merveilleuse. L'astuce a porté ses fruits, d'autant plus que la mort au combat de ce jeune homme valeureux rejaillissait aussi sous la forme de courage sur sa compagne. Je ne me suis donc pas gêné pour liquider Negão au beau milieu du livre, au grand étonnement de mon éditeur. Il avait aimé le roman, mais cette procédure inusitée de faire disparaître le personnage principal bien avant la fin lui semblait une faille formelle inacceptable. Pourtant, c'est justement cette mort précoce qui redirige l'esprit du lecteur vers la petite Doralice, et elle rééquilibre ainsi le décalage initial du couple. Le lecteur sent la jeune femme abandonnée et victime d'une immense injustice, et il mobilisera sa propre imagination pour devenir à son tour le vagabond Negão et tenter de la venger. Il me semblait que ce transfert d'identifications allait marcher, car je m'adressais en esprit à un lecteur de sexe masculin.

Mon éditeur a accepté mes arguments, mais il a exigé que je change tous les temps du passé composé au passé simple. Je me rappelle bien cette discussion commencée dans son bureau et terminée dans un restaurant, pendant laquelle il m'a donné une belle leçon sur les temps des verbes en français, avec des citations de Proust à l'appui. J'avais bien besoin d'une pareille leçon, car cette complexité des prétérits est inexistante dans mes autres langues, et elle m'avait passablement échappé. Il me semblait évident qu'il avait entièrement raison, et que la fable gagnerait ainsi sa forme adéquate, mais je prolongeais la discussion de peur qu'il ne se mette aussi à critiquer les longues discussions qu'ont Negão, Mindras et Sirigaito. C'est que justement ces passages-là m'avaient ouvert tout un univers d'idées pour d'autres livres, et ces personnages complexes allaient sans doute revenir dans d'autres histoires que j'écrirais. Je n'ai jamais su ce que mon éditeur pensait de ces passages rébarbatifs pour le grand public, car sa passion du passé simple et mes hésitations improvisées ont pris tout notre temps. Le roman est ainsi sorti tel quel, mais avec la narration au passé simple, et il a été aussi un grand succès. Les journalistes, qui paraissaient encore surpris du succès de mon premier roman et qui attendaient cet immigrant impertinent à son retour pour le ramener à un peu d'humilité, étaient pourtant unanimes à dire que j'avais réussi l'épreuve du deuxième roman. Ils ne pouvaient pas soupçonner que j'en avais déjà au moins cinq autres se bousculant dans mon esprit.

Negão et Doralice est un roman simple, émouvant et efficace, avec juste assez d'exotisme pour toucher les lecteurs d'ici sans trop les détourner de leurs propres amours. Il ne m'a pas coûté trop d'efforts et m'a permis de me venger en imagination de quelques tristes sires que j'avais croisés autrefois. J'avais aussi fait l'exercice d'un style de langage qui me plaisait, et j'avais gagné de l'assurance pour me lancer dans des projets d'écriture plus ambitieux. Surtout, j'avais découvert que l'art du roman m'ouvrait des portes pour des aventures imaginaires réellement fascinantes. Ce que j'avais vécu pendant ce mois d'écriture était d'une intensité à faire pâlir le meilleur des films d'action. J'avais été Negão du début à la fin, dans toutes ses péripéties, j'avais visité des lieux de mon enfance avec une intensité qui dépassait tout ce que j'avais obtenu jusqu'alors avec mes rêveries. C'était presque mieux qu'une aventure réelle par ses aspects de perfection et de syntonie totale avec mes désirs. Et cela n'avait rien à voir avec une confession ! Les conversations avec Mindras et avec Sirigaito m'avaient aussi permis de mettre de l'ordre dans certaines de mes idées, et je regrettais presque de ne pas connaître des gens de la sorte dans la vraie vie pour pouvoir les fréquenter davantage. Je comprenais enfin le plaisir qu'avaient pu éprouver Conrad, Hamsun ou Dostoïevski pendant qu'ils écrivaient leurs propres romans. Voilà qu'à mon tour, moi aussi j'étais un écrivain. Je me promettais de continuer à me divertir avec ces aventures mentales desquelles j'étais le héros sans que personne ne s'en doute. Quand une lectrice émue m'a demandé un jour si j'avais connu personnellement Zacarias da Costa, alias Negão, j'ai su que mon camouflage était parfait, et que je pouvais continuer à jouer en toute impunité.

10

Avec *Negão et Doralice*, j'ai aussi découvert qu'écrire est bien meilleur que lire. Je n'avais plus besoin de chercher les aventures qui me plaisaient dans les romans des autres, ni de les adapter après coup selon mes propres goûts. Je pouvais dorénavant les écrire spécialement pour moi. Il était d'ailleurs bien rare que je trouve de nouvelles aventures convenant à ma manière d'être, surtout que je n'étais déjà plus très jeune. J'avais besoin de personnages aventureux, mais il fallait aussi qu'ils soient des intellectuels, érudits, et que leurs histoires aient un aspect de transcendance existentielle. Et puis, idéalement, les thèmes intellectuels abordés devaient m'intéresser, ce qui n'était pas facile. En dehors de mes rares livres fétiches, je trouvais de moins en moins souvent des livres autant faits sur mesure.

Dès que *Negão et Doralice* a été accepté par mon éditeur, je me suis mis à la recherche imaginaire d'un vrai voyage cette fois, pour y consacrer le roman suivant. Comme par hasard, j'étudiais justement à cette époque l'*Odyssée* d'Homère, avec l'intention de réaliser une série d'illustrations à l'eau-forte pour cette œuvre. Je prenais note des passages les plus intéressants du point de vue visuel, mais aussi de ceux permettant une compréhension séquentielle de l'histoire. Trop de scènes m'attiraient en même temps, et mon grand nombre d'esquisses ne faisait que compliquer mon choix. J'allais et venais ainsi dans l'épopée, quand j'ai eu l'idée d'utiliser exactement sa structure narrative pour écrire un roman de voyages. Je ne pouvais pas mieux choisir. Moi aussi, un exilé comme Ulysse, j'avais désormais la permission de rentrer au pays après une longue période de bannissement. En effet, après la fin de la dictature au Brésil, j'étais dans une situation analogue à celle d'Odysseus dans l'île de Calypso, et je n'avais plus d'excuse pour rester en exil. J'avais beaucoup réfléchi sur cette question, et ma décision était claire, sans ambivalence. Mais il restait la curiosité de voir le pays après plus de vingt ans d'absence — le même laps de temps qu'Ulysse —, ainsi que les gens que j'avais connus plus jeune. Un autre détail rendait l'*Odyssée* intéressante à ce sujet : comme je ne voulais pas abandonner mon exil, je n'avais jamais compris pourquoi Ulysse abandonnait Calypso. En fait, Calypso, fille de Thétis et de Poséidon, est une nymphe des abîmes, une personnification de la mort, et le séjour du héros dans ses bras équivaut à une suspension de la vie dans une sorte de Hadès provisoire. Mon exil a toujours eu pour moi un sens analogue de séjour dans le monde imaginaire de l'art et des aventures oniriques ; sauf que je le trouve confortable et en accord avec ma nature. Mais Ulysse l'abandonnait pour donner suite à l'épopée, et cette conduite du héros m'a toujours paru artificielle. D'autant plus artificielle que le temps avait passé réellement au-dehors de l'île de Calypso, et qu'il allait retrouver une Pénélope plus âgée de vingt ans. Ce choix me paraissait — et me paraît toujours — des plus absurdes : aucun aventurier n'abandonnerait les mystères d'une adorable nymphe comme Calypso pour retrouver les vertus ménagères d'une Pénélope vieillissante. En fait, cette attitude d'Ulysse ne dérangeait pas que moi. Je connaissais et je chérissais depuis longtemps l'épopée de Nikos Kazantzakis, *L'Odyssée, une suite moderne*, cette œuvre maîtresse du XXe siècle devenue un de mes livres de chevet. Très nietzschéen et existentialiste, Kazantzakis aborde dans cet immense poème épique justement la question de ce retour peu probable du héros à sa vie de château. Ulysse retourne chez lui en effet, car son poème est l'exacte continuation de celui d'Homère. Mais le héros ne peut plus s'adapter à la vie casanière à Ithaque après toutes ses aventures à l'étranger. Son être et son existence se sont irrémédiablement métamorphosés pendant l'exil, ce qui correspond exactement à ce que je ressentais dans mon cas particulier. Très généreux, Kazantzakis le fait alors repartir pour continuer à dépenser ce qui lui reste de jeunesse en d'autres aventures merveilleuses et en compagnie d'autres vagabonds de la quête du sens.

Cette suite de l'*Odyssée* de plus de trente mille vers est bien plus émouvante et plus complexe que l'épopée d'Homère, car elle ne traite plus seulement du mythe ancien, mais aussi de l'homme moderne. En effet, il n'y est plus question de retour aux sources des épopées mythiques, puisqu'il n'y a plus de mythe ; il n'y a que l'homme seul dans son aventure en direction de la mort. Et cet aventurier doit créer à chaque instant son être dans le monde, sans jamais pouvoir se reposer sur aucune certitude, fût-elle une patrie ou une œuvre picturale passée. Je le savais trop bien : tout arrêt du parcours implique la destruction de la liberté par la mauvaise foi de nos petits mensonges, et cela implique la perte de la spiritualité et l'envasement dans la mort en vie. D'où la beauté et le message puissant du poème de Kazantzakis, cet Odysseus qui avance d'aventure en aventure, conscient de la mort au bout du chemin et disposé à transformer le maximum d'expérience terrestre en conscience humaine. N'empêche qu'Ulysse était retourné à Ithaque l'espace de quelques mois, au moins pour se rendre compte du bourbier qu'aurait été sa vie de châtelain.

J'ai alors décidé de faire aussi ce voyage de retour, mais sous le déguisement d'un personnage entièrement inspiré à la fois d'Homère et de Kazantzakis. Ce serait un livre de voyages tels que je n'avais pas pu en vivre en réalité. Et ce serait aussi mon règlement de comptes par personne interposée avec mon passé brésilien.

Depuis la sortie du *Pavillon des miroirs*, on faisait fréquemment mention de mon passé trouble, de ma vie en institution et de mon exil. Je me divertissais de voir comment les gens trouvaient tout cela très romantique en dépit de mes précisions plus prosaïques. Souvent, sans doute parce que mes admirateurs n'avaient pas eu une vie aventureuse, on me pensait modeste quand je tentais de ramener la mienne à ses justes proportions. Si j'accueillais leurs remarques avec un simple sourire, voilà qu'ils s'imaginaient d'autres aventures encore plus périlleuses ou révolutionnaires, mais dont ma retenue m'empêchait de divulguer les détails. J'avais déjà observé le même jeu, mais bien plus mensonger et tricheur chez d'autres étrangers ; ceux-ci parlaient uniquement par bribes de leur passé, de façon à l'ennoblir à travers les interprétations fabuleuses que ces silences mêmes rendaient possibles. Ce n'était pas du mensonge en tant que tel, mais ce n'était pas non plus la vérité. Ulysse, au contraire, est un véritable fabulateur, car il prétend avoir réellement vécu les aventures qu'il invente de toutes pièces. Il est d'ailleurs toujours le seul témoin de ses exploits, mais il séduit parce qu'il revient de loin. L'épopée d'Homère ne laisse pas voir ces aspects mensongers du personnage principal, car elle est une tentative de fondement du pouvoir mercantile grec sur les autres peuples de la région, et Ulysse se doit d'être un héros conquérant et plein de mérites. Mais la moindre recherche littéraire dans l'*Iliade*, et surtout chez Ovide ou Pindare, nous révèle un autre Ulysse : plus bavard que valeureux au combat, il avait simulé la folie de peur d'aller à la guerre, et seuls ses talents oratoires lui permirent de gagner les armes d'Achille qui revenaient de droit à Ajax. C'était un littéraire avant la lettre plutôt qu'un guerrier, d'où l'intérêt de l'épopée en tant que logos grec pour la civilisation de l'Attique. Mais il était aussi une figure complexe, très convenable pour une véritable aventure spirituelle comme celles qui me captivent, du genre justement à permettre d'étudier le rôle des simulacres et de la fiction dans la création du personnage de soi-même. C'est donc lui que j'allais envoyer au Brésil à ma place, et par son entremise j'en finirais une fois pour toutes avec ce retour en arrière qui m'était resté comme une sorte de boucle inachevée.

Tout à fait comme pour un voyage réel, je me suis mis à la recherche de livres qui m'aideraient à créer le formidable parcours que j'avais imaginé pour mes aventures. J'ai d'abord relu Theodor Plievier pour me rappeler ses périples sur la côte pacifique du Chili, mais aussi *Le bateau des morts* de B. Traven pour me familiariser avec la vie dans un vrai rafiot.

Comme je voulais m'amuser en grand, et comme il était question de voyages, j'ai ensuite relu *Le voyage du Beagle* de Charles Darwin, ainsi que les chapitres traitant de l'Amérique du Sud du magnifique *Voyages aux régions équinoxiales du Nouveau Continent*, d'Alexander von Humboldt. Je savais pertinemment que ces textes ne me serviraient pas beaucoup, mais je me souvenais d'eux comme de belles aventures et je me promettais de leur faire des clins d'œil au long de mon propre roman. C'est que deux livres du Chilien Francisco Coloane sur l'extrême sud du continent m'avaient beaucoup plu, et j'avais décidé de faire passer mon personnage par là.

Cette habitude de ratisser large quand je me prépare pour un nouveau roman m'est restée depuis cette époque. Je ne peux pas m'en priver, car ces lectures font déjà partie de mon aventure en cours, et elles sont souvent la source de beaucoup de richesses dont je peux parer mes livres. Ce contraste entre mon amour du détail et le manque de culture du public lecteur en général m'agaçait passablement au début de mes activités d'écrivain, et le mépris à peine voilé des critiques littéraires envers toute sorte d'érudition m'agace toujours beaucoup. La richesse intertextuelle de mes livres n'a jamais été appréciée à sa juste mesure, ce que je trouve dommage ; beaucoup de mon plaisir de la lecture d'un livre réside dans son contenu implicite, dans ses références cachées et dans la fraternité que j'éprouve avec un auteur lorsque je retrouve chez lui des éléments culturels qui me sont familiers. Mais je m'y suis fait de livre en livre, et je sais maintenant que j'écris presque uniquement pour moi, pour un lecteur idéal aussi exigeant, aussi cultivé et aussi provocateur que je prétends l'être. Si les autres peuvent y trouver un certain plaisir, tant mieux ; s'ils perdent beaucoup de ce que j'y ai mis, je n'y peux rien. De toute manière, j'étais déjà habitué à me conformer à ceci quand il s'agissait de mes tableaux et de leurs références symboliques. Je dis que c'est tant pis mais j'avoue que cette situation d'incommunicabilité me pèse parfois un peu, surtout quand je me rends compte que, par ailleurs, ces gens qui ignorent tout de mes écrivains préférés sont parfaitement au courant des détails de la vie intime des pauvres types de la télévision. Que faire ? Peut-être que tous les intellectuels et les artistes vieillissants ressentent cela de la même façon, mais qu'ils se taisent pour ne pas passer pour des vieux cons anachroniques. Peut-être...

J'ai aussi lu à cette époque l'excellent livre de Napoléon Ponce de Léon sur le voyage de Fernão de Magalhães, dit Magellan*, qui allait curieusement me servir d'inspiration sept romans plus tard, pour l'écriture des *Amants de l'Alfama*. C'est ainsi que fonctionne le monde spirituel, on n'y peut rien : tout ce qui nous impressionne reste partie intégrante de notre âme et ressortira un jour pour nous ravir sans qu'on s'y attende le moins du monde. Une fois entré dans l'univers des livres, notre esprit part en vadrouille et glane de drôles de collections de choses apparemment sans importance, mais combien fondamentales, tout comme le font les enfants sur une plage de galets.

Naturellement, je me suis procuré une gigantesque carte très détaillée de l'Amérique du Sud ainsi que les plans de plusieurs villes européennes, pour ne pas me perdre en chemin.

Décidé à suivre exactement le plan de l'*Odyssée*, chant par chant, je pouvais alors me laisser aller de façon assez vagabonde, au fil de la plume, sans trop m'inquiéter de la structure de l'ensemble. De toute manière, je savais très bien où je m'en allais, car mon histoire était très claire dans ma tête. L'idée nouvelle, à l'opposé de ce qu'avait fait Homère, était de montrer les deux plans de la réalité, celui de la narration du héros et celui de ce qui s'était réellement passé. Le lecteur découvrirait ainsi en parallèle comment se tisse une vie et comment se tisse le récit d'une vie, les faits réels gardés par la mémoire et toutes les petites simulations et dissimulations qu'une personne effectue au fur et à mesure qu'elle construit son identité. Il serait donc question aussi des aspects arbitraires, artificiels et accidentels qui arrivent au long d'une vie, c'est-à-dire comment l'être humain subit les innombrables

* *Five Black Ships*, New York, Harcourt, 1994, prix Casa de la Americas, La Havane, 1989.

accidents de parcours et y réagit, tout en cherchant à rester un sujet et non pas un simple objet de la fatalité.

L'écriture de ce troisième roman, *Errances*, a été un voyage délicieux, surtout que j'avais pris soin d'adjoindre à mon héros un *alter ego* remarquable, Mateus Garcia, avec qui le débat sur les questions existentielles pouvait être entamé dès le début du livre. Mateus est d'une certaine façon la réincarnation du Zacarias de *Negão et Doralice*, mais d'un Zacarias plus mûr, ayant bien médité sur les leçons que le capitaine Mindras lui prodiguait dans le roman précédent et décidé à bien vivre sa vie. Boris Nikto, le personnage principal, est mon Ulysse, et son nom est donc « personne » comme l'avait prétendu le héros d'Homère (Nikto en russe, Niemand en allemand, Nowan en pidgin). C'est un héros mythique à sa façon, frappé par la tragédie initiale, qui se rend aussi peu à peu compte que celle-ci l'aidait dans son projet le plus cher. Non seulement le sien, mais aussi celui de son vieux père apatride, Dmitri, l'immigrant de la Baltique échoué au Brésil et toujours nostalgique de ses origines. Et le voyage, ce périple circulaire du héros, m'a permis avant tout de me divertir comme si je me promenais dans un mythe en faisant de l'auto-stop. Sans compter que je faisais la paix avec beaucoup de fantasmes, que je me vengeais de beaucoup d'affronts passés, et que je revoyais Rio de Janeiro pour lui dire adieu. Je me suis même rendu à la sépulture imaginaire de mon propre père, mort seul à la Taquara au milieu des décombres de sa maison de rêve, de son jardin envahi par les ronces et de ses orangers abandonnés. J'y suis allé pour lui raconter qu'en effet le monde au loin est aussi vaste et plein de possibilités qu'il le pensait, et que j'avais malgré tout beaucoup de gratitude envers lui d'avoir été le destinataire privilégié de sa nostalgie des pays enneigés. Je suis d'ailleurs très ému à chaque relecture de ce passage, tout comme si j'étais effectivement allé là, en compagnie du chauffeur Pindoca, pour rendre un dernier hommage à ce père mi-réel, mi-inventé. En quittant la sépulture de son père, le personnage Boris Nikto s'apprête à devenir l'Ulysse errant de Kazantzakis, d'où mon clin d'œil final à un autre errant, Joseph Conrad.

Naturellement, le lecteur ne se rend pas trop compte de mon implication personnelle dans le texte, et c'est par là qu'on distingue la fiction de la confession. Si le lecteur aime le livre, c'est justement parce qu'il n'a pas été laissé en dehors de la trame. S'il est un lecteur exigeant et lucide, il avancera avec le héros, il s'identifiera ou non avec ce héros paradigmatique et refera ainsi ses propres voyages imaginaires au long de son monde mental. Le roman s'insérera peut-être aussi en tant que logos devenu personnel dans la construction de son propre mythe, et il se retrouvera alors avec les questions du pourquoi il a ou n'a pas fait tel voyage, du comment il a ou n'a pas fait la paix avec ses propres trahisons. Dans une confession, au contraire, l'interlocuteur est un simple témoin extérieur, qu'il soit ou non intéressé ou touché par le texte qu'il lit. L'art de la fiction à son meilleur réside donc dans la richesse des simulacres créés pour captiver les nombreux mondes personnels du public lecteur. Ces simulacres sont des véhicules ou des pistes glissantes capables de transporter différents individus dans un voyage initiatique vers eux-mêmes. Je ne parle pas ici de lectures purement divertissantes, pour passer le temps, ni de ces soi-disant contes philosophiques infantilisants et sans aventures réelles si à la mode et destinés à donner une impression de sérieux aux natures frivoles. Un roman doit, à mon avis, saisir la vie concrète et l'esprit du lecteur, pour l'amener à réfléchir et à élargir son champ de conscience, tout en lui ouvrant d'autres portes pour de nouvelles aventures réelles, adultes et risquées. Si l'on accepte ce point de vue, il devient aussi évident qu'il ne peut pas exister de roman bon pour tout le monde. Chaque lecteur découpe son propre univers dans l'abondance littéraire existante, et même si plusieurs lecteurs peuvent se ressembler, vouloir rendre hommage à la totalité des consciences est une totale absurdité. Même les lecteurs de livres policiers ont leurs préférences quant au type de crimes ou à la personne des limiers !

Une autre expérience intéressante que l'écriture d'*Errances* m'a permis de faire a été celle d'imaginer le travail du temps sur les gens que j'avais connus dans ma jeunesse. L'idée de Pénélope vingt ans après m'a réellement emporté, et cet exercice a aussi eu un effet cathartique concernant beaucoup de nostalgies reliées au passé, ce dont tout immigrant est souvent la proie. Comme les choses de son passé se sont poursuivies ensuite sans sa présence, l'immigrant garde souvent l'étrange illusion que les endroits et les gens d'autrefois sont restés tels qu'ils étaient au moment de son départ. Pour l'écrivain, mais aussi pour le peintre, cette pratique du retour imaginaire au pays de ses origines est des plus instructives, puisqu'elle conduit à la recréation d'existences autrefois au simple état de projet, et de visages et de corps encore peu façonnés par l'usure de la vie. On y est alors en plein dans l'exercice de la fiction, et ces tentatives imaginaires sont précieuses pour apprendre à élaborer des personnages en vue de romans à venir. Tenter de se représenter, par exemple, les transformations subies par une jeune amoureuse d'il y a quarante ans, en se basant sur l'apparence de ses parents et sur ses anciens traits de caractère, peut ouvrir des perspectives formelles et même morales assez surprenantes concernant l'amour ou les avatars des attachements irréfléchis.

Si ces considérations ont une saveur cynique, c'est parce qu'elles sont en effet cyniques, même s'il s'agit d'un cynisme paradoxalement moral. Le propre de l'artiste est d'avoir un point de vue décentré de l'ordre habituel des choses et des gens. Il a justement choisi de regarder en parallaxe pour gagner de la perspective et de la profondeur sur ses semblables, de manière à pouvoir les décrire ou les représenter. L'artiste sait pertinemment qu'il est un intrus au regard perçant et implacable. Et plus souvent que d'habitude, il dirige ce même regard sur sa propre personne et sur sa propre vie pour continuer à produire des œuvres chargées d'humanité. Quand sa mauvaise foi l'amène à se prendre pour une divinité, il perd la capacité infinie de tendresse qui doit accompagner le scalpel de son regard, et il devient alors un monstre d'égoïsme et de cruauté, incapable désormais de profondeur dans ses réalisations. L'équilibre des divers sentiments est ainsi essentiel pour ne pas sombrer dans la démesure, cette *hybris* des Grecs à l'origine des créations contre nature. Et cet équilibre s'acquiert, je crois, avant toute chose par l'application fréquente de son cynisme et de son sarcasme à sa propre personne. Mais aussi — pourquoi pas ? — de sa propre générosité. Trop d'amertume et trop de rancune le pousseraient inexorablement vers le champ de la critique littéraire ou artistique, au détriment de la création d'œuvres originales.

Errances aborde un peu tous ces thèmes que je viens d'effleurer, car c'était ma réelle entrée consciente dans le monde des lettres. C'est mon premier roman entièrement pensé en tant que tel après que j'ai pris la décision de me consacrer aussi à l'écriture. Je voulais donc mettre en place mes propres garde-fous et aide-mémoire, histoire de me consacrer à ce métier moralement dangereux de manière lucide, et pour ne jamais risquer de ressembler à quelques personnages visqueux que je croisais pour la première fois dans ma vie. En effet, comme je menais une vie très solitaire, j'avais peu de contacts avec le grand monde des riches et des influents, et avant même ma première année sur la scène publique en tant qu'écrivain, j'étais déjà obligé, par pure bienséance, de serrer la main d'un politicien ignoble. Mais ce n'est pas tout. Les peintres sont en général assez peu loquaces au sujet de leur travail, ce travail silencieux par excellence, et mes premières fréquentations du monde des lettrés m'ont fait l'effet d'un choc. Malgré ma formation avancée et mes nombreuses lectures, je n'avais jamais été en contact avec une faune pareille, capable de tout expliquer, avec des opinions définitives sur tous les sujets, et d'une telle susceptibilité face à la moindre critique. L'absence totale de sens du ridicule de plusieurs écrivains et critiques me laissait pantois, surtout quand j'étais obligé d'écouter poètes et poétesses lire leurs babils agrammaticaux comme s'ils étaient en train de prêcher l'Évangile. Vite on m'a fait savoir qu'une sorte de loi absolue défendait de critiquer l'œuvre des confrères ou d'en rire, un peu comme les membres d'un syndicat qui doivent se taire devant les excès de leurs camarades de travail. Tout était bon et nécessaire, du moment que c'était fait par des écrivains, car la culture était déjà trop menacée par la bêtise ambiante, et il ne fallait pas ajouter des querelles intestines. Merde alors ! Et moi qui venais à l'écriture attiré par les aventures et les bagarres intellectuelles que je croyais y trouver !

Dans *Errances*, je pouvais aussi rendre hommage à mes éditeurs sans que cela soit trop évident dans le corps du texte ; juste une gentillesse pour les remercier de m'avoir donné cette chance d'aventures pleines de nouveaux défis et de plaisirs. Surtout de plaisirs. Je pouvais par exemple, avec quelques simples coups de plume, faire revivre ce sympathique barbier de la Lapa, Sirigaito Alfombra, aux possibilités intellectuelles insoupçonnées et dont j'avais fait la connaissance dans *Negão et Doralice*. Il suffisait d'envoyer Boris Nikto lui rendre visite dans son salon de barbier, et j'étais aussitôt en train de me délecter de sa prose et de sa sagesse, tout en me divertissant avec ses fantaisies érotiques au sujet de la reine d'Angleterre. Non content de ces conversations édifiantes, Sirigaito, toujours généreux et bon vivant, m'offrait aussi le corps torride d'une mulâtresse spectaculaire, sa voisine Berenice. Cet aspect de plaisir sensuel vicariant à travers l'écriture ne m'avait jamais frôlé l'esprit ; et voilà qu'après la première escapade de Boris avec une jeune étudiante à Paris, j'étais prêt à pénétrer dans le royaume exquis de la création érotique, où il est si difficile d'innover.

L'habitude de faire revenir certains personnages dans les livres suivants m'est restée. De cette façon, je dispose déjà d'un ensemble personnel de points de vue différents et bien identifiés, et il m'arrive même d'interroger en esprit quelques-uns de ces personnages pour qu'ils m'aident à penser certaines questions délicates de mon monde réel. Dans mes soliloques, il est très convenable d'avoir des interlocuteurs de la trempe d'un Mateus ou de certains autres pour me tenir compagnie dans mes périodes de découragement. Il m'arrive d'ailleurs de relire certains passages de mes romans pour me rappeler certaines vérités quand le moral flanche. Ainsi, après le suicide du peintre Gilberto, je n'ai pas d'autre choix que de m'accrocher avec les dents s'il le faut au mystère des runes, sans quoi je devrais suivre son exemple par simple souci d'hygiène morale ou de cohérence. Mes lecteurs assidus sont d'ailleurs ravis de retrouver certains personnages d'un livre à l'autre. Ces véritables acteurs reviennent tels quels, comme le barbier Sirigaito, ou légèrement modifiés, comme le dompteur d'ours Mindras devenu capitaine de la drague. Je n'écarte d'ailleurs pas l'hypothèse de me faire un jour la main dans un roman épistolaire qui pourrait s'appeler *Lettres de Sirigaito,* car d'une part je ne crois pas avoir épuisé la richesse du personnage, et d'autre part je serais enchanté de recevoir des lettres du Brésil. D'autres fois, les personnages ont pris une apparence distincte mais restent semblables dans leur problématique existentielle, comme c'est le cas des deux peintres dans *Errances,* le jeune Klaus et le vieux Gilberto, dont les questions annoncent déjà le roman suivant, *L'art du maquillage.* Ou encore, ce sont des personnages similaires, une sorte de dédoublement du même individu, qui se présente au début du roman sous la forme du professeur Spieltrieb et qui revient à la fin, une fois le périple de Boris achevé, sous la forme du professeur Mansour. Ces apparitions ou réapparitions tiennent un peu le rôle du chœur dans le théâtre ancien, servant à interpeller le héros et à renseigner le lecteur sur l'avancement de la prise de conscience de celui-ci.

Errances est sans aucun doute mon roman préféré, tant par le plaisir personnel de l'aventure de Boris que par le jalonnement de questions essentielles qu'il contient. Il est en outre une sorte de plan de travail pour tous les romans suivants, car il les contient tous d'une certaine façon, comme l'œuvre achevée de certains philosophes se laisse parfois complètement entrevoir dans un ouvrage préliminaire et fondateur de leur problématique ultérieure. Après l'avoir terminé, je savais non seulement que j'étais un écrivain, mais aussi quelle sorte d'écrivain je désirais être. Dans mon cas particulier, l'écriture romanesque permettait de joindre deux passions d'apparence contradictoire, la philosophie et les aventures. Et je soupçonnais que mon œuvre pourrait être aussi longue que les années qui me restaient à vivre.

❏

La préparation pour l'écriture de *L'art du maquillage* a été plus méthodique encore que pour *Errances*. Je n'étais alors plus uniquement dans le domaine des voyages privés, et je voulais surtout assener une gifle au milieu de l'art contemporain. Et quelle meilleure gifle pouvais-je choisir que traiter du thème de la fraude ? En effet, aussitôt que les peintres se sont éloignés de l'idéal de rigueur formelle établi depuis l'Antiquité — je dirai même depuis l'homme des cavernes ! —, le domaine des arts plastiques s'est ouvert largement aux agissements des tricheurs, des fraudeurs et surtout des littérateurs incapables de tenir un pinceau. Le bric-à-brac prétentieux exposé dans les galeries à la mode et dans les musées d'art contemporain de tous les pays capitalistes en est la conséquence la plus désolante. La production proprement dite de l'artiste est si insignifiante qu'elle cède entièrement la place aux lubies des conservateurs et aux ânonnements des écrits critiques. Même l'accrocheur de tableaux est hissé au rang d'artiste, car les comptes rendus des scribouillards se concentrent souvent davantage sur la disposition des œuvres sur les murs que sur ces dernières en elles-mêmes. Et le public, tels des moutons, se laisse berner sans aucune protestation par les snobs lettrés sortis des cours du genre histoire de l'art ou muséologie. Dans ma jeunesse, seules les filles riches mais moins gracieuses, en attente d'un mari, faisaient ce genre d'études, à la recherche d'un vernis de culture artistique. Aujourd'hui, avec le pourrissement des champs d'activité plastique et avec l'accroissement parallèle des subventions publiques, les choses ont bien changé ; les diplômés de ces écoles du goût ont acquis une réputation plus noble et ils font la loi un peu partout, même s'ils demeurent aussi vides et affectés qu'auparavant.

Je voulais blesser, et je crois que le résultat a été atteint, même si dans les faits mon livre ne change pas grand-chose dans le panorama actuel des arts plastiques. Tant pis pour les résultats ; une voix solitaire qui crie dans le désert le fait avant tout pour s'exprimer et non pas pour être entendue. Et j'en avais long à dire sur le sujet. Mais je voulais aussi traiter en profondeur la question des simulacres artistiques ou existentiels dans la formation de l'identité. Je ne pouvais donc pas trouver une meilleure piste que l'investigation du chemin transitif des simulacres : ceux-ci, de simulacres originaux, deviennent dans l'art des simulacres de simulacres, ou même de simulacres à la troisième puissance, et vont ainsi en se détériorant pour devenir dissimulations, tromperie et même simplement fraude. Le thème du faux en art me tenait aussi à cœur depuis longtemps, comme je l'ai signalé à propos d'*Errances*, et l'aborder en termes de création artistique avait l'avantage de me permettre de parler du métier manuel tout en signifiant aussi la quête d'identité. Je pouvais ainsi rendre hommage à ce travail d'artisanat qu'est la peinture, pour à la fois ravir tous ceux qui l'aiment et qui l'exercent, et pour narguer les spécialistes du verbiage artistique.

J'avais déjà beaucoup lu sur la question du faux en art, mais par pur plaisir uniquement. Une fois la décision prise d'écrire le livre, je me suis consacré à la matière à travers l'étude de nombreux textes très techniques sur l'art, mais surtout sur la chimie comme si j'allais moi-même devenir faussaire. Ce que j'ai appris de plus intéressant dans ces longues recherches, c'est que les musées et les collections privées du continent américain — au nord comme au sud — sont farcis d'œuvres dont l'origine est plus que douteuse, aussi bien que d'œuvres reconnues comme fausses. Qui plus est, ceci est un fait connu des milieux spécialisés, et personne ne semble s'en soucier ; au contraire, de véritables ateliers industriels sont à l'œuvre dans divers pays européens pour tenter de répondre à une demande toujours croissante d'œuvres fausses. Le problème vient d'une surabondance d'argent à investir et d'une certaine carence d'œuvres authentiques sur le marché, d'où la nécessité d'en produire de nouvelles. Avec la surenchère des investisseurs, l'œuvre d'art se réduit ainsi à un simple titre en papier comme ceux des bourses de valeurs ; et comme ce sont les critiques d'art, les conservateurs des musées et les collectionneurs privés qui décident des cotes, ils sont tous entre copains pour supporter la supercherie, particulièrement quand il s'agit d'artistes représentatifs des époques les plus récentes. C'est donc le vrai royaume de la mauvaise foi, de l'arnaque et des simulacres de simulacres le plus propice pour l'étude de la fraude existentielle. Après tout, le narcotrafiquant sait très bien quelle sorte de marchandise il est en train d'exploiter, et le drogué aussi, tandis que, s'agissant d'art, toutes sortes de périphrases viennent au secours des participants pour cacher la vérité des faits.

Max Willem, le héros de *L'art du maquillage*, tel un Faust moderne et cynique, ne veut pas vendre son âme au démon, mais seulement la louer le temps de se faire un bas de laine. Il a l'espoir de reprendre ensuite son âme et son intégrité intactes, pour redevenir l'artiste vierge et idéaliste de ses débuts. Les deux peintres qui étaient apparus dans *Errances* m'avaient inspiré ce thème de réflexions, car ils étaient à deux moments de la vie d'un artiste, soit la jeunesse et l'apogée. Mais cette jeunesse et cette apogée étaient pour eux uniquement des étapes en matière de réussite et non pas en matière de quête artistique ; leur préoccupation essentielle était la reconnaissance sociale, la gloire, et donc le discours d'autrui à propos de leur activité d'artiste et non pas cette activité artistique proprement dite. Et je voulais justement étudier l'acte même de création artistique dans ses rapports avec la renommée : comment l'un de ces termes arrive à influencer ou à provoquer l'autre, ou s'ils sont en réalité incompatibles. Par exemple, est-ce que l'artiste constitue son identité en faisant de l'art ou, au contraire, en jouant à l'artiste aux yeux du monde ? Et quelle sorte d'art doit-il faire pour attirer le regard des passants ? En outre, je cherchais à préciser quelle est l'identité de l'artiste plastique ; celui-ci est d'un naturel solitaire et peu verbal, mais il travaille comme artisan pour des patrons préoccupés surtout par le luxe, par la renommée et par le snobisme. Est-ce que le sens tragique de la vie peut côtoyer quotidiennement la frivolité sans se détériorer ? Et quels sont les rapports mystérieux qui poussent ces êtres solitaires à des expressions publiques de leur monde le plus intime ?

Ces questions avaient déjà été abordées dans mes trois premiers romans sous différents déguisements, et revenir à elles en rapport direct avec le travail d'un peintre constituait un défi de taille ainsi que la promesse d'une belle aventure. Il ne fallait pas par ailleurs que le livre devienne ni un pamphlet, ni un manuel sur l'art du faussaire, mais qu'il contienne tout de même un peu de ces deux éléments en arrière-fond, à la fois comme niveaux supérieurs de lecture pour les initiés et comme garantie de véridicité concernant le monde actuel des arts plastiques. La trame de l'histoire devait alors être la plus captivante possible, avec beaucoup de jeunesse, de risques et de sensualité pour conserver le caractère d'un roman d'apprentissage. Je me promettais même un dénouement aux allures de livre policier.

Mon projet était ainsi très ambitieux, presque baroque, et il visait un bassin très vaste de lecteurs possibles. Mais avant tout, ce serait une aventure complexe pour moi-même, sans compromis et selon mes exigences les plus rigoureuses, y compris avec de belles incursions dans les coulisses très sélectes des mondes de l'art et de la finance. Et, en effet, l'écriture de ce roman m'a aussi permis de réfléchir à des questions très personnelles se rapportant à ma propre activité de peintre. Comme beaucoup d'autres artistes expérimentés, je pouvais déjà aisément à cette époque m'appuyer sur mon savoir-faire pour éviter les défis et les échecs en refaisant des Kokis jusqu'à la fin de mes jours. Après tout, Renoir, Dali et Picasso, entre autres, mais aussi tous les peintres abstraits avaient emprunté la voie de garage de leur propre académisme après une certaine célébrité, et ils avaient continué à vivre sans se poser de questions gênantes en public. Mais cette voie, en plus d'être fort peu excitante comme aventure, était en contradiction avec mes convictions les plus intimes, sans compter qu'elle n'était pas très rentable dans mon cas. Je n'aurais alors fait que continuer à entasser des tableaux par centaines pour garder l'illusion que j'étais un vrai peintre. Je n'avais ainsi pas d'autre choix que de faire face personnellement à toutes ces questions pour tenter de me renouveler de manière authentique. L'achèvement de la danse macabre, avec sa présence formidable dans mon atelier, me rappelait chaque jour qu'une réflexion rajeunissante de mes projets s'imposait de façon pressante. Et voici un détail curieux pour compliquer davantage les choses : l'espoir d'offrir gratuitement cette gigantesque fresque au gouvernement et d'ainsi simplement l'éloigner de moi m'avait fait dépenser une fortune pour encadrer tous les panneaux, de façon à ce qu'ils soient plus faciles à montrer. Or, le gouvernement provincial et la Ville de Montréal l'ont simplement refusée à la vue du seul dossier photographique ; même gratuitement, ils ne voulaient pas d'elle, et j'ai dû me contenter d'une lettre de refus de plus pour ma large collection. Par contre, maintenant encadrée et entassée contre le mur, ma satanée danse macabre devenait un bloc menaçant de plus de six mètres cubes, dont l'absurdité me sautait aux yeux.

Une autre question intéressante que je souhaitais aborder dans le roman était celle de la transformation d'un individu au fur et à mesure qu'il commet certains actes de nature moralement risquée. Ainsi, peut-on se contenter de seulement louer son âme ? Et si l'on répond par l'affirmative, pour combien de temps peut-on le faire sans se transformer irrémédiablement en pantin ? Je savais pertinemment que tout acte commis compromet les avenues futures de nos choix et nous en ferme à jamais d'autres abandonnées en chemin. Mais il fallait que j'expérimente cette situation au moyen d'une aventure précise, dans la peau d'un personnage précis, pour bien la fixer dans mon esprit et ne pas risquer de jouer le pantin pendant le temps qui me restait à vivre. Comme je l'avais fait avec Boris, j'ai envoyé Max Willem en voyage pour les besoins de cette nouvelle expérimentation. Plusieurs tableaux et esquisses de cette époque témoignent d'ailleurs de mes tentatives d'aborder ces diverses interrogations dans le domaine spécifique des arts plastiques.

Depuis le début, il m'a semblé que la personne et l'œuvre d'Egon Schiele devaient dominer tout le roman. D'abord parce qu'il est un grand artiste du dessin, de la ligne et de la sensualité des corps humains. Mais aussi parce que sa vie trop courte et beaucoup de ses œuvres frappées d'interdit encore de son vivant l'ont transformé en vache à lait idéale pour les faussaires de tout acabit. Un coup d'œil rapide au volumineux et très savant catalogue raisonné de ses œuvres nous permet de voir une variété inouïe de mains différentes, de styles et même de qualité d'œuvres qui ne devraient pas être attribués à un peintre aussi talentueux et ayant peint durant un si court laps de vie active. Pourtant, il s'agit du catalogue officiel, et je me demande toujours combien de collectionneurs ont réussi à ennoblir leurs piètres contrefaçons en les faisant inclure dans ce fameux catalogue. Et à quel prix ? Ensuite, comment critiquer ces œuvres si elles sont dûment cataloguées au même titre que les œuvres de la main de l'artiste, et si les auteurs du catalogue en détiennent le droit professoral ? C'est un simple cas de pétition de principe, que dans la vie de tous les jours on appelle prosaïquement conflit d'intérêts. Je voulais ainsi venger Schiele tout en lui rendant hommage, et en profiter pour esquisser une sorte de panorama des artistes que j'aime et de ceux que je n'aime pas.

L'histoire de Max, au contraire de celle de Boris, est profondément morale, même s'il est plongé dans le monde de la convoitise, en commençant par la sienne propre. C'est qu'il est davantage préoccupé par les résultats — les simulacres — de son activité d'artiste que par l'acte même de créer des simulacres. Et comme dans *Faust* ou dans *Le vaisseau fantôme*, Max met la main dans un engrenage duquel il ne peut plus se libérer par ses propres moyens. Trop fasciné par les simulations et les dissimulations, par un art purement extérieur aux objets représentés, il s'abandonne alors à cette extériorité et n'arrive plus à sortir du jeu de miroirs qui le tient captif. Dès le début du roman, il est question de forme pure et d'absence de contenu. Et même s'il est un artiste figuratif dans le sens précis du terme, le thème du livre pourrait tout aussi bien s'appliquer aux artistes abstraits ou à tout formaliste en général, dans ce qu'ils ont d'éminemment décoratifs. D'ailleurs, dans un colloque sur la peinture contemporaine où le succès de ce livre m'a permis d'être invité comme orateur, j'ai comparé les toiles d'une célèbre peintre abstraite à des rideaux de douche, en déplorant sa voie répétitive, sans d'autre issue que celle de créer des patrons pour des fabricants de produits destinés à la décoration d'intérieurs. Elle n'a cependant pas apprécié la remarque, et son cher époux, un historien d'art connu localement, a même tenté de faire une colère de mari insulté. Pourtant, la pauvre dame consacrait bel et bien sa vie à faire des barres verticales de couleurs fades sur des toiles rectangulaires, et ce, de manière opiniâtre depuis de longues années. Après cette algarade, naturellement, on ne m'a plus jamais invité ni comme artiste ni comme écrivain à aucune célébration du monde des arts plastiques.

Max a, certes, l'air d'hésiter à un certain moment, quand il doute et pense à tout laisser tomber. Mais il n'a pas encore touché le fond de son abîme. Il lui faut l'affrontement avec Vera ; celle-ci n'a rien de la Marguerite du Faust ni de l'amour libérateur de la jeune Senta dans l'opéra de Wagner. Puisqu'il est conscient de la nature de ses gestes, il croit avoir gardé intacte son âme en dépit de l'immoralité de ses actions. Cette croyance en une âme immortelle, essentielle, est d'ailleurs une des grandes excuses pour des crimes barbares, tout comme elle est aussi à la base du piège qui guette beaucoup d'immigrants. Combien de fois n'ai-je entendu, et même pensé la phrase fatidique ? « Je reste quelques mois, un ou deux ans tout au plus, uniquement pour faire un peu d'argent, et ensuite je reprends ma route ou je retourne dans mon pays. » Max pense ainsi par essences immuables, et feint d'ignorer l'influence de l'existence concrète sur la construction de l'identité, de son âme d'artiste. Tout comme il prétend se garder sans tache, il fait semblant d'ignorer qu'il pollue sa propre passion et l'œuvre des peintres qu'il dit admirer. En agissant comme sujet de ses actions, du moins en apparence, il ne peut pas réaliser l'étendue de sa crise ; il croit qu'il a le contrôle sur sa situation, et qu'il sera en mesure de sortir de sa cage et de recommencer à nouveau dans l'innocence de son âme gardée au placard. La question de l'innocence est ainsi continuellement présente durant son long périple, depuis ses premiers faux de Marc-Aurèle Fortin, sa souillure de la petite Annette, jusqu'à son amour pour Vera ; mais il s'agit d'innocence bafouée et de dissimulation à la recherche du pouvoir. Il faut quand même qu'il la déguise sous l'apparence de l'innocence authentique, car seule cette dernière est à la source du regard original et de la liberté capables de pousser un individu à s'occuper passionnément de l'art. L'art, en fait, est une activité gratuite, infantile et ludique, mais extrêmement sérieuse, du même genre que faire des bulles de savon ou regarder les images d'un kaléidoscope. Le poète Saint-Denys Garneau l'a très bien compris quand il commence son poème « Le jeu » par la phrase suivante : « Ne me dérangez pas je suis profondément occupé. » Ainsi, Max peut prendre conscience de sa faute et chercher la rédemption en tant qu'artiste seulement à partir du moment où ce qu'il lui restait d'innocence est bafoué par une friponnerie comme la sienne. Et même si cela peut paraître anachronique, je crois réellement que l'innocence de l'adulte, son côté enfant, reste souvent enfouie sous les débris de la mauvaise foi, du désir de pouvoir et du sérieux jusqu'à ce que l'amour vienne la libérer. J'ai lu quelque part — je ne sais plus où — que l'amour fait de nous des enfants, et je suis d'accord avec cette affirmation. Une fois l'enfant en lui redécouvert, Max n'a plus de plaisir dans le sérieux de la fraude et peut alors revenir à ses jeux d'autrefois. Je mentionne la fraude, mais cela pourrait être aussi bien la comptabilité, une quelconque profession, la politique, un mariage ou n'importe quelle autre occupation non authentique pour un sujet donné. La supercherie de la fin du roman, concoctée par son maître Guderius, est ainsi une sorte de retour au plaisir du jeu, et elle m'a permis de mettre en relief la passion véritable de ce mentor pour son métier. Guderius et son épouse agissent donc comme les esprits du bien, comme les agents de la morale en dépit du fait qu'ils sont des faussaires. C'est que nous sommes alors dans un domaine moral distinct de celui de la morale ordinaire, et où le seul crime véritable est une existence sans passion. Et Guderius est avant tout un admirable homme de passion. J'attire l'attention sur ce détail pour souligner le fait que je n'ai rien contre l'art de la contrefaçon ni l'usage du faux en général. En tant qu'artiste, je me fiche qu'on se venge ou non des larbins de l'art en leur vendant des faux. J'éprouve même une grande admiration pour les faussaires, dont plusieurs ont aussi été de grands artistes. De toute manière, rares sont les collectionneurs qui collectionnent les objets qu'ils accumulent par passion. Qu'on ne se méprenne pas sur ma conception de la morale. Le côté immoral de l'histoire réside uniquement dans les mensonges que Max se raconte à lui-même ou quand il exploite l'innocence d'Annette. J'aurais pu tout aussi bien écrire la même histoire sans parler de fraude ni de mafia artistique, mais plutôt d'un jeune écrivain qui travaillerait comme journaliste, par exemple, ou qui gagnerait sa vie en écrivant pour un politicien ou pour une compagnie de publicité. J'ai préféré le thème du faux en art uniquement parce qu'il était question de peinture dans ma vie, et aussi question de risque de perdre ma passion.

On m'a souvent demandé si les détails techniques du roman sont vrais ou inventés. Ils sont en réalité tous vrais et ils sont rapportés tels quels dans les grands textes savants spécialisés dans les domaines de la fraude et de la restauration d'œuvres d'art. Des ateliers comme celui de Guderius existent en effet en Europe, et des marchands tels que Aloïs, Getty ou Rosenberg sont monnaie courante dans les cercles les plus sélects du monde artistique et muséologique. D'ailleurs, les petites arnaques découvertes de temps à autre par notre police ne sont le fait que de galeristes inexpérimentés et sans lustre, car les grandes maisons sont assez puissantes pour éviter les scandales.

Il restait le doute dans la tête de mon éditeur concernant la capacité pour un seul individu d'imiter des styles si différents, sans compter la vitesse de production des faux telle que rapportée dans mon roman. Mais c'est parce qu'il ne connaissait pas assez bien ce domaine. Max n'est pas aussi prodigieux qu'il a l'air de l'être aux yeux du profane. Ainsi, lors du lancement de *L'art du maquillage*, et à l'invitation de mon éditeur, nous avons fait une vente aux enchères de simulacres de faux — de simulacres donc à la puissance deux —, certifiés comme tels, au profit des œuvres de la Maison du Père de Montréal. Il s'agissait d'une trentaine de faux d'œuvres allant du baroque italien à l'art abstrait, en passant par une belle aquarelle de Marc-Aurèle Fortin. Je les ai exécutés allègrement en une semaine à peine spécialement pour cette occasion, et sans aucune difficulté, sans cependant me soucier ni de la vraisemblance des encres ni de celle des supports. Par ailleurs, la facilité avec laquelle un dessinateur expérimenté peut copier ou imiter les œuvres d'art authentiques est fonction du génie de l'artiste qu'il copie. Et une simple promenade dans les musées et galeries d'art contemporain suffira pour convaincre le lecteur que ce domaine n'est vraiment pas celui des génies. Il va sans dire que le papier de mes vieilles éditions des œuvres de Nietzsche n'a pas été mis à profit pour l'exécution de ces simulacres de faux, mais je suis persuadé que le petit *Zarathoustra* soi-disant illustré par le soldat Egon Schiele existe bel et bien dans une collection privée.

Malgré sa richesse thématique et la grande quantité d'informations qu'il offre au lecteur, *L'art du maquillage* est un roman dont la structure narrative est très simple, sans artifices de temps ou de voix multiples. D'ailleurs, la narration à la première personne concentre l'attention sur le personnage principal et ne permet pas de décrire l'action en son absence. Mais je voulais justement cette perspective linéaire directe pour pouvoir approfondir les aspects d'introspection, tout en facilitant le cheminement du lecteur pour que celui-ci soit capable d'absorber aisément l'information fournie. Par ailleurs, la narration à la première personne ajoutait une sorte de piquant à mon aventure, me permettant de m'y perdre souvent comme si j'avais pu avoir, moi aussi, la chance de me consacrer dès le début aux arts plastiques. Ne l'oublions pas, j'écris avant tout pour m'amuser !

❑

Après avoir achevé d'écrire *L'art du maquillage*, j'ai mis un terme définitif à mon travail de psychologue pour me consacrer uniquement à la peinture et à l'écriture. Même si je ne travaillais à l'hôpital qu'à temps partiel, le fait d'y être allé pendant plus de vingt années me laissa une sorte de vide pendant les premiers mois après mon départ. Le contact avec les jeunes enfants me manquait plus que ce que j'avais prévu, et je me rendais enfin compte du grand rôle que tous ces petits êtres avaient joué dans ma vie. En effet, quand mon travail de peintre me causait du souci, je partais le lendemain à l'hôpital en sachant que j'oublierais mes tracas dès que le nouveau petit patient et sa famille entreraient dans mon bureau. Cette activité auprès des enfants avait un sens moral indéniable, au contraire du travail gratuit et ludique du peintre, et elle agissait sur moi comme une sorte de havre de sécurité vers lequel je pouvais toujours me tourner dans les moments de grand doute existentiel. Voilà que, soudain, je n'avais plus besoin d'elle, tout en sachant que l'hôpital serait encore là, avec le même genre d'enfants, jour après jour, se répétant inlassablement et jamais monotone, car les enfants se renouvellent continuellement. Ma satisfaction de pouvoir enfin disposer de tout mon temps avait ainsi un vague goût d'amertume à la pensée de tout ce que la légion de mes petits patients m'avait donné sans s'en rendre compte au fil des ans. Cette prise de conscience avait aussi un arrière-goût de trahison, puisque je me souvenais très bien des histoires farfelues dont j'avais été témoin, et qui dans beaucoup de cas m'avaient été racontées par les enfants eux-mêmes, surtout à l'époque où je travaillais à la clinique de protection des enfants et au centre de l'ouïe et de la parole. Parfois, c'étaient des histoires affreuses, ou presque surréalistes, tout en étant souvent aussi hilarantes par leur côté absurde. D'autres fois, c'était la bêtise bureaucratique ou l'inertie de certains fonctionnaires qui prenait le dessus pour accabler davantage des êtres déjà assez accablés par la misère ou par la précarité mentale. Quand ce n'étaient pas les professionnels eux-mêmes — psychologues et travailleurs sociaux — qui, par manque de formation, par faille de caractère ou simplement par insouciance, sautaient à des conclusions abusives à partir de vagues préjugés ou d'hypothèses entièrement sans fondement. Et ces conclusions risquaient d'aboutir à des prises de décision capables de changer des vies entières. Il fallait se battre, croire à ce que les petits nous racontaient, mais surtout gagner leur confiance pour qu'ils soient en mesure de nous informer adéquatement. Les cas où j'avais été directement impliqué défilaient alors dans ma mémoire de manière un peu accusatrice, comme pour me reprocher de me divertir dans mon atelier pendant qu'ils continuaient à avoir besoin d'un grand copain bagarreur comme je l'avais été pour eux. Seuls ceux qui ont longuement travaillé auprès des tout-petits savent comment ils s'attachent au moindre espoir, et comment ils croient qu'on ne les laissera jamais tomber. Mais je m'ennuyais même de leur simple présence, des batteries de tests qu'on faisait ensemble et qui me permettaient de jouer à mon tour en toute paix d'esprit, car c'était aussi mon travail. Dans l'autobus, dans le métro, je me surprenais alors à lorgner les enfants des autres, et à évaluer en imagination leur développement.

L'un de mes anciens patients en particulier me revenait plus souvent à l'esprit, peut-être parce que je l'avais suivi au fil des ans, mais sans doute aussi parce qu'il m'avait fait penser à moi-même dans mon enfance. Il n'était d'ailleurs pas un vrai patient et n'avait pas besoin d'être traité, mais seulement protégé ; il m'avait été envoyé par un vieux médecin bon vivant, pour voir si je pouvais inventer quelque chose et lui venir en aide. Je l'avais rencontré pour la première fois quand il avait environ sept ans, et il avait aussitôt montré un courage étonnant dans sa demande d'aide, en faisant appel à mon sens du ridicule ! C'était un petit garçon adorable, très intelligent, et placé dans une excellente famille d'accueil depuis sa naissance à cause de l'inaptitude totale de sa mère, célibataire. Cette dernière était une schizophrène chronique qui abusait en outre des drogues lorsqu'elle n'était pas hospitalisée, et qui vivait en compagnie d'autres quasi-clochards comme elle. Or, cette mère avait une travailleuse sociale très zélée, qui l'aimait beaucoup et qui tenait absolument aux droits des parents naturels, qui qu'ils soient. Elle obligeait ainsi le brave petit garçon à rendre visite à sa folle de mère chaque semaine, en dépit de ses protestations au fur et à mesure qu'il grandissait. Il détestait sa mère naturelle, il avait peur d'elle et de ses compagnons d'infortune, et, surtout, il la trouvait ridicule en public. La mère du foyer d'accueil acceptait ces rencontres sans protester, de peur de perdre l'enfant qu'elle avait élevé comme le sien depuis sa naissance.

— La travailleuse dit que la folle est ma vraie mère, m'a-t-il dit avec une mimique de dégoût sur la frimousse. Je ne sais pas ! Peut-être qu'elle est ma mère, mais je ne suis pas son fils ! Ne pouvez-vous pas trouver une maladie qui m'empêche d'emmener la folle et son barbu au McDonald chaque samedi ? Elle ne sait pas tenir son hamburger, ni comment commander des frites ! Et elle se met à crier quand je lui dis de se tenir comme il faut...

Il racontait d'une façon si jolie qu'il était impossible qu'on l'ait poussé à tout inventer. En fait, ces sorties le terrorisaient littéralement, et même tout petit il avait décidé de tenter de prendre le contrôle durant ces rencontres pour ne pas trop en souffrir. Mais il en avait assez. J'ai alors suivi sa suggestion et je l'ai officiellement pris en thérapie après avoir écrit un rapport très épicé adressé surtout à la travailleuse sociale. Finies les visites tant que le jeune patient ne les demanderait pas expressément. La bureaucrate a bien tenté d'invoquer ses droits sur le cas en question et les besoins affectifs de la mère naturelle ; mais en vain, puisque le petit était devenu mon patient et qu'il était désormais protégé par l'hôpital. Durant environ cinq ans, il est venu me voir pour la forme tous les trois ou quatre mois, et il m'a raconté un nombre incroyable d'histoires sur celle qu'il appelait la folle et sur les visites d'autrefois. Pourtant, il avait raconté les mêmes choses à la travailleuse sociale, sans réussir à la convaincre que ses propres droits en tant qu'enfant étaient plus importants que ceux de sa mère naturelle. Lors de notre dernière rencontre, quand il était déjà un grand garçon assez costaud, et certain que la folle ne le hanterait plus, il m'a remercié d'avoir été « son meilleur ami contre la travailleuse » durant ces années passées ; il m'a assuré qu'il n'oublierait pas un copain comme moi, et que si jamais j'étais « vieux et dans le trouble », il se ferait un plaisir de me rendre service. C'est lui qui m'a inspiré le brave Steve d'*Un sourire blindé*, et c'est sans doute son souvenir qui m'a convaincu d'écrire ce roman.

D'autres petits m'ont aussi raconté des faits étonnants qui se passent dans les familles naturelles ou dans les foyers d'accueil. Dans leur façon simple mais très claire de dire les choses, leurs récits devenaient de vrais bijoux. L'histoire de Mimi, par exemple, la petite fille suceuse, avec son pot rempli de vingt-cinq sous, est tout à fait authentique, tout comme celles des punks du foyer d'accueil de Julie et de Magela. C'est aussi un enfant qui m'a parlé le premier d'intoxiquer les ivrognes avec du méthanol. Et je connaissais trop bien les foyers pour adultes comme celui de la sœur de Julie pour les avoir visités en personne des années auparavant. Par ailleurs, comme je parle l'espagnol, je recevais souvent des mères latino-américaines avec leurs petits enfants, et j'étais ainsi au courant de beaucoup d'histoires honteuses sur les immigrants volages et leurs très jeunes épouses abandonnées. Des épouses parfois à peine sorties de la puberté et qui ne parlaient pas un mot de français. Elles devenaient — et deviennent toujours — la proie d'autres prédateurs attirés à la fois par leur jeunesse, mais surtout par les primes à la maternité et par les allocations familiales. Pourtant, ces maris itinérants qui se disaient d'anciens journalistes ou syndicalistes se targuaient souvent d'avoir été des révolutionnaires persécutés dans leurs pays. Mais sans la pression du groupe social à laquelle ils étaient habitués chez eux, et sans le danger des vengeances familiales en terre canadienne, ils abandonnaient allègrement leurs jeunes épouses ou devenaient simplement polygames.

Ces enfants et tant d'autres qui m'avaient ému, attendri ou fait rire durant mes années à l'hôpital ne me sortaient pas de l'esprit. C'est ainsi que j'ai décidé de leur rendre un bel hommage en forme de roman, sinon pour obtenir leur pardon, du moins pour me déculpabiliser un peu de mon départ. Ce serait *Un sourire blindé*, le plus fantaisiste de mes livres, tout en étant celui où j'ai le moins inventé. J'en profiterais aussi pour tirer mon chapeau à tant d'hommes et de femmes qui se dévouent aux enfants des autres sans arrière-pensée, et qui reçoivent en récompense de simples sourires ou des pleurs qui cessent. Ce serait également l'occasion de célébrer la mémoire des nombreuses familles d'accueil et des parents adoptifs que j'avais tant admirés.

L'histoire du petit Conrado est le seul roman que je n'ai pas écrit pour mon propre plaisir. Je souhaitais grâce à lui porter témoignage sur la rupture de la parole en général que j'avais observée chez plusieurs enfants, mais aussi chez beaucoup d'immigrants arrivant en pays étranger. C'est un problème assez fréquent d'ailleurs chez les très jeunes qui éprouvent des difficultés de langage et qui sont assez intelligents pour s'en rendre compte. L'idée du mutisme chez un petit immigrant devenait ainsi un paradigme bien convenable pour symboliser cette mise à l'écart du monde devant des situations qui dépassent notre capacité actuelle de réaction. Il s'agit en général d'un problème passager tant chez les enfants que chez les adultes, une sorte d'étape nécessaire pour apprendre à composer avec les nouvelles données de l'existence. Mais c'est aussi un moment critique où des transformations radicales peuvent arriver dans la vie de ces individus. L'identité se recompose alors en dehors du langage propre, par l'intermédiaire du regard et du langage d'autrui. Le sujet se perçoit essentiellement dans la position d'un objet pour d'autres sujets, et il doit fournir un effort accru de conscience pour que son identité ne sombre pas entièrement dans cette parole qui parle de lui. Son mutisme ou ses silences ne peuvent en aucun cas demeurer uniquement négatifs, tournés vers le passé ou vers l'isolement au sein de la famille, car le sujet risque d'être ainsi exclu de la vie sociale environnante. Ces silences doivent être des moments actifs de restructuration de soi, de création volontaire de son être devant autrui, de manière à ce qu'il puisse garder le cap dans ce passage d'une situation à une autre. Ce moment crucial est parfois mal vécu chez beaucoup d'immigrants, ou il est vécu avec peu de flexibilité ; le sujet se rejette alors dans son propre passé tout en se refermant à la nouveauté qu'il doit affronter. Il s'agit ici d'une prise de position dépressive qui peut avoir des conséquences paralysantes pour l'organisation personnelle de son avenir.

L'idée de raconter ce parcours dans l'esprit et selon le regard d'un petit enfant constituait un défi majeur, car je désirais transcender le simple fait divers d'un enfant déplacé. Je voulais aussi aborder la somme des difficultés d'adaptation à un nouveau pays, telle que je l'avais esquissée dans *Le pavillon des miroirs*. Mais il fallait que ce soit un roman, une histoire émouvante, tout en étant aussi un hommage à ces merveilleux endroits qui accueillent des êtres à la dérive.

Dans son compte rendu de ce roman, un critique littéraire a déploré ce qu'il appelait la surprotection de l'auteur à l'égard de son personnage. Conrado sort en effet indemne de toutes les péripéties, et ceci semblait gâcher un peu à son avis le plaisir de la lecture ou la qualité de l'écriture. Aurait-il peut-être souhaité juste un petit viol ? En fait, je ne surprotégeais pas mon petit Conrado ; je décrivais simplement ce qui se passe dans la grande majorité des cas. C'est que si les tragédies peuvent faire la manchette des journaux, elles sont tout de même l'exception dans notre pays. Des milliers d'enfants sont continuellement placés et déplacés, avec parfois des ratés impardonnables, mais la grande majorité avance ensuite dans la vie de manière plus ou moins harmonieuse. Les gens d'ici sont généreux, et s'ils regardent souvent ailleurs pour ne pas être dérangés, ils tolèrent peu l'injustice quand celle-ci est flagrante. Et je voulais justement montrer cela avec mon *happy end* peu littéraire selon le même critique. D'ailleurs, les mêmes fins heureuses ont lieu avec la majorité des immigrants en dépit de quelques exceptions déplorables.

Au contraire de mes autres œuvres, la difficulté dans l'écriture d'*Un sourire blindé* ne venait pas de la forme, mais de la surabondance du matériel dont je disposais. J'ai ainsi dû élaguer beaucoup, et même amputer des scènes réellement émouvantes ou pathétiques, car elles pouvaient paraître peu crédibles lorsque écrites sur du papier et non pas sorties directement de la bouche des enfants. Mais la sensation que je ressentais durant tout le temps de l'écriture était presque magique, comme si une myriade de petits enfants se bousculaient autour de moi, avides de raconter leurs histoires, empressés de faire revivre leurs voix par ma parole. En fermant les yeux pour mieux me souvenir, j'entendais nettement le son de leurs rires et de leurs pleurs. Je savais ainsi, d'une sorte de savoir émotionnel, que le livre dépassait le simple exercice ludique avec les histoires dans mon esprit, et que j'étais moralement fondé à l'écrire tel qu'il était et pas autrement.

Mon défi pour sa forme était l'usage d'un narrateur omniscient mais capable de s'exprimer aussi, à l'occasion, avec le charme et la poésie d'un petit enfant. Encore aujourd'hui, c'est celui de mes livres qui me bouleverse le plus quand je le lis, tant par son contenu que par la multitude d'images et de voix enfantines qu'il fait émerger dans ma mémoire. Les nombreux compliments qu'il ne cesse de me valoir de la part d'infirmières et de travailleuses sociales est profondément rassurant. Mais je reste soucieux quand des psychologues ou des psychiatres qui l'ont lu m'interpellent pour savoir s'il est vrai qu'on peut apprécier l'intelligence d'un enfant en faisant appel uniquement à la logique binaire.

11

L'écriture d'*Un sourire blindé* m'avait littéralement épuisé, au contraire de ce qui se passait habituellement avec les autres romans, pourtant bien plus complexes. Cela venait sans doute de l'intensité de mon implication affective dans le contenu du texte. La prise de conscience de ce rapport nouveau m'a fait beaucoup réfléchir, car c'était la première fois que je ressentais quelque chose de semblable en réalisant une œuvre d'art. Jusqu'alors, je m'étais toujours gardé à distance, comme un simple exécutant, et je travaillais à froid pour ainsi dire, sans me laisser toucher personnellement par ce qui se passait sur la toile ou sur la feuille de papier. Je connaissais par contre très bien l'émotion après coup, que je peux éprouver à la contemplation d'un tableau bien sec ou à la lecture de certains passages de mes livres. Mais cette façon d'être dérangé par l'émotion en plein travail était singulière et, curieusement, elle ne s'est plus reproduite avec la même intensité durant l'écriture des romans suivants.

Je crois que c'est à partir de cette prise de conscience que j'ai conçu l'idée d'explorer la question de la distance esthétique, c'est-à-dire de la différence fondamentale, ontologique, entre un fait vécu et le même fait décrit. Il s'agit d'ailleurs de la même distinction entre un cri perçu et un cri représenté sur une toile. La compréhension de cette distinction est essentielle pour qu'on soit en mesure d'apprécier la nature du fait esthétique et de ses rapports avec le fait moral. Si je l'avais effleurée à quelques reprises, je ne l'avais jamais abordée de façon directe et exhaustive. Le silence de mon petit Conrado et les avatars de ses rencontres avaient touché le petit enfant que je porte en moi, et ce dernier réclamait encore d'autres explications.

À cette même époque, et peut-être sans aucun rapport avec les aventures de Conrado, j'étais tombé sur divers textes savants concernant l'histoire des concepts de mal et de démon au fil des âges. Je l'ai déjà signalé, mes lectures sont organisées par des œuvres complètes d'un écrivain, mais elles sont aussi agencées par des thèmes que je poursuis de manière intensive jusqu'à épuiser mon intérêt ou la possibilité de trouver d'autres ouvrages plus spécialisés. Le démon était alors un de ces thèmes que je poursuivais de façon approfondie, et je me divertissais ainsi avec des textes de la patristique et de la scolastique d'une absurdité à toute épreuve. Ce genre de lectures religieuses m'a toujours procuré un plaisir exquis, presque pervers, car, parallèlement à la bizarrerie des contenus, ces penseurs d'autrefois étaient d'excellents grammairiens et des rhéteurs de premier ordre. Or, dans leurs argumentations sur les sujets les plus saugrenus, leur logique se devait d'être très rigoureuse. Au contraire de ce qui se passe aujourd'hui, on ne tolérait alors pas de raisonnements boiteux ni de tournures fallacieuses trop évidentes. Ils étaient ainsi obligés de malaxer leur pensée en de véritables acrobaties mentales pour tenter de mener de front leurs contenus et leur dialectique. Et encore au contraire de ce que nous vivons, ces disputes verbales étaient très dangereuses pour l'intégrité physique des participants. Des milliers de fidèles ont été trucidés à cause de leurs opinions sur la nature du bien et du mal, sur la nature humaine ou divine du Christ, ou simplement sur le sens à donner à quelque chose d'aussi dérisoire que la sainte Trinité. Une quantité énorme d'autres questions absurdes issues des confusions linguistiques pouvaient aussi mener directement au bûcher, car c'était l'époque où l'on discutait encore pour savoir si un concept est seulement un mot ou s'il est aussi une chose. Ainsi, lire dans les textes leurs tentatives de se dépêtrer des paradoxes est un véritable délice pour un logicien amateur, athée et rigolard comme moi. Pourtant, même s'ils peuvent paraître biscornus, ces grands esprits avaient déjà posé correctement et discuté définitivement toutes les questions morales qui nous confondent encore aujourd'hui.

Il va sans dire que ce genre de préoccupations me ramenait sans cesse à mon cher Dostoïevski, dont mes nombreuses lectures des œuvres complètes n'arrivent toujours pas à épuiser la complexité. Je m'amusais alors à reprendre ces mêmes débats du Moyen Âge en compagnie d'Ivan Karamazov, de Stavroguine ou de Raskolnikov, mais aussi d'un certain Goliadkine si convenable pour les dédoublements paradoxaux.

Avec tous ces éléments qui peuplaient mon esprit, la décision d'écrire un roman dostoïevskien s'imposait comme une évidence. Je m'étonnais même de ne jamais y avoir songé auparavant. Avec un peu d'astuce et une structure appropriée, j'arriverais à tout inclure sans gâcher l'aspect romanesque de la trame : le mal et le récit du mal, le double, les paradoxes et même une certaine atmosphère à la Saint-Pétersbourg en pleine neige. Qui plus est, ce livre me permettrait de jouer avec des thèmes chers à la patristique sans être le moindrement anachronique.

La réflexion sur les paradoxes russelliens m'a étrangement aidé dans la construction de la trame du roman qui allait devenir *Le maître de jeu*. L'idée des classes et des métaclasses développée par Bertrand Russell me permettait justement d'avoir deux points de vue distincts, deux univers, dont l'un englobant l'autre. Par ce procédé, j'arrivais à créer un monde d'illusions non sans analogie avec celui de la distinction entre la souffrance et le récit de la souffrance. Et j'évitais la situation paradoxale dans la mesure où je me servais à la fois d'un narrateur à la première personne, d'un narrateur omniscient et — pourquoi pas ? — d'un narrateur écrivain à l'intérieur de l'œuvre. Si j'arrivais en outre à créer des personnages en analogie avec mes narrateurs — dont l'un aussi omniscient ! —, mon puzzle serait magnifique et plein de possibilités logiques imprévisibles. J'avais déjà utilisé avec succès à deux reprises la narration à la première personne, même si j'avais dû me battre avec les limitations de ce point de vue narratif unique. Le projet d'avoir plusieurs types de points de vue constituait un défi formel très excitant, qui me soutiendrait aussi tout au long d'un ouvrage au demeurant assez intellectuel.

Une question restait cependant en suspens : y avait-il assez de lecteurs à la fois capables de raisonnements complexes et amateurs de philosophie morale pour me suivre dans une telle cabriole littéraire ? C'est le genre de question embêtante qu'un écrivain doit malgré tout se poser, même quand il a un énorme désir de poursuivre une expérimentation. Je me la pose sans cesse, car je demeure davantage un lecteur qu'un écrivain. Ce doute ne me fait pas abandonner un projet précis, mais il m'encourage à créer des scènes et des personnages suffisamment crédibles pour que j'arrive à passer en catimini les réflexions théoriques dont je suis friand. Je me dis que si l'histoire au premier niveau de lecture est assez captivante, je peux alors la charger avec d'autres niveaux supérieurs de symbolisme sans détruire le plaisir immédiat de sa lecture. Tout est une question de mesure, et la construction des divers personnages y joue un rôle capital, car ce sont eux qui serviront en premier lieu de véhicules d'identification au lecteur un peu distrait.

Je crois avoir bien travaillé, car plus qu'*Errances*, *Le maître de jeu* est mon roman le plus complexe tant du point de vue formel qu'en matière de contenus théoriques. Et malgré cela, les commentaires enthousiastes de certaines lectrices aux yeux pétillants de désir sur le personnage de Lucien en disent long sur ma capacité de créer des mâles efficaces. J'ignore comment le contenu réel de ce livre philosophique a pu passer dans l'esprit de la majorité des lecteurs ou des critiques. Mon Lucien — dieu ou démon — a cependant eu un succès inattendu qui ne semble rien devoir à ses qualités de dialecticien. Même Ivan Serov, en dépit de son caractère un peu timoré, a eu sa part de succès auprès de certaines lectrices peut-être plus facilement effarouchées devant un mâle aussi encombrant que Lucien. Il reste le pauvre Tiago Cruz, dont les souffrances en prison m'ont valu quelques commentaires, mais sans beaucoup d'enthousiasme. Le premier niveau de lecture était donc bel et bien atteint malgré mes envolées spéculatives. Il va sans dire que je m'attendais à plus de réactions sur un roman aussi touffu, où la question du mal est posée de façon exhaustive tant en ce qui a trait à la vie qu'en ce qui touche la fiction. Mais je n'ai rien reçu de plus, et je doute fort que la masse des lecteurs se soit même posé la question sur ce que peut être un paradoxe russellien. Quant aux thèmes moraux… On m'a rapporté tout de même qu'une lectrice très croyante a cru bon de brûler mon livre dans son foyer plutôt que de le jeter à la poubelle, de peur qu'il ne tombe entre des mains innocentes. Cela fait toujours plaisir à un écrivain, même si cette dame semble n'avoir rien compris du message profondément moral et même chrétien qu'il recèle. Tant pis, j'ai eu mon plaisir intellectuel, et j'ai pu aussi explorer quelques allées qui me semblaient jusqu'alors confuses et certaines voies bizarres qui me paraissaient pourtant possibles. Aussi, j'ai réussi avec ce roman à calmer un peu mon regret de ne pas pouvoir lire le roman sur Aliocha Karamazov que la mort a empêché Dostoïevski d'écrire.

Il reste un dernier point demeuré en suspens, c'est-à-dire celui des diverses interprétations possibles du sens de l'histoire. Les deux premières sont naturellement évidentes : ou Dieu lui est vraiment apparu, ou il délire. Mais il y en a aussi une troisième, beaucoup plus complexe et exigeante du point de vue logique, et qui donnerait un peu plus de lustre à la personne d'Ivan Serov. Elle est clairement indiquée dans le texte, et elle me paraissait d'ailleurs la plus évidente au long de l'écriture, même si personne ne semble l'avoir évoquée après la publication. Je ne vais pas l'exposer ici, mais j'attire tout de même l'attention des amateurs de Dostoïevski sur le fait que Lucien évoque Arkadi, le personnage principal et le narrateur de *L'adolescent*, et qu'il invite Ivan à lire ce roman pour mieux se comprendre. Se pourrait-il qu'Ivan soit moins fou qu'il n'y paraît et bien plus rêveur, comme l'auteur de son roman ? Après tout, il s'agit d'un roman sur les paradoxes, et c'est bien paradoxal, un écrivain qui se pense lui-même à l'aide des romans des autres, n'est-ce pas ?

❑

Chaque nouveau roman achevé me laisse avec une impression de légèreté, comme s'il me libérait l'esprit d'idées et de projets encombrants, en faisant alors de la place pour d'autres aventures. C'est juste à l'opposé de ce qui se passe avec les tableaux. Ces derniers ont l'air de se multiplier sous la forme de séries de thèmes semblables, chaque nouveau tableau suggérant d'autres tableaux possibles dans la même veine et cherchant à effacer les idées distinctes. Dans le cas des romans, chacun semble faire *tabula rasa* des idées qui l'accompagnaient, me purgeant littéralement de lui et de ses préoccupations. Je constate que ce n'est pas exactement ainsi que les choses se passent, car les mêmes idées et les mêmes thèmes reviennent de manière récurrente d'un roman à l'autre, mais si métamorphosés qu'il ne paraît pas trop que j'écris essentiellement toujours la même histoire. Cependant, l'impression que je ressens est bien celle d'un soulagement définitif qui me permet de recommencer à neuf une autre aventure originale.

C'est ainsi qu'après la rigueur logique et les divers plans ontologiques du *Maître de jeu*, j'avais le goût du large et des aventures maritimes. La fin de Tiago Cruz au port et en hiver me poussait peut-être vers d'autres contrées plus chaudes et colorées. Mais ce n'était pas tout. J'avais entamé une série de tableaux sur des personnages de cirque peu après la fin de la danse macabre, et je me retrouvais complètement absorbé par ces images qui me rappelaient les cirques de mon enfance. Il était impossible de me détacher de ce sujet pictural si riche, car chaque clown ou chaque acrobate renvoyait à d'autres saltimbanques, dans une exigence d'exploration d'autres possibilités de polychromie, d'autres expressions, d'autres costumes ou d'autres activités. Le thème du masque me captivait à cette époque, tant par ses aspects plastiques que par ses implications intellectuelles. Comme j'étais justement en train de préparer les photos de la danse macabre pour sa publication en forme de livre d'art, cet intérêt pour les masques s'est traduit par la surabondance de tableaux de personnages masqués ou costumés qui accompagnent les planches de la danse macabre dans ce livre. Je lisais par ailleurs plusieurs textes très intéressants au sujet de la nature et des fonctions du masque dans d'autres cultures, et je commençais même à concevoir une réflexion théorique sur la question de l'identité et du masque, ou sur celle des déguisements en rapport avec la nudité. Il s'agit d'un ouvrage toujours en gestation dans mon esprit, et qui verra peut-être le jour sous la forme d'un étrange roman philosophique.

Au milieu de tous ces tableaux de saltimbanques dans mon atelier, j'avoue que je regrettais sincèrement de ne pas m'être enfui avec un cirque durant mon enfance. Par ailleurs, un tel amoncellement d'images colorées semblait exiger un sens plus réel, ne serait-ce que pour que je puisse continuer à les peindre sans me prendre moi-même pour un maniaque. Après tout, je possédais déjà une quarantaine de tableaux sur le même thème, et la source n'était pas près de se tarir. Or, une de ces coïncidences merveilleuses — qui ne sont pas aussi aléatoires qu'elles en ont l'air — est alors venue me montrer l'issue pour cette impasse avec mes saltimbanques. La lecture de la délicieuse autobiographie déjà mentionnée du fameux clown Albert Fratellini, que j'avais découverte par hasard à la bibliothèque de l'Université de Montréal, m'a mis face à une phrase essentielle qui me manquait jusqu'à ce moment-là. Au sujet de son identité, il affirme :

> Avec mon visage d'homme de tous les jours, je ne suis pas à l'aise, car mon véritable personnage est celui que vous avez pu voir dans la piste. En m'appliquant à me créer un masque, je n'ai fait qu'accentuer mes véritables traits — où la bonne humeur, la gaillardise, la paillardise même dominent*.

Je me souviens parfaitement comment tous les clowns posés contre les murs de mon atelier avaient l'air de bouger leur tête en signe d'assentiment chaque fois que je lisais à

* A. Fratellini, *op. cit.*, p. 114.

haute voix la phrase de Fratellini. Ils paraissaient même discuter entre eux, chacun avec son identité propre et avec ses manières personnelles de s'exprimer. C'en était trop. Je ne pouvais plus me passer de mon voyage avec le cirque.

J'ai ébauché le projet d'un roman sur le cirque en regardant à nouveau le film *La nuit des forains* d'Ingmar Bergman, qui s'agitait depuis déjà un bon bout de temps dans ma tête, associé au nom de Circus Alberti. En effet, je ne me trompais pas : le cirque qui hantait mon esprit venait bel et bien de ce film, le Circus Alberti, avec son directeur costaud, le vieux clown maigre et élancé comme un squelette, ses roulottes bringuebalantes, et même un gros ours. Ce film était ainsi resté dans ma mémoire depuis des dizaines d'années, et jouait une sorte de colin-maillard de flashes et d'oublis successifs avec mon esprit. J'avais donc retrouvé le point de départ pour mon cirque, et je l'appellerais Alberti en hommage à Bergman qui m'a tant de fois inspiré pour des tableaux. Ensuite, j'ai regardé *Les clowns*, de Fellini, ce qui a eu pour effet d'exacerber ma furie picturale, en ramenant à la surface une multitude de souvenirs des cirques de mon passé.

Je me promettais cependant un très long voyage, et je n'ai pas ménagé les efforts pour sa préparation. J'ai commencé par lire tout ce que je trouvais sur l'histoire et sur les techniques du cirque, de façon à créer un monde réel dans ma tête et à pouvoir ainsi le penser comme si je l'avais vécu. Il fallait que tout soit parfait, dans le moindre détail, au point que l'on puisse croire que j'avais en effet partagé ma vie avec des saltimbanques comme ce brave Pinocchio. Cette façon de procéder permet ensuite à l'esprit de plonger dans ce monde imaginaire et de s'y perdre, sans plus se soucier des aspects concrets de l'histoire, lesquels viendront s'insérer d'eux-mêmes au fil de la narration.

Ensuite, les personnages. Je voulais être entouré d'une bande de joyeux aventuriers prêts à tout, car je savais déjà que le voyage allait être périlleux, surtout quand la troupe serait à l'intérieur du continent, avant d'arriver à Rio de Janeiro. Il va de soi que je n'allais pas me passer de la présence de femmes magnifiques, ni de nains un peu philosophes ou de jeunes gens, car je voulais une grande variété de types humains pour que ce voyage soit justement plein de possibilités existentielles. Je suis alors allé puiser des noms dans les vieux comptes rendus de nos anciens championnats d'échecs à la maison, et ensuite cela a été un vrai délice de créer chacun de mes saltimbanques. Je m'inspirais de ceux déjà peints, et j'ajoutais d'autres tableaux au besoin, puisque j'avais désormais une bonne raison de laisser s'emballer mon obsession picturale. D'ailleurs, je m'en suis vite rendu compte, la présence de leurs images dans mon atelier était d'une grande aide pour imaginer leurs actions et leurs attitudes; je me suis même servi de ce support visuel à diverses reprises pour mieux imaginer certains passages de l'histoire ou pour réussir à résoudre des situations apparemment sans issue. Je me disais aussi que mes romans avaient été jusqu'alors comme des pièces de musique de chambre; pour la première fois j'allais essayer de faire mes preuves comme chef d'orchestre symphonique.

Une fois que j'en ai su assez sur le métier du cirque, et entouré des portraits de tous mes personnages, ma conscience narrative s'est mise à travailler toute seule pour créer mon aventure. Il me suffisait de bien allumer une grosse bouffarde ou d'avoir la compagnie d'un bon cigare, de fermer les yeux et de laisser défiler dans mon esprit le film des événements. J'intervenais à peine, ici et là, pour garder la cohérence, et je prenais quelques notes sur des questions laissées en suspens. La plupart du temps, mes acteurs avançaient selon la vie propre que j'avais conçue pour eux, et ils arrivaient sans peine à inventer des solutions pour des situations auxquelles je n'avais pas pensé auparavant. Je sais bien que tout sortait de mon esprit, mais je signale ce semblant de miracle spontané pour mettre en relief l'importance d'une organisation préalable très détaillée en vue de la création d'une histoire de cette dimension. Une fois que la personnalité, l'apparence et les possibilités de chaque personnage ont été précisées, la cohérence des éléments mis en place s'impose comme dans la vie réelle, et elle nous conduit ensuite de scène en scène. J'ai réalisé ce mouvement spontané de l'imagination en rapport avec les exigences des postulats dès le début de la narration, quand je me suis mis à voir comme dans un film le réveil du cirque le matin. J'avais beau me concentrer sur certains personnages en particulier, les autres continuaient à agir en fonction de la dynamique propre à leur rôle ; les diverses activités du cirque se mettaient ainsi en branle selon la logique et la chronologie du réveil d'une troupe de saltimbanques, pendant que je pouvais apprécier les détails, relever les difficultés ou prévoir certaines scènes en simple spectateur. Mon travail en tant qu'écrivain consistait à bien me souvenir de tout pour le rapporter ensuite, à choisir les scènes selon mes goûts et les besoins de l'histoire, et à veiller à un certain équilibre de la narration pendant que le cirque s'organisait. Ce travail ressemblait peut-être davantage à celui du montage d'un film après le tournage de beaucoup de séquences, et sa grande difficulté résidait dans le besoin de couper impitoyablement tout ce qui relevait de la vie d'un cirque, mais qui n'était pas nécessaire au déroulement du roman.

J'ouvrais les yeux pour refaire certaines recherches, pour réviser certains plans, pour étudier des villes ou la façon de ranger un cirque dans les soutes d'un cargo. Mais aussi pour rallumer une pipe et surtout pour prendre des notes, car l'histoire commençait déjà à déborder la capacité de ma mémoire immédiate. Et un problème majeur commençait alors à me préoccuper : l'histoire allait dépasser de beaucoup mon plan initial. Je ne pouvais tout de même pas couper l'élan ou la créativité spontanée de certains personnages qui s'avéraient beaucoup plus riches en possibilités que ce que j'avais prévu, ni omettre tant de petits détails intéressants qui émergeaient de cet univers que j'avais mis en branle. C'est alors que je me suis rendu compte d'une chose exquise se déroulant dans ma conscience : j'étais en train de faire exactement ce que Lucien avait raconté à Ivan Serov sur la création du monde dans *Le maître de jeu* ! L'arrivée imprévue du peintre Otto Gorz avec sa machine à tatouer était ni plus ni moins ma propre entrée dans l'histoire de la façon décrite par Lucien. Quelque chose du même genre s'était certes passé dans les romans précédents, et cette activité ludique avait fait l'objet d'une petite discussion dans *Le maître de jeu*. Mais là, pour la première fois, j'étais vraiment en train de m'impliquer à fond dans ce jeu des illusions, puisque je le faisais les yeux fermés, tout en voyant, en humant et en participant comme un réel acteur à mon aventure. Cela veut dire que le degré de réalité de cet univers était sans doute supérieur à tout ce que j'avais réussi à atteindre en imagination jusqu'alors. J'ignore pourquoi c'était ainsi, mais l'intensité des préparatifs a joué un rôle essentiel dans le plaisir que je réussissais à tirer de mon imagination. Par la suite, le personnage d'Otto Gorz allait d'ailleurs m'aider réellement à réfléchir sur plusieurs points de mon activité d'artiste qui restaient peu clairs ou conflictuels dans mon esprit. Il avait gagné une telle force en tant qu'*alter ego* — encore le vieux Goliadkine ? — que j'arrivais même à l'utiliser comme un interlocuteur valable dans mes dialogues intérieurs. Et il est vraiment pratique d'avoir de vrais dialogues plutôt que de simples soliloques quand il s'agit de questions épineuses touchant des aspects sensibles de notre identité. Il est cependant primordial de choisir des interlocuteurs à la hauteur du débat, pour éviter que ces dialogues ne deviennent de simples ralliements de suppôts de notre amour-propre.

Cette curieuse façon de créer une histoire comme on crée un univers et ensuite d'y participer comme personnage produit d'étranges résultats concernant la destinée de certains des figurants. Dans tous mes romans antérieurs, j'avais gardé un contrôle total sur le déroulement de l'histoire et sur les personnages. J'avais en tout cas l'impression à la fois d'être plus conscient de ce que je voulais écrire et d'imposer activement ma volonté à la narration. Dans *Saltimbanques* et dans les deux autres romans de la trilogie du cirque, *Kaléidoscope brisé* et *Le magicien*, certains personnages ont échappé à mon contrôle pour gagner une vie propre assez autonome, et ceci m'a vraiment surpris. Peut-être que l'intensité de mon implication imaginaire en tant que participant y est pour quelque chose, l'écrivain se laissant emporter et ouvrant alors certains domaines de son esprit qui seraient demeurés fermés dans le cas d'une narration plus rationnellement conçue. Je n'en sais rien. Mais les ressources d'un petit personnage comme celui du magicien Draco Spivac m'ont étonné : de simple figurant dans ma conception initiale du cirque, cette crapule a gagné une importance de plus en plus essentielle pour le déroulement de la trame à mesure que l'histoire se déployait, au point d'exiger pour lui tout seul un troisième volume de ce qui est alors devenu une trilogie. Il faut croire qu'il est une partie importante de moi, mais bien cachée quelque part dans mon esprit pour ne ressortir que sous la forme d'un mauvais esprit. Avant que je me mette à écrire, il était si effacé que même son portrait à l'huile ne laisse aucunement présager ses rôles futurs. Cela a commencé par son mariage, encore pendant le voyage en cargo, qui m'a beaucoup déconcerté ; mais quand je m'en suis rendu compte, voilà qu'il avait déjà séduit la fille et préparé la table de jeux pour rafler le pot. À partir de ce moment-là, il est devenu une pièce essentielle dont je n'avais pas prévu la nécessité au début du voyage.

Cette sorte de vie autonome ou de ressources cachées de certains personnages s'est aussi manifestée de manière curieuse quand j'ai découvert — soudain, comme une révélation — que le professeur Negerkuss était en fait le père inconnu du personnage principal de *Negão et Doralice*, un roman écrit cinq ans auparavant. Negerkuss est inspiré d'un personnage de la vie réelle, un écrivain et journaliste allemand de couleur noire, fils d'un anthropologue et d'une princesse africaine, qui a dû s'expatrier aux États-Unis à la montée du nazisme. J'avais lu sur lui et sur le sort de beaucoup d'autres Allemands noirs, appartenant généralement aux couches les plus hautes de la société et très liés à l'aristocratie coloniale de l'ancien Cameroun. Mais je ne l'avais relié d'aucune manière au roman antérieur. Pourtant, quand je me suis vu en train d'écrire qu'il était le père de Negão, j'ai d'abord réagi par de l'incrédulité, en me disant que c'était impossible. Et immédiatement après, je me suis rendu à l'évidence : même les dates coïncidaient, et il était indiscutablement ce père de Zacarias da Costa auquel je n'avais jamais pensé et que je n'avais même pas tenté d'imaginer. Voilà qu'il se manifestait, venant de nulle part et sans me demander la permission. Quelque chose de semblable s'est passé quand je me suis rendu compte que Mindras, le dompteur d'ours, était un personnage tout à fait identique au capitaine de la drague ; j'ai même consulté le roman antérieur à la recherche de détails pouvant infirmer cette curieuse hypothèse. Mais non, Mindras était bel et bien le même homme dans les deux aventures ; il n'y avait pas de doute possible : il était arrivé à Rio de Janeiro avec le Circus Alberti et repartirait après les événements racontés dans *Negão et Doralice*.

Le cas du mime Makarius est plus insolite encore. J'avais conçu ce personnage des années auparavant, pendant l'écriture de mon premier roman. En fait, il est inspiré d'un homme que j'ai réellement vu faire le mime sur la petite place Italia de mon enfance. Mais, dans *Le pavillon des miroirs*, j'ai préféré inclure un autre ivrogne à sa place, un chanteur appelé Camelias, et j'ai abandonné le mime. Ce Makarius — c'est ainsi que je l'avais appelé à l'époque, en pensant au joueur Makar Leichen de mon équipe d'échecs — a cependant refusé de rester tranquillement dans les oubliettes de ma mémoire. Il refaisait souvent surface aux moments où je m'y attendais le moins, avec une apparence très graphique, aux lignes noires et blanches qui ressemblaient à un déguisement carnavalesque de la Mort. J'ai même fait de lui deux ou trois portraits à l'huile pendant que j'exécutais mes esquisses pour la danse macabre, et je m'en suis inspiré aussi pour réaliser un grand tableau représentant le *Pierrot lunaire* du poème lyrique de Schönberg. Le fait peut-être d'avoir été ainsi ennobli par la peinture l'a rendu plus exigeant encore dans mon esprit, et il me faisait souvent penser à des histoires intéressantes où il aurait le rôle principal, soit dans une sorte de cirque, soit dans un cabaret quelque part durant la république de Weimar. J'ai alors fait aussi un beau portrait de lui déjà vieux, en clochard, et je l'ai encore oublié dans mon amoncellement de tableaux. Il s'est ainsi fait plus discret, comme s'il était enfin satisfait et que ses divers portraits avaient épuisé ses possibilités. Mais, alors que je regardais *La nuit des forains* pour penser à mon roman, voilà que mon Makarius est réapparu presque tel que je l'avais conçu, mais sous les traits du clown Frost du film de Bergman. Et je n'ai pas cessé de penser à lui depuis, car il est devenu l'un des personnages principaux de *Saltimbanques* et de *Kaléidoscope brisé*. Dans ce deuxième roman de la trilogie, il revient même à la place Italia, où il annonce aux ivrognes du bar Esplanada qu'il vient justement de voir son Circus Alberti dans un film de Bergman ! Le plus intrigant dans son cas, c'est qu'il ne semble pas avoir oublié la danse macabre, où il avait failli entrer comme figurant. Comme s'il existait réellement et comme s'il pouvait ressentir de la rancune envers Draco Spivac, voilà qu'il ne se sent pas satisfait du rôle majeur que celui-ci a joué dans ces deux livres ; il revient continuellement à ma conscience, et cette fois avec l'idée d'un roman magnifique sur sa propre personne ! Tout à fait ! Il s'est mis quelque part dans mon esprit, à l'écart de tout travail actuel que je mène sur plusieurs fronts, et par ses propres moyens pour ainsi dire il a échafaudé un gigantesque roman à propos d'une danse macabre, avec lui-même dans le rôle-titre : *Makarius*. Le plus curieux est que je ne pense jamais activement à son histoire ; elle me revient de temps à autre à la conscience, chaque fois plus étoffée, comme s'il l'avait en fait retravaillée seul dans son coin, y compris avec l'ajout de curieux personnages bien de son cru. Je me souviens que j'avais tenté de parler un peu de son passé dans *Saltimbanques*, dans l'espoir de faire cesser son travail clandestin de création qui parfois m'agace. Mais ces bribes de passé n'ont fait qu'empirer son opiniâtreté, et je sais maintenant qu'il me faudra un jour me pencher sérieusement sur les notes qu'il accumule dans ma tête. C'est bien étrange, mais l'histoire que le mime paraît être en train de construire tout seul s'en va dans diverses directions en même temps, de manière un peu chaotique, sans toutefois cesser d'être fascinante. Je me dis que si j'entreprends un jour de l'écrire, ce sera sans doute mon dernier roman, car s'il m'en tient rigueur, je ne m'en sortirai pas à moins de mille pages ! Mais comme son thème primordial est celui de la mort, je tente d'apaiser cet auteur clandestin en moi avec une sorte de troc : je lui promets que je m'y mettrai volontiers, à son gros roman, et qu'il aura son nom comme titre — pour entrer ainsi dans la confrérie sélecte des *Martin Éden, Anna Karénine, Moby Dick* ou *Démian* —, mais à la condition qu'il ait la courtoisie de m'avertir six mois à l'avance du moment de mon décès, pour me donner le temps de l'écrire. Cette idée d'écrire un roman sur la mort juste avant la mienne me plaît et elle semble être pleine de possibilités aventureuses. Elle paraît aussi lui plaire, car depuis notre entente il me laisse un peu de paix pour me consacrer à d'autres activités. C'est à lui de tenir parole, sinon tant pis pour son satané bouquin. Je reste malgré tout un peu méfiant ; son histoire est tellement biscornue que ce farceur envisage peut-être simplement de me tromper pour passer à l'histoire avec un gros livre inachevé.

N'empêche que cette vie propre développée par les personnages était quelque chose de nouveau, et qui ne s'est pas renouvelée après la disparition du Circus Alberti, sauf dans le cas du livre du mime Makarius. Je continuais ainsi à vivre mentalement le voyage de mes saltimbanques dans une sorte de grande euphorie. Je perdais alors tout intérêt pour la lecture ou le cinéma, et je ne peignais plus que des artistes de cirque pour continuer à enrichir leur population dans mon atelier. Les notes s'accumulaient ; la structure des chapitres et même des paragraphes entiers s'organisait dans ma tête, mais le bateau transportant le cirque était encore au beau milieu de l'Atlantique. Je me suis ainsi rendu à l'évidence que je ne m'en sortirais pas avec ce maximum de quatre cents pages que j'avais promis à mon éditeur. Et je sais combien ils sont soucieux de ce détail, les pauvres éditeurs. Si cela dépendait d'eux, je pourrais leur donner d'énormes briques, et ils les publieraient avec plaisir et fierté. Mais les lecteurs d'ici — et je trouve cela déplorable — préfèrent les livres minces aux gros livres, même à prix égal ; les critiques aussi détestent les longs romans, et ils arrivent même à justifier leur paresse intellectuelle en évoquant je ne sais plus quelle théorie post-moderne. C'est désolant mais c'est ainsi ; pendant ce temps, des plaquettes minables se vendent assez bien et à des prix pourtant exorbitants compte tenu de leur quantité de papier blanc. Mais il était devenu impossible d'arrêter la marche du Circus Alberti. Mes éditeurs m'ont alors suggéré d'écrire plutôt l'histoire en deux volumes, ou en trois si je le voulais, mais, de grâce, je ne pouvais en aucun cas leur apporter un manuscrit dépassant cinq cents pages.

L'idée d'un roman en plusieurs volumes ne me plaisait pas du tout. D'abord parce que ç'aurait été céder devant la paresse ou les difficultés d'imagination de ceux qui ne lisent que les romans courts. Ensuite parce qu'il aurait été dommage de devoir attendre trois ans pour connaître la suite de l'histoire, car mes éditeurs ne m'accordent qu'un livre par année. Sans compter qu'écrire ainsi par versements non seulement m'aurait rendu fou, mais risquait fort de m'entraîner dans une histoire sans fin, avec sept, huit ou dix volumes, comme celle de Schéhérazade. Et il faut que je voie vite la fin de mes aventures pour m'en libérer et pour passer à autre chose. Non, chaque année son livre, c'est ma devise pour garder le contrôle et éviter ainsi tout débordement de la parole sur le temps muet de la peinture. C'est alors que j'ai conçu l'idée d'une trilogie plutôt qu'un seul roman en trois tomes. La trilogie me permettrait de changer de style et de point de vue à chacun des livres, ainsi que de me focaliser sur trois moments différents de l'épopée de l'artiste cherchant son Amérique imaginaire : celui de l'illusion, celui de l'échec et celui de la trahison. C'est que le magicien Spivac avait déjà suffisamment grandi dans mon imagination pour que j'envisage de l'incarner comme l'éminence grise d'un dictateur latino-américain.

Cette restructuration de l'histoire en forme de trilogie avait l'avantage de m'ouvrir les portes d'au moins cinq cents pages supplémentaires, sans trop déplaire à mes éditeurs. Je pouvais désormais y inclure aussi plusieurs éléments que j'avais écartés trop à la légère dans mon souci de rester à l'intérieur d'un certain nombre de pages, et je me suis alors abandonné au pur plaisir du voyage. Comme il s'agissait dorénavant d'une trilogie, je pouvais même rejeter toute velléité de jeux formels vers les livres suivants, et me contenter d'abord d'une narration linéaire et bien classique. Elle avancerait ainsi toute seule, et je pouvais savourer l'aventure sans me préoccuper aussi d'être un bon écrivain. J'ai alors mis un embargo mental sur tout ce qui se passerait après Buenos Aires pour ne pas gaspiller la suite, et je me suis attelé à la tâche proprement dite d'écrire *Saltimbanques*.

Il s'agit d'un beau livre, tout entier consacré à l'illusion des artistes, à leur espoir d'une Amérique mythique et d'une vie meilleure. Comme je parlais de banquistes, de gens du voyage, je pouvais toucher directement la source essentielle du travail de tout artiste, qui qu'il soit, ce plaisir dans l'acte singulier de faire quelque chose d'abord pour son pur ravissement et pour le ravissement de ses semblables. Je crois en effet que ce sont les acteurs et les gens de la scène en général qui symbolisent le mieux cette curieuse quête qu'on appelle l'art. Leur travail ne laisse pas d'autres traces que celles qui restent dans l'esprit des spectateurs, et il doit être recommencé à neuf chaque soir. Le risque y est immense, au contraire de celui que courent le peintre ou l'écrivain; ces derniers gardent le témoignage de leur labeur sous la forme d'objets matériels, et ils peuvent toujours y avoir recours dans les moments de découragement ou de crise d'identité. Ceux de la scène ne peuvent compter que sur la mémoire, et nous savons combien celle-ci peut être traîtresse ou capricieuse. Mais, parmi les gens du spectacle, les saltimbanques sont les plus dépouillés, les plus démunis aussi; leur existence est par conséquent paradigmatique des risques, des illusions et de l'échec essentiel de la démesure de l'artiste. Je crois avoir transmis dans mon roman quelque chose de l'admiration immense que je ressens pour ces gens du voyage, de la tendresse aussi qui m'est restée depuis mon enfance. C'était la façon de leur dire ma gratitude pour m'avoir inspiré le désir de devenir moi-même un artiste.

Saltimbanques s'achève à Buenos Aires, ville que j'adore en raison du tango mais où je n'ai jamais mis les pieds. Qu'importe? J'avais été du voyage, j'avais bu des bières à Rio de Janeiro comme si c'était vrai, surtout qu'à l'époque de leur passage là-bas j'avais deux ans et j'habitais tout près de la place du port. Ainsi, pourquoi donc me priver d'une longue virée dans les dancings et les bordels de la Boca, ou d'une halte au fameux café Tortoni ? Et tant qu'à y être, je me payais aussi une balade en Hispano-Suiza, avec *La ultima curda* et *Moorsoldaten* comme musique de fond. De toute manière, l'illusion était finie, autant brûler les dernières cartouches.

❏

L'écriture de *Kaléidoscope brisé*, le roman de l'échec dans la trilogie, posait uniquement le problème de la forme, car je possédais entièrement l'univers et la destinée de mes personnages. J'avais aussi pris la décision de conserver la narration linéaire pour la suite du voyage, de manière à continuer mon plaisir, mais en la cassant en autant de tessons comme ceux d'un kaléidoscope brisé, et dont on garde le souvenir des dernières images géométriques. Et pour accentuer l'idée de rupture, j'avais décidé d'intercaler la destinée ultérieure de plusieurs personnages entre ces bouts de narration linéaire. Ces morceaux de vie isolés devaient malgré tout s'intégrer à l'ensemble, pour l'enrichir, mais aussi pour offrir au lecteur les diverses figures de l'échec final de l'artiste resté seul avec ses souvenirs.

Le défi formel était de taille, car le véritable fil unificateur de toutes ces destinées se ferait dans un effort conscient de la part du lecteur plutôt que d'être inclus dans la syntaxe narrative. Par cette façon de procéder, je voulais tenter de reproduire la structure même des actes de mémoire de celui qui se souvient un peu oisivement d'événements lointains, et dont le fil intentionnel s'est un peu estompé avec le temps. Dans ce cas, il n'y a pas dans la conscience une chaîne délibérée d'événements se suivant selon un ordre temporel ou un ordre causal rigoureux. On divague plutôt, le champ de la conscience va et vient comme une sorte de lumière se posant ici et là, au hasard de l'impact antérieur des scènes sur notre esprit, mais sans un cheminement précis, s'attardant sur tel ou tel détail sans qu'on sache trop pourquoi, et revenant ensuite sur un personnage ou un lieu dont on a parfois oublié la signification. Tout cela se fait au gré d'une logique qui nous échappe, car elle ne semble pas avoir une direction déterminée. Cette logique propre aux souvenirs et aux rêveries ne s'encombre pas des lois du raisonnement ni de la rigueur d'un acte obéissant à notre volonté ; ses impératifs agissent de manière à la fois plus complexe et plus subtile, et ils impliquent aussi la mise à profit de tous les sens, d'autres souvenirs analogues, de tropes, de certains affects peu actuels, d'une vague intentionnalité de nos projets et des aspects les moins travaillés de notre identité. La phénoménologie appelle cet ensemble la conscience non thétique d'un individu.

Cette forme de narration, même si elle imite celle de la conscience au repos, est très exigeante pour le lecteur, car cette suite de morceaux éparpillés l'amène à un double exercice mental concomitant : il doit à la fois focaliser son attention sur la scène en cours et la placer continuellement dans le puzzle d'ensemble qu'il cherche à visualiser. Mais cet exercice est très gratifiant quand il est mené avec rigueur, puisque le lecteur se retrouve alors confronté à ses propres contenus mentaux d'une manière beaucoup plus radicale que dans une simple lecture linéaire trop captivante ; il est comme poussé à se mettre aussi en question au sujet des thèmes qui ressemblent aux siens propres, et la lecture atteint alors le noble statut de réflexion sur soi. L'écrivain, quant à lui, peut se laisser aller à ses propres divagations, mais sans oublier qu'il le fait tout en sachant parfaitement la suite de son histoire. Il devra garder en tête le souci de poser des jalons discrets mais incontournables pour guider le lecteur dans son travail de déchiffrage, car il n'écrit pas pour lui uniquement, et un roman n'est pas un calepin de notes pour ses propres souvenirs. Souvent, dans les romans modernes, l'écrivain paraît si fasciné avec sa façon personnelle de se souvenir qu'il oublie ces repères essentiels pour que son livre devienne public, et le lecteur alors se heurte parfois à un simple verbiage incompréhensible à force d'être extrêmement intime. Ce sont des romans qui font en général le bonheur des chercheurs en théorie de la littérature, mais dont je me demande pourquoi l'auteur a voulu qu'ils soient imprimés en plusieurs exemplaires.

Le fait d'utiliser des scènes très éloignées dans le temps du voyage proprement dit du cirque m'a aussi permis d'ajouter l'évolution morale des différentes destinées. Ceci me semblait important pour que l'histoire atteigne la profondeur de son aspect existentiel, car seule la fin de l'aventure spécifique de chacun des personnages confère une signification précise de quête à ce qu'ils ont vécu en cours de route. Plus spécifiquement, c'est le rapport personnel que chacun d'eux a établi avec son art et avec sa vie au long du chemin qui fera surface à la fin, au moment de dresser un bilan devant la mort. Ce point me paraît important quand il s'agit d'artistes, car plus que toute autre activité, la poursuite de l'art est essentiellement à la fois une fuite devant la mort et une bravade contre elle. Et puisque la mort était omniprésente depuis bien avant leur départ de Gênes, en tant que mort proprement dite mais aussi en tant qu'échec, humiliation ou ruine, il fallait que mon investigation continue jusqu'à la fin, ne serait-ce que par simple souci d'harmonie.

Je constate par ailleurs que j'ai mis énormément d'éléments personnels dans cette saga du Circus Alberti. Mais la richesse des situations, des personnages et des décors me permettait de diluer mon apport et mes propres besoins tout au long du texte sans que cela dérange le lecteur habitué à mes livres. Cette dilution me donnait aussi la possibilité de me cacher confortablement et de bien déguiser les propos que je m'adressais à moi-même.

❑

L'idée de coupler le roman sur le cirque avec un autre sur un dictateur m'est venue seulement en cours de route, une fois que j'ai pu me laisser aller sans m'occuper de l'étendue de l'histoire. J'avais déjà pensé écrire un livre sur la personne d'un dictateur latino-américain, bien sûr, en particulier après la lecture du roman *Moi, le suprême*, d'Augusto Roa Bastos. Dans ce livre monumental, l'écrivain paraguayen aborde les thèmes du mensonge et de la réécriture de l'histoire bien plus que la dictature proprement dite, malgré que le tyran José

Gaspar Rodríguez de Francia dont il s'inspire ne fût pas moins sanguinaire que la myriade d'autres dictateurs du même calibre. Ce qui me captivait dans *Moi, le suprême*, c'était la double narration, celle du tyran et celle de son secrétaire, que je trouvais pleine de possibilités pour raconter et pour brouiller les fais historiques. J'avais d'abord conçu un roman avec une narration multiple similaire, avec divers points de vue pour mieux tenter de saisir la complexité de ces caudillos omniprésents dans le sud du continent et qui sont à la fois d'une cruauté et d'une barbarie à toute épreuve, et adorés par une grande majorité de leurs concitoyens. Ce roman était encore trop vague dans mon esprit, et je me laissais plutôt aller au plaisir de l'aventure des saltimbanques. C'est seulement à l'arrivée du cirque à Asunción, et avec l'importance croissante du magicien Draco Spivac sur la scène politique locale, que tout a commencé à se préciser dans mon esprit. Et dès les premiers contacts des saltimbanques avec le président Morinigo, mon roman sur le dictateur s'est mis réellement en branle de lui-même. Ainsi, bien avant d'achever l'écriture du *Kaléidoscope brisé*, je m'affairais déjà aux recherches sur la personne d'Alfredo Stroessner. Ce dernier n'était pas encore général à l'époque du passage du cirque au Paraguay, mais il organisait sans relâche les complots qui allaient le mener au pouvoir absolu.

L'évolution remarquable du magicien, qui de simple réfugié Draco Spivac devenait Don Dragón Fischer Espivel, me donnait justement le personnage indispensable pour entrer dans l'intimité du tyran. En même temps, cette ascension fulgurante était en tous points semblable à celle du lieutenant Alfredo Stroessner Matiauda, selon tous ses biographes. En fait, cette ressemblance n'était pas fortuite ; en créant l'avancement de Draco Spivac, je ne faisais que m'inspirer de toute une tradition latino-américaine de montées vertigineuses de despotes populistes, qui sont une des grandes sources littéraires du sous-continent. Je connaissais depuis longtemps les autres grands romans qui abordent ce sujet, en particulier les cinq les plus significatifs : celui de Roa Bastos, naturellement, que je considère comme le plus réussi ; mais aussi *Señor presidente*, de Miguel Angel Asturias, *L'automne du patriarche* de Gabriel García Márquez, *Le recours à la méthode*, d'Alejo Carpentier. Le cinquième de ces grands romans, *La fête du bouc*, de Mario Vargas Llosa, a été publié pendant que je colligeais le matériel pour écrire *Le magicien*, et cela m'a causé un certain souci. C'est que j'ai une grande admiration pour Vargas Llosa, et j'avoue que j'ai éprouvé des doutes en apprenant qu'il venait de publier un livre sur le dictateur dominicain Rafael Trujillo y Molina. Je me le suis procuré immédiatement dans son édition espagnole, et je l'ai dévoré dans une lecture ininterrompue pour savoir s'il n'avait pas épuisé le sujet que je m'apprêtais à traiter.

Mais non. Même si le roman de Vargas Llosa est captivant, je suis sorti à la fois soulagé et encouragé de sa lecture, et plus que jamais décidé à écrire mon livre sur Stroessner. J'allais ainsi me confronter à ces cinq écrivains que j'admire, dans une sorte de bagarre nouvelle, où je savais que j'avais de bonnes chances de ne pas trop mal paraître. En fait, ce qui m'a toujours irrité dans ces grands romans sur des tyrans, c'est la condescendance des auteurs envers ces personnages barbares et profondément immoraux. Les caudillos sont toujours représentés sous des traits de bons petits vieillards un peu tristes et non dépourvus de qualités certaines. Chez Alejo Carpentier, le dictateur est même très sympathique, en plus d'être un vrai intellectuel dans la bonne tradition française, ce qui, en parlant de politiciens antillais, est une absurdité. Chez García Márquez, il est un pauvre petit vieux sénile, mélancolique, qui vivote à la façon d'un spectre dans son palais en compagnie des urubus et sans faire de mal à personne. Vargas Llosa n'échappe malheureusement pas à cette façon de présenter les dictateurs ; son Trujillo reste pratiquement circonscrit autour d'une historiette de viol quelque peu sirupeuse, en dépit d'autres horreurs vaguement évoquées dans le texte. Les aspects politiques de la tyrannie, son rôle par rapport aux besoins de l'impérialisme nord-américain, la corruption et même la souffrance du peuple sont à peine abordés dans ces romans, quand ils ne sont pas tout à fait escamotés. Cette façon presque respectueuse ou attendrissante de traiter la figure du caudillo correspond d'une certaine manière à une facette de la réalité de ces monstruosités politiques, c'est-à-dire l'idolâtrie dont sont l'objet beaucoup de ces personnages parmi les masses populaires, du moins durant une bonne partie de leur règne. García Márquez considère que cette fascination envers les tyrans vient du fait que la figure du caudillo est l'unique mythe que les Latino-Américains ont jamais réussi à créer, d'où le pouvoir d'attraction comme pôle d'identification de ce dernier. Mais je ne pense pas que ce pôle mythique justifie le traitement que le sujet a reçu de la part d'intellectuels par ailleurs si raffinés. Après tout, le premier livre sur un tyran a été celui de l'Argentin Domingo Faustino Sarmiento, au XIXe siècle, où le caudillo Facundo Quiroga est dépeint de manière réaliste, sans que soient omis son ignorance ni sa cruauté. Pourquoi donc la tradition s'est-elle tant éloignée de ce livre fondateur ? Je n'en sais rien. Ma seule hypothèse explicative est celle de la fascination même des intellectuels latino-américains pour ce pouvoir tyrannique, sans compter leur fréquentation de la périphérie de ce pouvoir en tant que journalistes, diplomates ou simples membres des couches favorisées de la société.

Je voulais, au contraire de ces autres romans, pénétrer plus à fond et de manière plus large dans le monde de la tyrannie, pour justement pouvoir explorer les facettes cachées de la cruauté et de la fascination qu'exercent ces tristes personnages. Mon livre se devait ainsi d'aborder les aspects politiques de ces dictatures pour en dégager la signification, pour en comprendre la durée, tout en cherchant à saisir la personnalité intime du dictateur. Alfredo Stroessner, avec ses trente-cinq années de pouvoir absolu, était donc le sujet idéal pour cette sorte d'exercice littéraire, d'autant plus que la situation apparemment isolée du Paraguay permettait de circonscrire plus facilement l'espace de mes recherches. Par ailleurs, Asunción avait été durant toutes ces années de dictature le quartier général des activités subversives de la CIA et du Département d'État nord-américain en Amérique latine, et ces aspects internationaux s'ajoutaient au thème central pour permettre de mieux comprendre sa véritable dimension.

Par chance, je suis tombé entre autres documents sur deux biographies officielles commandées expressément par Stroessner en personne, l'une au Paraguay et l'autre en Allemagne, ainsi qu'une historiographie officielle très détaillée sur les années de pouvoir du tyran. Ce matériel de première classe pour celui qui sait l'analyser renseigne beaucoup plus sur la mégalomanie et la bêtise du personnage que bien des travaux écrits par ses critiques ou par ses ennemis. En recoupant ceci avec les résultats de mes autres recherches, je pouvais aussi déborder quelque peu du simple cas paraguayen et y inclure quelques aspects d'autres ordures morales comme Augusto Pinochet, Anastasio Somoza, Henry Kissinger, sans oublier de petits agissements discrets mais tout aussi méprisables menés par des individus comme Philippe d'Édimbourg ou Charles de Gaulle. La pléthore de tortionnaires ayant gouverné le Brésil durant les années de dictature jouaient aussi un rôle important dans cette histoire, tout comme les prétendus démocrates qui protègent encore aujourd'hui le vieux Stroessner dans sa riche propriété de Brasília.

La difficulté technique dès la conception initiale du roman venait de l'abondance de la documentation accumulée et de la force d'impact de tous ces faits dont j'avais pris connaissance. Je voulais rester dans un registre romanesque malgré tout, même si les événements publics évoqués dans le livre se devaient d'être vrais et vérifiables. Mais ils devaient agir comme simple décor, comme une scène de théâtre sur laquelle je ferais jouer le dictateur et son conseiller *alter ego*. Le livre se précisait ainsi dans mon esprit comme une sorte de long affrontement à huis clos entre deux êtres ambitieux et sans aucun sens moral, chacun cherchant à dominer l'autre et les deux s'influençant mutuellement. Cette façon de procéder par rencontres intimes me permettait une investigation psychologique en profondeur de la façon de penser d'un tyran latino-américain, mais aussi de comprendre le monde personnel d'un militaire ou d'un politicien de carrière de quelque pays que ce soit. Le thème général était le pouvoir absolu : pourquoi quelqu'un le désire, comment il se perçoit, mais surtout pourquoi quelqu'un ne peut plus s'en passer après l'avoir atteint. En tant qu'artiste, je peux comprendre qu'on souhaite la liberté conférée par une situation réelle de richesse matérielle, et même qu'un individu cherche à devenir riche, ou très riche si son insécurité existentielle l'exige. Mais j'utiliserais ensuite cette richesse pour élargir mon propre champ de liberté et de conscience. Ce qui m'étonnait, et qui m'étonne encore, c'est le fait qu'un homme déjà fabuleusement riche continue à chercher à obtenir de la richesse matérielle pour elle-même, du pouvoir pour le pouvoir, sans être jamais capable de transcender cette sorte d'impasse et de s'atteler à quelque chose de plus essentiel. Ces vieillards qui s'accrochent opiniâtrement à leur siège ou à leur charge resteront toujours un mystère pour moi, où que ce soit d'ailleurs, même ici au Canada comme on vient de le voir avec un pitoyable vieillard s'accrochant comme un enfant gâté au siège de premier ministre. Je voulais étudier un peu cette curiosité de la nature humaine en écrivant mon roman.

Par ailleurs, *Le magicien* traite aussi, même en sourdine, du thème de l'artiste ou de l'intellectuel qui se vend au pouvoir. Il s'agit d'une autre facette de la même question déjà abordée dans *L'art du maquillage* et dans *Le maître de jeu*. Mais je n'avais pas pu m'étendre davantage sur la fascination du pouvoir dans ces deux romans parce que les aspects de révolte et d'éveil moral étaient prédominants. Avec *Le magicien*, en écartant justement les scrupules de l'artiste ou de l'intellectuel, j'arrivais à traiter comme il faut le domaine de la déchéance morale et du rétrécissement de la liberté qui accompagnent cet asservissement.

Malgré la répugnance que j'éprouvais envers mes deux personnages principaux, l'écriture de ce roman m'a fait vivre une expérience intéressante. Je devais m'efforcer tout au long du travail de ne pas laisser cette aversion essentielle prendre le dessus dans le texte, pour éviter de finir par écrire un pamphlet politique. Par ailleurs, et bien paradoxalement, c'est de tous mes livres celui qui m'a le plus diverti et fait rire, même si je savais que les passages les plus grotesques étaient basés sur des faits réels. D'autres fois, quand des choses trop cocasses sortaient directement des biographies officielles du tyran, je devais au contraire m'efforcer de les diluer pour qu'on ne pense pas que j'exagérais. Le machisme du personnage était parfois si drôle qu'il ouvrait des voies délicieuses pour l'exploration de la bêtise humaine ; même lorsqu'il était monstrueux et pervers, son ridicule était tel qu'il devenait pathétique. Inévitablement, l'homme le plus bestial redevient presque humain quand il est perçu de cette manière ; il suffit seulement d'avoir le cœur assez solide pour le regarder de près. J'avoue, par ailleurs, m'être bien diverti en punissant Draco Spivac pour toutes ses trahisons envers les autres saltimbanques. Je ne pouvais pas rendre les autres à la vie, mais je pouvais rendre la vie du magicien insupportable. La scène finale est mon clin d'œil à Francisco de Goya y Lucientes, le peintre des monstres et des grands de ce monde.

❑

Que dire des *Amants de l'Alfama*, sinon qu'il a été mon voyage de repos à Lisbonne après mes efforts moraux entre Stroessner et Spivac ? J'aime en fait passionnément la ville de Lisbonne, et tout le Portugal d'ailleurs, où je me rends une fois par an pour pratiquer mon portugais et pour me baigner de culture et d'art. Je voulais emmener le lecteur avec moi en promenade parmi les rues qui m'inspirent, lui faire connaître quelques bistrots que je connais bien, boire en sa compagnie et en compagnie de gens que j'ai croisés là-bas. Et tant qu'à me divertir, pourquoi ne pas voyager aussi un peu partout et rendre hommage à mes écrivains préférés ? Déjà en prévision de l'écriture du présent livre, je me suis alors laissé aller aux divagations sur ma propre façon d'écrire et d'inventer des histoires, sur mon amour de la logique et sur ma passion du tabac. En effet, si je ne collectionne pas les parapluies, j'ai tout de même connu un professeur de logique à Rio de Janeiro qui le faisait, exactement comme je l'ai raconté dans le roman. Je me suis souvenu de lui en contemplant ma propre collection de pipes et en tentant de la justifier mentalement devant un interlocuteur imaginaire qui la trouverait excessive. Et pas seulement mes pipes, mes livres aussi, et l'amoncellement de tableaux qui encombre mon atelier.

Pour compliquer un peu cette belle promenade, j'ai conçu le défi structurel d'écrire un roman en temps réel, c'est-à-dire dont l'histoire se déroulerait à peu près dans le même temps qu'un lecteur mettrait pour le lire. Ainsi, si le lecteur commence la lecture dans l'après-midi comme commence le roman, sans se presser, s'il fume et s'il boit tout en s'imaginant les scènes ou le triptyque de Bosch sur les tentations de saint Antoine, s'il déguste des sardines ou des croquettes de morue en chemin, il finira la lecture comme Joaquim, tôt le matin suivant. L'inspiration pour cette facétie m'est venue avec le souvenir du roman *Lord Jim*, de Joseph Conrad, auquel je fais des clins d'œil bien évidents tout au long de ma narration. Dans *Lord Jim*, Marlow, le narrateur fétiche de Conrad, raconte aussi une longue histoire à ses amis durant une nuit bien arrosée. Sauf que la narration de Marlow, censée durer une nuit, nécessite en fait deux ou trois nuits de suite pour sa seule lecture, tant elle est longue. Cela n'a certes aucune importance, car *Lord Jim* est un des grands romans de la littérature universelle, et pour rien au monde je ne voudrais le voir abrégé. Mais en pensant à cette soirée du capitaine Marlow parmi ses bons copains, j'ai conçu mon petit défi technique ; cela me garderait dans des limites raisonnables et empêcherait mon propre plaisir de déborder sous la forme d'un vrai pot-au-feu de mes souvenirs les plus chers. Le périple de Joaquim à la recherche de sa Matilda est ainsi resté harnaché à un temps réel, comme le sont d'ailleurs, malheureusement, mes escapades annuelles au Portugal.

Ce roman contient plusieurs curiosités, auxquelles j'ai pensé uniquement en le lisant, après l'avoir terminé. Parmi elles se trouve l'origine du parallélisme des classifications logiques possibles entre la collection de parapluies et les histoires créées par le vieux Martim. Cette relation est signalée par l'archiviste, qui de façon voilée fait d'ailleurs mention de Vladimir Propp dans ses explications. Mais, curieusement, un autre de mes personnages antérieurs avait déjà parlé de cette manière de se divertir en mélangeant les différentes histoires entre elles pour en créer de nouvelles. En effet, Lucien, dans *Le maître de jeu*, se divertissait de la sorte, et je suis maintenant persuadé qu'un vague souvenir de ses facéties littéraires et ontologiques imbibe non seulement les narrations dans le bistrot, mais aussi toute l'aventure de Joaquim dans sa quête nocturne. Je me suis aussi rendu compte après coup que Lucien avait déjà fait mention antérieurement du livre *Pêcheurs d'Islande*, de Pierre Loti, et que, sans que j'en sois aucunement conscient, le roman de Loti sur les morutiers m'a inspiré l'histoire que raconte Martim sur son compagnon de voyage. En fait, le périple du jeune amant déçu inventé par le vieil ivrogne n'est, ni plus ni moins, qu'une nouvelle classification de morceaux tirés de trois romans de grands voyageurs : celui de Pierre Loti, *Le bateau des morts* de B. Traven, et enfin *La folie Almayer* de Joseph Conrad. Mais tout s'est passé involontairement dans mon esprit au fil de l'écriture, un peu à la façon dont parle Lucien, en dépit du fait que j'étais en train de contrôler minutieusement tous les noms de bateaux et ceux des commandants que Martim utilise comme aide-mémoire. Alors que j'étais plongé en plein dans l'univers des voyages maritimes, sans me demander la permission, ma conscience narrative est allée se saisir d'autres tiroirs analogues pour en faire une histoire originale, tout à fait comme si elle se promenait dans la collection de parapluies du vieux Celso Pedroso. Une fois de plus, cette anecdote prouve le bien-fondé de l'opinion d'Eco, selon laquelle les romans sont bel et bien écrits à partir d'autres livres.

Les amants de l'Alfama a été imaginé durant une journée de beuverie en compagnie de mon épouse, dans la brasserie Mort Subite à Bruxelles. Nous avions tous les deux été très malades avant le voyage, au point que j'avais même eu peur qu'elle ne meure. Encore convalescents, nous avons donc voulu célébrer avec excès cette vie qui continuait pour nous, et les gueuzes nous paraissaient alors l'élixir le plus propice pour cette liturgie intime. Le thème de la peur et des retrouvailles, celui de la mort et de la transfiguration étaient alors actuels pour nous comme l'air froid et humide du dehors, et comme l'alcool que nous buvions. Quelque part au milieu de l'après-midi, ivres et attendris, nous avons conçu l'histoire de deux vieux clochards s'en allant dans la nuit, enlacés comme des adolescents amoureux. Dans notre imagination, ces deux vieillards se racontaient des histoires d'amours et d'aventures, chacun voulant ravir l'autre. Mais c'était en fait leur propre histoire à eux qu'ils se racontaient de diverses façons, pour embellir leur vie amère et pour se dire « je t'aime » en forme de narrations. Comme pour eux, personne à la Mort Subite ne pouvait se douter pourquoi nous étions si émus entre nos éclats de rire, ni pourquoi nous buvions avec l'enthousiasme de deux ivrognes.

Mais il s'agissait alors d'une histoire trop personnelle, encore trop chargée d'émotions diverses. Il m'a fallu quelques années pour la décanter, pour être ainsi en mesure de l'écrire avec une forme capable d'émouvoir et de faire rêver d'autres personnes que nous. *Les amants de l'Alfama* est par ailleurs une reprise de *Negão et Doralice*, un peu comme une sorte d'adieu après tant de romans écrits qui me regardent depuis l'étagère de ma bibliothèque. Et c'est aussi un roman du large, pour nous rappeler à tous les deux que la vie devient chaque jour plus courte, et que c'est dommage de continuer ainsi, uniquement à peindre et à écrire des romans sur les aventures des autres. Eh oui, à l'exemple des tableaux, les livres et aussi les tracas littéraires commencent à s'amonceler et à ressembler à un véritable boulet. Je voulais alors faire face au sort non pas de Matilda et de Joaquim — ils sont une simple excuse pour la promenade dans Lisbonne —, mais plutôt au sort de tous les autres buveurs du Buraco do Beco, dans l'espoir de secouer une fois de plus mon habitude de vivre attaché au quai d'un port et de tenter de voir si ma charpente flotte toujours ou si elle est définitivement devenue une épave.

12

J'ignore ce que lecteur a pu comprendre de lui-même en me suivant dans cette longue promenade en marge de ma vie et de mes écrits. Moi, en tout cas, je reviens à moi-même avec une grande sérénité et avec un sourire ironique aux lèvres devant l'immense effort qu'il m'a fallu déployer pour arriver à mieux me penser. Tous ces tableaux, tous ces livres et toutes ces aventures n'étaient en fin de compte qu'une formidable route au long de laquelle j'ai appris à me connaître tout en me construisant comme il me plaisait de devenir. C'était une façon comme une autre de passer la vie; mais c'était la façon qui me convenait le mieux et je ne la changerais contre aucune autre. Je crois qu'au lieu d'un péché original, j'avais une confusion originale, à partir de laquelle j'ai réussi à esquisser des significations relativement ordonnées, même si elles comportent d'immenses incohérences. Mes penchants logiques ont ainsi appris à cohabiter avec mes illusions et mes désirs, non pas selon la structure d'un cristal défectueux, mais ressemblant davantage au foisonnement apparemment chaotique d'une agglomération humaine du genre favela, ou de villes comme Lagos ou Port-au-Prince. Ce que je perds en clarté, je le gagne en richesse. J'ai d'ailleurs toujours pensé que le rasoir d'Occam était moins conforme pour exprimer une vie complexe que la phrase de Blake: « *Exuberance is beauty.* »

Tant de livres et de tableaux, tant de questionnements sur l'identité, une somme de travail presque absurde, et je ne cesse pas de me poser des questions. Une fois, un lecteur soucieux de mon bien-être m'a demandé: « Et le plaisir dans tout cela ? » Il s'agit d'une question délicate à une époque comme la nôtre, où le concept de plaisir se trouve confiné dans les espaces restrictifs des sensations immédiates reliées au corps propre et des satisfactions reliées à la possession et au pouvoir. En fait, je n'ai jamais été trop friand de ces plaisirs-là, et ce, depuis aussi longtemps que je me souvienne. J'ai, certes, éprouvé du plaisir sensuel en mangeant à satiété durant les premières années à l'internat, mais je n'en garde pas de séquelles, et je ne suis pas vraiment devenu ni gourmand ni gourmet. Quant au sport, il m'a toujours paru une activité plutôt destinée aux enfants et aux adolescents en période de croissance, qui peut sans doute intéresser des adultes sans trop d'imagination. D'ailleurs, à mon avis, le phénomène actuel du sport comme paradigme de toutes les aventures et du summum de la réalisation de soi en dit long sur l'état de disette spirituelle du monde contemporain. Et les possessions, quelles qu'elles soient, finissent toujours par me paraître menaçantes, comme des boulets qui risquent de m'empêcher de m'en aller quand l'envie m'en viendra. Ma conception du plaisir paraît si anachronique que j'ai beaucoup de mal à la formuler sans sourire. Comme exemples de vrais plaisirs simples, quotidiens, je ne peux penser à rien de mieux qu'une pipe qui tire bien et qui reste confortablement calée entre mes dents, sans que je doive me soucier de la garder allumée. Ou un stylo dont la plume glisse bien sur le papier comme la lame aiguisée d'un patin sur la glace, avec des crissements dans les courbes du trait, et qui ne cesse à aucun moment de fournir un débit régulier d'encre. Et en parlant de glace, comment oublier le *crounch crounch* de la neige sous mes bottes durant une journée très froide et très ensoleillée ? Ma femme, quand elle éclate d'un rire en cascade sans que je m'y attende, mais aussi le rire des enfants et une bonne bouteille de vin avec un repas bien épicé. Ou encore, ces moments magiques où je m'apprête à attaquer une toile blanche, la tête pleine d'images tout en sachant que cela risque aussi d'être un échec de plus.

Voilà ce que je pourrais répondre au sujet du plaisir. Car tout le reste n'est pas du plaisir au même titre que les plaisirs que je viens de décrire. Le reste, c'est la vie de l'esprit dans ce qu'elle a de plus exaltant, et qui dépasse de beaucoup la conception triviale du plaisir contemporain. Sinon quel plaisir pourrait-il être comparable au simple fait d'être vivant ? Le reste, c'est l'aventure intellectuelle, le simple fait de posséder un cerveau curieux de tout et de soi-même, et qui ne cesse de me poser des questions et des défis. C'est aussi cette lucidité, que le poète Char appelle « la blessure la plus rapprochée du soleil », cette impossibilité de m'abandonner au bourbier des certitudes publiques ou de l'amour-propre, et cette exigence continuelle d'une signification toujours plus complexe et englobante, et toujours remise en question. Mais c'est aussi — pourquoi pas ? — la joie d'observer la bêtise quotidienne de mes semblables aller de pair avec leur noblesse infinie aux moments les plus tragiques.

Malgré les réflexions au long de cette promenade, je suis toujours dans l'ignorance totale au sujet des causes premières de mon formidable besoin d'aventures pour me découvrir. Était-ce un tempérament inné trop ambitieux, une faille génétique du type mutation expérimentale ou simplement une angoisse massive devant la mort ? Mais pourquoi donc cette angoisse-là, cette peur du vide, si les gens alentour paraissaient si à l'aise dans leur quotidien tel qu'il était ? Ou peut-être qu'en effet je suis né plus vide que les autres, et qu'il fallait me remplir par mes propres moyens, me donner du corps pour arriver à tenir debout. La bâtardise qu'on m'attribuait et les seuls rêves de mon père ne me semblent en tout cas pas des causes suffisantes pour un tel déploiement de liberté créatrice. Est-ce que je m'étais choisi ainsi rien que pour faire chier mon entourage, pour me distinguer ? Oui, sans aucun doute. Mais encore là, je reste dans le domaine des réactions et non pas dans celui des causes premières, ce qui constitue la pétition de principe essentielle de toutes les théories psychologiques. À moins que l'on n'accepte un jour l'existence de cette libido créatrice que j'ai évoquée au début du présent livre, et dont mon petit corps d'enfant aurait été anormalement surproducteur. Mais c'est trop simpliste comme explication ; cela fait penser aux élucubrations de

Freud concernant l'énergie sexuelle, et mieux vaut donc garder le mystère.

Pour ce qui est de tous ces romans, en faisant abstraction totale de ma peinture, peut-être qu'ils sont uniquement des épiphénomènes d'un *Pavillon des miroirs* trop élagué pour les besoins de l'édition. Sérieusement, j'ai déjà pensé que tous ces livres pouvaient venir de la tâche d'introspection inachevée dans mon premier travail d'écriture. On appelle cela l'effet Zeigarnik en psychologie expérimentale, c'est-à-dire l'obsession ou la persistance dans la conscience des tâches inachevées ou interrompues, pendant que celles menées à terme semblent apaisées et ne tourmentent plus l'esprit du sujet. J'avais simplement soulevé alors une série de questions, et il me fallait ensuite des interlocuteurs comme Sirigaito, comme Mindras, comme le professeur Mansour ou le peintre Gilberto pour m'aider à les formuler correctement. Ensuite, je pouvais les confronter à des visions cyniques telles que celles d'Aloïs, de Lucien, de Guderius, ou à la vision aristocratique d'un Gandalf, d'un Otto Gorz ou d'un Makarius entre autres. Il me fallait expérimenter l'existence d'un Boris Nikto ou d'un Max Willem, même celle de Draco Spivac, et ensuite revenir à ma propre vie singulière, mieux outillé pour la comprendre. Et il fallait absolument que je les écrive, car les débats mentaux n'ont jamais la même rigueur que ceux que l'on effectue appuyé sur la logique de la grammaire et le souci de la vraisemblance. Quand je me mets dans la position du lecteur, j'arrive bien plus facilement à percevoir les failles de certaines formulations, et c'est ainsi que, tout en écrivant essentiellement pour moi, j'aime avoir l'ombre d'un lecteur pour me ramener à l'ordre quand je commence à vouloir tricher. Peut-être… Cela est bien possible, car j'ai la nette impression d'avoir fait un véritable tour de table presque exhaustif de mes préoccupations philosophiques au long de ces romans. Et j'en ressors avec le sentiment d'être moins tourmenté et plus disponible pour le simple travail de peinture. Il reste naturellement encore quelques détails à régler, même si je crois avoir harnaché définitivement mes lubies littéraires, en particulier avec l'écriture du présent récit. J'ai encore tant d'histoires accumulées dans ma tête que je vais peut-être écrire à nouveau, au moins un roman sur la folie, ce qui me semble un défi de taille et une aventure à ma portée. Mais au contraire de ce qui se passe avec la peinture, ces livres alignés sur mon étagère me suffisent déjà pour me distraire. D'ailleurs, chaque fois que je les feuillette, ils me comblent par leur richesse au sujet des questions qui m'importent, et ils ne cessent de me fouetter pour que je revienne à ma passion de la peinture, jamais pour que j'en écrive d'autres. Le plaisir de l'écriture est là, certes, après toutes ces histoires et ces personnages imaginés, mais c'est un plaisir moins pressant qu'au début, moins nécessaire aussi.

Tout au long de cette promenade en marge de ma vie et de mes écrits, j'ai aussi gagné une conscience accrue de ce que j'ai appelé dans *Errances* le mystère des runes. À la fin de ce roman, un peintre devenu désabusé fait mention de ces mystères pour expliquer son incapacité de se renouveler après avoir atteint la fortune et une certaine renommée. Il rappelle qu'à l'origine, dans les langues germaniques, le mot « rune » avait la même étymologie que les mots « secret », « murmure » ou « soupçon » ; que l'acte créateur impliquait autrefois aussi des aspects magiques, et que celui qui traçait des runes pour dire les secrets du monde le faisait dans la crainte des maléfices et au moyen d'une passion incantatoire. Ce peintre explique alors qu'il a perdu justement ce sentiment magique devant ses tableaux, le pouvoir de s'émouvoir en traçant ses propres runes pour ainsi dire ; il déplore d'agir comme un simple scribe ou un prêtre célébrant qui a perdu sa foi. Je crois que ce court passage est ce que j'ai écrit de plus significatif et de plus beau au sujet de l'acte de création artistique, et il m'arrive souvent d'y revenir pour méditer sur ma propre condition. En particulier ma condition d'artiste vieillissant, qui ne ressent plus ses anciens inconforts devant son identité un peu chaotique. À l'époque de l'écriture d'*Errances*, et devant faire face à la fin de ma danse macabre, je me posais exactement le même genre de questions que le peintre Gilberto se pose avant de se suicider. Mais tout n'était pas clair dans mon esprit à ce moment-là, et je confondais encore la question de l'identité — que l'écriture était en train d'arranger grâce à la cohérence de la syntaxe — avec la question du mystère de l'acte créateur. Je craignais alors qu'une trop grande mise en ordre littéraire de mon existence ou une clarté narrative ne viennent justement banaliser le pouvoir ensorcelant de l'acte de création plastique. Je me suis même débattu avec le double versant de ce problème, clarté versus mystère, durant les années suivantes, en me créant sans cesse de nouveaux défis dans la peinture pour tenter de ne pas sombrer dans le dilemme de ce vieux peintre. En ce qui me concerne cependant, c'était un simple cas de mauvaise formulation de la question, mais j'évitais de m'y attarder par une sorte de crainte un peu superstitieuse. Maintenant, après cette promenade en marge de moi-même, ces craintes ont disparu, car j'ai pu enfin saisir convenablement l'essence de l'acte d'écriture et sa signification pour moi. Je constate en effet que l'écriture comme telle n'a jamais été et ne sera jamais un domaine de mystères et de pouvoirs incantatoires capable de déranger ou de banaliser la création plastique. Il n'y a jamais eu de runes pour moi dans l'écriture, mais un simple passe-temps divertissant en dépit de son aura de charmes et de célébrations sociales. J'en suis guéri. Cette descente dans les cuisines de ma propre création littéraire m'a permis de me rendre compte que le véritable plaisir se situe dans mes rêveries solitaires et non pas dans leurs actualisations en forme de texte. Et puisque la parole m'a déjà servi comme instrument psychologique, je reviens aux mystères qui m'importent le plus. Tout au long de ce livre-ci, j'ai fait l'expérience de l'impossibilité absolue, radicale d'en écrire un autre, mais analogue cette fois, et sur l'art de la peinture. Cette incapacité malgré tous mes efforts de saisir par la parole l'acte magique et presque liturgique de la représentation plastique me ravissait sans cesse. J'ai tenté vraiment de le dire en me servant de ma créativité littéraire, mais il se dérobe toujours, comme il se dérobait dans *L'art du maquillage* en dépit de tous les déguisements que j'y ai employés pour donner l'impression que je dévoilais son mystère. Et je n'ai jamais trouvé dans toute la littérature un seul livre qui soit capable d'exprimer l'originalité de l'acte de création plastique. Je constatais ainsi, chaque jour, que mes runes restaient bel et bien intactes et toujours incantatoires dans mon atelier de peintre. Et qu'en fait, ce que j'avais tenté avec *Le pavillon des miroirs* n'était qu'un simple voile d'apparences langagières, sans aucun rapport avec la profondeur qui m'attire dans l'acte de tracer mes propres runes visuelles. Cette reconquête de moi ne se voit peut-être pas assez dans le texte de ce récit, mais je tiens à le raconter au lecteur pour qu'il sache que la réflexion systématique peut aussi, quand elle est menée avec rigueur et sans crainte, nous redonner même nos plus chères contradictions.

Mais attention ! Je ne cherche absolument pas à établir une quelconque hiérarchie de valeurs ici, car je peux aisément concevoir que la parole puisse avoir les mêmes effets ensorcelants et magiques pour d'autres personnes. Je parle pour moi uniquement, de ce qui blesse mon âme singulière, et de ce que seule l'écriture de plusieurs romans au fil des ans pouvait m'apprendre : le langage comme la science ou la logique ont toujours été mes côtés de clarté, où je cherchais refuge devant la turbulence de mes images. Mais seules ces dernières réussissent vraiment à me transporter dans des sphères d'enchantement.

❑

Curieusement, les quelques idées de romans qui me restent dans l'esprit comme valant la peine d'être un jour écrites concernent toutes le thème de la mort. Je sais bien que ce thème est omniprésent dans mes livres, car c'est uniquement dans la conscience de la mort qu'on peut comprendre la vie et le combat des hommes. Mais dans le cas de ces romans en attente d'écriture, y compris celui sur la folie, la mort est en elle-même le sujet principal. C'est comme si j'avais fait un formidable détour par les images et les narrations, pour devoir enfin l'affronter dans sa spécificité à la fois de clôture de la vie et de déchéance.

Ceci me rappelle une très belle histoire que j'ai lue quelque part il y a longtemps, et dont je me souviens toujours avec plaisir. Malheureusement, j'ignore son auteur, même si je l'admire beaucoup. Cela se passe en Turquie, dans un village loin de la capitale :

Dans la propriété d'un riche seigneur, le jardinier accourt un jour effrayé auprès de son maître, et l'implore de le laisser partir immédiatement.

— Je viens de rencontrer la Mort dans le jardin, dit-il, et elle m'a reconnu. De grâce, prêtez-moi un cheval et laissez-moi partir d'ici, sinon elle va m'attraper. Si je me dépêche, je serai ce soir à Ankara et je me perdrai dans la foule. Peut-être qu'elle m'oubliera.

Le maître accède à sa demande, et le jardinier part au grand galop, content de pouvoir fuir. Très impressionné par ce qui vient de se passer, le maître s'en va alors faire le tour du jardin, et il y trouve en effet la Mort. Mais celle-ci paraît un peu confuse, pensive.

— Eh ! la Mort ! l'interpelle le maître, que fais-tu ici à effrayer mon serviteur ?

— Effrayer ? demande la Mort. Non, mon grand seigneur, je ne cherchais pas à l'effrayer. Au contraire, j'ai même sursauté de surprise en le voyant ici.

— Comment ça, de surprise ?

— En effet, mon grand seigneur, de surprise. Je me suis étonnée de le trouver ici, toujours à jardiner, car j'ai justement rendez-vous avec lui ce soir à Ankara.

Cette belle histoire me fait aussi sourire, car elle me rappelle trop la mienne dans beaucoup de ses aspects. Depuis aussi longtemps que je me souvienne, il était également pour moi question de mort. Comme je l'ai déjà mentionné, il était question de mort en vie, d'existences délabrées et sans signification, mais aussi question de mort réelle sous la forme de cadavres, de pustules et de mendiants, d'infirmités et d'étouffement, aussi bien que de situations sans issue et de rêves impossibles à réaliser. J'ai souvent pensé que mon appétit insatiable pour les aventures pouvait ne constituer que de multiples tentatives de fuir devant la mort, de me créer des existences personnelles à partir de rien pour ne rien posséder que la mort puisse emporter quand viendrait mon tour de l'affronter. Ensuite, ma fascination pour les figures de la mort, pour ses déguisements — dans la vie, dans ses représentations plastiques mais aussi dans la littérature — et même pour l'anatomie pouvait signifier autant de tentatives de l'apprivoiser symboliquement pour pouvoir la regarder sans effroi. De cette façon, quand elle arriverait sous la forme des spectres de mon enfance, je serais en possession de tout ce qu'elle a d'humain, et elle ne saurait plus me faire peur. Il fallait aussi que je l'approche en prenant des risques réels, pour la narguer, lui montrer mon mépris et crâner un peu devant cette mort femelle aux allures de mère oppressive ou de famille en tant que mausolée des rêves. Je me souviens à cet effet de l'importance qu'a pris le tabac dans ma vie depuis l'enfance, justement parce qu'on me menaçait de mourir affreusement étouffé comme les autres tuberculeux. Cigarette au bec, je l'invitais à venir m'attraper, tout en dégustant les merveilleuses rêveries que le tabac n'a jamais cessé de m'offrir. Et ceci est vrai encore aujourd'hui, quand j'écris ces lignes pendu à ma pipe, incapable de comprendre comment on peut s'occuper sérieusement d'art sans fumer. Mais dans le monde féminisé et rose muqueuse des temps actuels, voilà que la menace persiste, et le créateur se voit brandir le spectre de nouvelles tuberculoses s'il ne soigne pas sa santé à l'aide de trivialités et de vie casanière, s'il n'abandonne pas les risques et ses illusions d'aventurier. C'est la même mort qui tente de me faire peur, et je cours encore en lui faisant un pied de nez. Elle reste toujours aux aguets, non pas dans la vraie vie, puisqu'elle sait que je suis devenu un adversaire de taille, mais en m'attendant sournoisement chaque fois que je m'endors pour m'assaillir sous la forme de cauchemars. Tant pis ; au réveil, j'en fais des tableaux et je me moque d'elle dans mes livres.

C'est avec le sourire, comme en reconnaissant une vieille camarade, que j'approche maintenant de la fin, de mon Ankara où nous avons rendez-vous. Et je me rends enfin compte que je l'ai toujours profondément aimée, ou que je n'ai qu'elle pour me fonder comme errant et étranger. Voilà encore un de ces étranges paradoxes desquels je suis d'autant plus fier qu'ils défient toute tentative de résolution.

Mais étrangement, sans que je sache trop pourquoi, depuis un bon moment déjà la mort a déserté mes tableaux, du moins dans ses aspects les plus sinistres, pour devenir une simple figurante sporadique. J'ai l'air de faire comme certains metteurs en scène avec leurs acteurs fétiches, en les gardant pour des petits rôles d'appoint par simple tendresse envers les films passés. Je sais la peindre si belle que ce serait dommage de l'exclure totalement quand je peux lui donner une petite place ici et là. Pourtant, la voilà qui semble vouloir revenir sous le couvert de la littérature, en m'inspirant des romans tragiques. C'est comme si elle m'avait vu dominer des thèmes difficiles de l'existence par le langage, et se disait que ses mystères aussi gagneraient en clarté ou en noblesse par la magie de la syntaxe narrative. Peut-être que c'est aussi bête que ça. Ou bien, je commence à voir la mort comme aventure réelle — il est peut-être temps ! — et je souhaite l'explorer pour l'appréhender aussi dans son intimité plutôt que de me confiner à ses apparences. Le mime Makarius, en tout cas, ne cesse de m'inviter aux aventures macabres, dont il promet beaucoup de plaisir et d'émerveillements. Qui sait où cela pourra me conduire ? Et comme le temps qui me reste commence à se faire court, j'ai au moins la certitude que les bonnes aventures ne manqueront pas d'ici à la fin. C'est toujours cela, et c'est déjà bien plus que ce que possèdent la plupart des autres gens.

Je suis donc l'avis de ce bon vieux Nietzsche, toujours à propos, quand il conseille : « Fuis, mon ami, dans ta solitude, où souffle un vent rude et puissant. » Et merci, cher lecteur, pour la compagnie dans cette longue promenade.

Dans la même collection

Donald Alarie, *Tu crois que ça va durer ?*
Émilie Andrewes, *Les mouches pauvres d'Ésope.*
Aude, *L'homme au complet.*
Aude, *Quelqu'un.*
Noël Audet, *Les bonheurs d'un héros incertain.*
Marie Auger, *L'excision.*
Marie Auger, *J'ai froid aux yeux.*
Marie Auger, *Tombeau.*
Marie Auger, *Le ventre en tête.*
Robert Baillie, *Boulevard Raspail.*
André Berthiaume, *Les petits caractères.*
André Brochu, *Les Épervières.*
André Brochu, *Le maître rêveur.*
André Brochu, *La vie aux trousses.*
Serge Bruneau, *Hot Blues.*
Serge Bruneau, *Rosa-Lux et la baie des Anges.*
Normand Cazelais, *Ring.*
Roch Carrier, *Les moines dans la tour.*
Denys Chabot, *La tête des eaux.*
Anne Élaine Cliche, *Rien et autres souvenirs.*
Hugues Corriveau, *La maison rouge du bord de mer.*
Hugues Corriveau, *Parc univers.*
Esther Croft, *De belles paroles.*
Claire Dé, *Sourdes amours.*
Guy Demers, *L'intime.*
Guy Demers, *Sabines.*
Jean Désy, *Le coureur de froid.*
Danielle Dubé, *Le carnet de Léo.*
Danielle Dubé et Yvon Paré, *Un été en Provence.*
Louise Dupré, *La Voie lactée.*
Jacques Garneau, *Lettres de Russie.*
Bertrand Gervais, *Gazole.*
Bertrand Gervais, *Oslo.*
Bertrand Gervais, *Tessons.*
Mario Girard, *L'abîmetière.*
Sylvie Grégoire, *Gare Belle-Étoile.*
Hélène Guy, *Amours au noir.*
Louis Hamelin, *Betsi Larousse.*
Julie Hivon, *Ce qu'il en reste.*
Sergio Kokis, *Les amants de l'Alfama.*
Sergio Kokis, *L'art du maquillage.*
Sergio Kokis, *Errances.*
Sergio Kokis, *Kaléidoscope brisé.*
Sergio Kokis, *Le magicien.*
Sergio Kokis, *Le maître de jeu.*
Sergio Kokis, *Negao et Doralice.*
Sergio Kokis, *Un sourire blindé.*
Sergio Kokis, *Saltimbanques.*
Micheline La France, *Le don d'Auguste.*
Andrée Laurier, *Le jardin d'attente.*
Andrée Laurier, *Mer intérieure.*
Claude Marceau, *Le viol de Marie-France O'Connor.*
Felicia Mihali, *Luc, le Chinois et moi.*
Felicia Mihali, *Le pays du fromage.*
Marcel Moussette, *L'hiver du Chinois.*
Paule Noyart, *Vigie.*
Yvon Paré, *Les plus belles années.*
Jean Pelchat, *La survie de Vincent Van Gogh.*
Jean Pelchat, *Un cheval métaphysique.*
Michèle Péloquin, *Les yeux des autres.*
Daniel Pigeon, *Ceux qui partent.*
Daniel Pigeon, *Dépossession.*
Daniel Pigeon, *La proie des autres.*
Hélène Rioux, *Le cimetière des éléphants.*
Hélène Rioux, *Traductrice de sentiments.*
Jocelyne Saucier, *La vie comme une image.*
Jocelyne Saucier, *Les héritiers de la mine.*
Denis Thériault, *L'iguane.*
Gérald Tougas, *La clef de sol et autres récits.*
Pierre Tourangeau, *La dot de la Mère Missel.*
Pierre Tourangeau, *Le retour d'Ariane.*
André Vanasse, *Avenue De Lorimier.*

Cet ouvrage
composé en Palatino corps 11,5 sur 14,5
a été achevé d'imprimer
en août deux mille quatre
sur les presses de

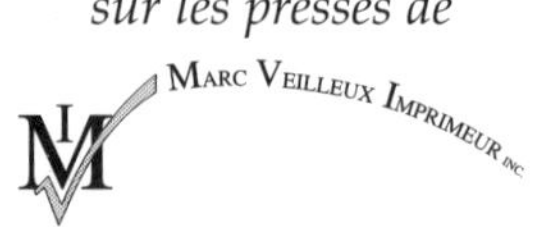

Boucherville (Québec), Canada.